《开宝本草》辑校

【宋】卢多逊 等 撰
尚志钧 辑校

北京科学技术出版社

本草古籍辑注丛书 · 第一辑

尚志钧 / 辑注
尚元胜 尚云飞 / 整理
尚元藕 任 何

2018年度国家古籍整理出版专项经费资助项目

尚志钧百年诞辰典藏

尚志钧本草文献全集

图书在版编目（CIP）数据

本草古籍辑注丛书．第一辑．《开宝本草》辑校／（宋）卢多逊等撰；尚志钧辑校．—北京：北京科学技术出版社，2019.1

ISBN 978－7－5304－9989－4

Ⅰ．①本…　Ⅱ．①卢…②尚…　Ⅲ．①本草－中医典籍－注释②本草－中国－宋代　Ⅳ．①R281.3

中国版本图书馆 CIP 数据核字（2018）第 268696 号

本草古籍辑注丛书·第一辑．《开宝本草》辑校

辑　　校：尚志钧
策划编辑：侍　伟　白世敬
责任编辑：杨朝晖　张　洁　董桂红　白世敬　朱会兰　吴　丹
责任印制：张　良
责任校对：贾　荣
出 版 人：曾庆宇
出版发行：北京科学技术出版社
社　　址：北京西直门南大街 16 号
邮政编码：100035
电话传真：0086－10－66135495（总编室）
0086－10－66113227（发行部）
0086－10－66161952（发行部传真）
电子信箱：bjkj@bjkjpress.com
网　　址：www.bkydw.cn
经　　销：新华书店
印　　刷：北京七彩京通数码快印有限公司
开　　本：787mm×1092mm　1/16
字　　数：506 千字
印　　张：28.75
版　　次：2019 年 1 月第 1 版
印　　次：2019 年 1 月第 1 次印刷
ISBN 978－7－5304－9989－4/R·2544

定　　价：650.00 元

《〈开宝本草〉辑校》序

《开宝本草》是以宋太祖赵匡胤的第三个年号“开宝”命名的。据《嘉祐本草·补注所引书传》记载，《开宝本草》共修两次，先在开宝六年（973）修成，名《开宝新详定本草》；次年（974）又重修，名《开宝重定本草》。通常所讲《开宝本草》侧重指后者。

《开宝本草》是北宋初，国家组织尚药奉御刘翰，道士马志，翰林医官翟煦、张素、王从蕴、吴复圭、王光祐、陈昭遇、安自良等9人，以《唐本草》为基础，参考陈藏器《本草拾遗》、李含光《本草音义》、韩保昇《蜀本草》及其他诸书，修订而成的。书中还增加了一些新药，刊正了一些别名，且其中还有马志所作的注释。清本完成后，经扈蒙、卢多逊审阅，由皇帝作序，在国子监出版，凡20卷，名为《开宝新详定本草》，宋代书志题为卢多逊定。

《开宝新详定本草》是最早用雕版印刷的（以往本草皆是手工抄写）本草著作。李昉等校阅此书时发现，雕刻时未对《神农本草经》（简称《本经》）文和《名医别录》（简称《别录》）文进行区别，全刻成了黑字，且书中注解也有错误，于是重修重刻，把《本经》文刻成黑底白字，把《别录》文刻成墨字。书成并目录共21卷，定名为《开宝重定本草》，宋代书志题为李昉等撰。从《开宝本草》修订两次的事实来看，北宋政府对具有中国药典性质的本草著作的编纂是十分重视的。

全书分序例与药物两大部分，序例相当于总论，药物相当于各论。

序例是由《唐本草·序例》发展而成的。《开宝本草·序例》分为2卷，卷1有“开宝重定序”“唐本序”及“梁·陶隐居序”的上半截；卷2有诸病通用药、解百药及金石药等毒例、服药食忌例、凡药不宜入汤酒者、药物畏恶七情例等内容。

药物列为18卷，从卷3到卷20，分别详论每个药物的内容。

全书药物分类，沿袭《唐本草》的分类，将药物分为玉石、草、木、兽禽、虫鱼、果、菜、米、有名无用9类。

全书收药983种，其中《唐本草》药850种，《开宝本草》新增药133种。《嘉祐本草·嘉祐补注总序》云：“国朝开宝中，两诏医工刘翰、道士马志等，相与撰集，又取医家尝用有效者一百三十三种。”

全书目录，沿用《唐本草》的目录，但对某些药物的位置做了一些改动。例如，把彼子从虫鱼部退到有名无用类；食盐从米部移到玉石部；半天河、地浆从草部移到玉石部；橘柚自木部迁到果部；笔头灰、败鼓皮从草部移到兽禽部；生姜从菜部“韭”条移到草部而并在“干姜”条下；伏翼自虫鱼部移到兽禽部。

全书编写体例，和《唐本草》相同。《唐本草》原是手抄本，书中《本经》文朱书，《别录》文墨书。由于雕版的应用，《开宝本草》改为雕版印刷，把《本经》文印成黑底白字，把《别录》文印成黑字，并对“序例”中原用朱墨点标记的药性寒温，改为文字说明之。这样做，也是为了适应由手工抄录转为印刷的需要，从而能达到保存文献的目的。所以《开宝本草》的印刷，由雕版的阴阳文代替了朱墨分书，使具有中国药典性质的本草著作有了第一个印刷刊本。

《开宝本草》在印刷时，将每个药的正文印成大字，注文印成小字。

对正文大字进行标记，除将《本经》文印成白字、《别录》文印成黑字外，还对《唐本草》新增药标“唐附”、《开宝本草》新增药标“今附”。

注文也作有标记。凡陶隐居注，冠以“陶隐居云”；《唐本草》注，冠以“唐本注”；《开宝本草》注，冠以“今按”“今注”。“今按”是根据文献作的注，“今注”是注解药物形性、纠正前人记述错误的注。

在全书983种药物中，有270余种药有注释。属“今按”者179次，“今注”者64次，引用前代文献10余种，其中以陈藏器《本草拾遗》被引用次数最多，为129次；其次为“别本注”60次，李含光《本草音义》2次。有些注文还重视实际调查。例如，“鼹鼠”条，《开宝本草》注云：“今博访山人，无精溺成鼠事，亦不能土中行，此是人妄说，陶闻而记尔。”“景天”条，《开宝本草》注云：“皇朝收复岭表，得广州医官，问其事，曾无慎火成树者，盖陶之误尔。”“金屑”条，《开宝本草》注云：“据皇朝收复岭表，询其事于彼人，殊无蛇屎之事。入药当必用熟金，恐后人览藏器之言惑之，故此明辨。”

不过，书中有些注文来自传闻，内容有误。例如，“兔头骨”条，《开宝本草》注云：“兔窍有五六穴，子从口出，今怀妊娠忌食其肉，非为缺唇，亦缘口出。”“乌贼鱼骨”条，《开宝本草》注云：“海人云：昔秦王东游，弃筭袋于海，化为此鱼。”“河豚”条，《开宝本草》云：“无毒。”寇宗奭批评说：“此鱼实有大毒，味虽珍，然修治不如法，食之杀人。”

《开宝本草》新增药物，部分来自前代文献记载。例如，益智子见于《齐民要术》，真珠见于《肘后方》，蛤蚧见于《雷公炮炙论》，丁香见于孙思邈《备急千金要方》（简称《千金方》），莪术见于《药性论》，郁金香见于陈藏器《本草拾遗》，仙茅见于《海药本草》，芦荟见于《南海药谱》，何首乌见于唐·李翱《何首乌传》，威灵仙见于唐·周君巢《威灵仙传》，红蓝花见于《蜀本草》，金樱子见于《蜀本草》，瑇瑁见于陈士良《食性本草》等。但是大部分新增药物，是当时医家习用的有效药，如延胡、没药、乌药、天麻、五灵脂等，且沿用至今。其中有些药物，如山豆根、白豆蔻、使君子等，首载于本书。

《开宝本草》仅流行于宋代，宋代书志如《崇文总目辑释》《通志·艺文略》《玉海》《宋史·艺文志》都有记载。宋以后书志未见收录。

《开宝本草》原书已佚，它的内容散存于《证类本草》中。笔者数十年来从大量古籍中搜集资料，据清代乾嘉考据学的方法，以经、史、子、集、专书、类书相互参证，对本书进行整复，为今后研究本草史和宋代本草文献提供重要的参考资料。

由于本人学术水平所限，书中可能存在错误和缺点，敬希读者指正。

尚志钧

于皖南医学院弋矶山医院

1989 年 2 月

辑校说明

（一）《开宝本草》是北宋开宝年间（968—975）经两次修订而成的本草。第一次修订在开宝六年（973），名《开宝新详定本草》；第二次修订在开宝七年（974），称为《开宝重定本草》。后世所言《开宝本草》多侧重指后者。

（二）《开宝本草》共20卷，卷1、卷2为序例，卷3到卷20为药物各论。

（三）《开宝本草》卷3到卷20，载药983种，各药的次序，是按《唐本草》药物目次，参照《本草衍义》《政和本草》等书药物目次编排的。原卷3至卷20各卷开头有卷内药物目次，书首另有目录。为了节省篇幅，辑复时省去各卷分目，保留书首目录。

（四）本书的辑复校订，以现存最早本为底本，以后出本为核校本。本书药物条文以《唐本草》为底本，《唐本草》所缺者，以《大观本草》《政和本草》为底本。此外，还用现存载有古本草资料的古书予以校订，如《千金要方》《千金翼方》《医心方》、各种刊本《政和本草》、各种类书（《太平御览》《草木典》《禽虫典》）、各种版本《本草纲目》等。

（五）本书所辑资料，以善本底本为主，核校本仅作参考。凡遇底本有疑义处，如舛错、脱漏、衍生、重叠、颠倒、误抄、误刻等，均博引旁征，详加考证后定夺之。

（六）全书中《本经》文，均以《大观本草》《政和本草》黑底白字为依据。

当本书以《唐本草》为底本时，由于其无《本经》标记，仍参照《大观本草》《政和本草》作黑底白字。

（七）全书中涉及避讳字，亦以《大观本草》《政和本草》为准。如苏敬的“敬”字，在宋代本草皆作“恭”，本书仍沿袭旧例不改。

（八）本书采用简化字。各底本中的异体字、俗字，以及明显误字、衍文、脱漏文，在辑复中均予改正。

（九）《开宝本草》药物正文资料有4种来源，本书做如下的标示。

《本经》文，在宋代本草刻成黑底白字，现排成准雅宋体字。

《别录》文，在宋代本草刻成黑字，现排成宋一体字。

《唐本草》新增药正文，在宋代本草刻成黑字，在文末标注“唐本先附”，现排成宋一体字，在条末标注“唐附”2字。

《开宝本草》新增药正文，在宋代本草刻成黑字，在文末标注“今附”2字，现排成宋一体字，在条末标注“今附”2字。

（十）各药正文后附注释文有4种内容，其中七情畏恶资料，作小字，附在正文大字末尾；陶弘景注文，另起一段，作楷体，并在开头冠以“陶隐居云”4字；苏敬注文，另起一段，作楷体，并在开头冠以“唐本注云”4字；《开宝本草》注文，另起一段，作楷体，并在开头冠以“今按”，或“今注”，或“今详”。

（十一）古本草多无断句，为了读者阅读方便，辑校中试加标点。

（十二）关于本书在辑校时对目录的考订及其资料的辑复和处理，另有专文说明。

（十三）本书辑复者对每条辑文原曾加注版本出处并附有校勘注文，出版时为了节省篇幅，已予删除。

《开宝本草》 目录的考订

《开宝本草》是在《唐本草》（原名《新修本草》）基础上编修的，故《开宝本草》的目录和《唐本草》目录是相近的。《嘉祐本草》是在《开宝本草》基础上编修的，故《嘉祐本草》目录也和《唐本草》目录相近。寇宗奭《本草衍义》目录沿用的是《嘉祐本草》目录，故《本草衍义》目录也和《唐本草》目录相近。但是有人认为《本草衍义》目录，是寇氏直接抄的《唐本草》目录，日本森立之就持这种观点。例如，清·杨守敬《日本访书志》（姑苏园刊本）所载《本草衍义》条引森立之云："此书通编药名次第，全与苏敬《新修本草》相符。寇氏盖以《证类本草》分门增药为非是，因就《新修》而作《衍义》也。然则掌氏、苏氏之书，与《新修本草》义例相同。"（《四部总录·子部·医家类》454 页引文同）。

按森立之所云，《本草衍义》目录抄自《新修本草》目录。

从《本草衍义》目录的卷首语来看，其又不像抄袭《新修本草》目录。卷首语云："其《神农本经》《名医别录》、唐本先附、今附、新补、新定之目，缘本经已著，此更不声说。"这个卷首语是讲药物出处的标记的。凡药物出于《神农本草经》的，即标注"神农本草经"；出于《名医别录》的，即标注"名医别录"；出于《新修本草》（又称《唐本草》）的，即标注"唐本先附"；出于《开宝本草》的新增药，即标注"今附"；出于《嘉祐本草》的新增药，即标注"新补"，或"新定"。寇氏说，这些标记，在本经（指《嘉祐本草》）已经有著录，所以在

《本草衍义》中，就不再重新标记了。

从《本草衍义》目录的卷首语来看，《本草衍义》目录，不是根据《新修本草》编排的，而是根据《嘉祐本草》目次编的，由于这些书的目次大致相同，所以森立之误以为《本草衍义》目录是据《新修本草》而作。

《开宝本草》目录和《唐本草》目录基本上相近，但也有些不同，如《开宝本草》对《唐本草》目录中部分药物位置做了改动。

《开宝本草·开宝重定序》云："笔头灰，兔毫也，而在草部，今移附兔头骨之下。半天河、地浆，皆水也，亦在草部，今移附玉石类之间。败鼓皮，移附于兽类。胡桐泪，改从于木类。紫矿，亦木也，自玉石而取焉。伏翼，实禽也，由虫鱼部而移焉。橘柚，附于果实。食盐，附于光明盐。生姜、干姜，同为一说。至于鸡肠、蘩蒌，陆英、蒴藋，以类相似，从而附之。"

从此序文来看，《开宝本草》对《唐本草》药物位置的移动，多数是将来源相同的药物迁移在一起。兹将《唐本草》目录中被《开宝本草》移动位置的药物列举如下（下列药物名称前的号码指1957年人民卫生出版社影印《政和本草》的页次）。

106 食盐，《唐本草》将之列在米部，《开宝本草》将之移在玉石部。《开宝本草》注云："唐本原在米部，今移。"

320 紫矿、麒麟竭，《唐本草》将之列在玉石部，《开宝本草》将之移在木部。《开宝本草》注云："唐本先附，玉石部，今移。"

327 胡桐泪，《唐本草》将之列在草部，《开宝本草》将之移在木部。《开宝本草》注云："唐本先附，草部，今移。"

131 半天河，《唐本草》将之列在草部，《开宝本草》将之移在玉石部。《开宝本草》注云："唐本原在草部，今移。"

131 地浆，《唐本草》将之列在草部，《开宝本草》将之移在玉石部。《开宝本草》注云："唐本原在草部下品之下，今移。"

521 鸡肠草，《唐本草》将之列在草部，《开宝本草》将之移在菜部。《开宝本草》注云："鸡肠草亦在草部下品，唐注以为剩出一条。详此主疗相似，其一物乎？今移附蘩蒌之下。"

265 蒴藋，《唐本草》将之列在草部狼跋子之后，《开宝本草》将之移在草部陆英之后。《开宝本草》注云："蒴藋条，《唐本草》编在狼跋子之后……今但移附陆英之下。"

395 败鼓皮，《唐本草》将之列在草部，《开宝本草》将之移在兽部。《开宝本草》注云："唐本先附，自草部，今移。"

387 笔头灰，《唐本草》将之列在草部，《开宝本草》将之移在兽部。《开宝本草》注云："唐本先附，自草部，今移。"

461 橘柚，《唐本草》将之列在木部，《开宝本草》将之移在果部。《开宝本草》注云："自木部，今移。"

402 伏翼，《唐本草》将之列在虫鱼部，《开宝本草》将之移在禽部。《开宝本草》注云："自虫鱼部，今移。"

402 天鼠矢，《唐本草》将之列在虫鱼部，《开宝本草》将之移在禽部。

541 彼子，《唐本草》将之列在虫鱼部，《开宝本草》将之退在有名无用类。《开宝本草》注云："今移入于此卷末，以俟识者。"

432 蜗牛，《唐本草》将之列在虫鱼部田螺之后，《开宝本草》将之移在虫鱼部蛞蝓之后。《开宝本草》注云："蜗牛，唐本编在田中螺之后，今详陶隐居云：形似蛞蝓而背负壳。唐本注云：蛞蝓乃无壳蜗蠡。即二种当近似一种，主疗颇同。今移蛞蝓之下。"

此外，在现存《证类本草》中，有些药物排列次序和《唐本草》目录中的并不相同，而又无迁移说明的注文，那么这些药物的排列又是如何确定的呢？这要从《证类本草》中各种注文来研究。

例如，菜部有白瓜子、白冬瓜、瓜蒂三味药。其在《唐本草》的排列次序为白瓜子、白冬瓜、瓜蒂；在《证类本草》的排列次序为瓜蒂、白冬瓜、白瓜子。

那么《开宝本草》对此三味药的排列次序究竟是怎样的呢？人民卫生出版社《政和本草》503 页"瓜蒂"条"今注（即《开宝本草》注）"云："入药当用青瓜蒂，前条白瓜子。"此注中提到的"前条白瓜子"，说明《开宝本草》瓜蒂是在白瓜子之后的。

又同书 503 页"白冬瓜"条"今注"云："此物经霜后，皮上白如粉涂，故云白冬瓜也，前条即冬瓜子之功。"此注中提到的"前条即冬瓜子"6 字，说明白冬瓜是在白瓜子之后的。

上文说过，瓜蒂也在白瓜子之后，那就是说瓜蒂与白冬瓜均在白瓜子之后。那么，瓜蒂与白冬瓜，哪一个更靠近白瓜子呢？人民卫生出版社《政和本草》504 页"白瓜子"条今注云："陶以白冬瓜附于白瓜子之下。"由此注文来看，白冬瓜是靠白瓜子最近的，那么瓜蒂自应在白冬瓜之后。这就可以看出，《开宝本草》中这三味药的排列次序为白瓜子、白冬瓜、瓜蒂，这种排列和现存《证类本草》目录中的排列不同，而与《唐本草》目录中的排列相同。所以说，《开宝本草》目录是沿袭《唐本草》而来的。

其次，关于《开宝本草》新增药的排列，也可从《证类本草》的注文来研究。因为《证类本草》《嘉祐本草》的目录，都是来源于《开宝本草》，但《证类本草》和《嘉祐本草》对《开宝本草》目录均有所改动，从《证类本草》注文，仍可看出它们改动的痕迹。兹举一些例子说明如下（下列药名前号码，也是1957年人民卫生出版社影印《政和本草》的页次）。

196葛粉，是《开宝本草》新增药。《开宝本草》将之列在下品，《证类本草》将之从下品移到中品，列在葛根之后。《本草图经》云："葛根……下品有葛粉条，即此谓也。"《嘉祐本草》作者掌禹锡注云："葛粉，按中品上卷葛根条功用与此相通。"从《本草图经》《嘉祐本草》注文来看，《开宝本草》是将葛根列在中品上卷，将葛粉列在下品的，而《证类本草》是把葛粉列在葛根之后的。

310金樱子，是《开宝本草》新增药。《开宝本草》将之列在草部，《证类本草》将之迁在木部。《证类本草》在目录中注云："今附，自草部今移。"

334密蒙花，是《开宝本草》新增药。《开宝本草》将之列在草部，《证类本草》将之移在木部。这可从《本草衍义》和《本草图经》注文得到证实。《本草衍义》云："此木也，今居草部，恐未尽善。"《本草图经》云："此木类，而在草部，不知何至于此。"

《证类本草》从草部移到木部的药，尚有333伏牛花、333五倍子、333虎杖。

452五灵脂，是《开宝本草》新增药。《开宝本草》将之列在禽部，《嘉祐本草》将之移在虫鱼部。《嘉祐本草》作者掌禹锡注云："今据寒号虫四足有肉翅，不能远飞，所以不入禽部。"

以上诸例，都说明《开宝本草》新增药物排列位置中有不符合自然属性要求的，到《嘉祐本草》或《证类本草》编纂时，均予以重排了。

《开宝本草》资料辑复和处理

《开宝本草》的资料，主要散存于《证类本草》中。《证类本草》是各种刊本《大观本草》《政和本草》，以及《经史证类大全本草》《绍兴本草》的简称。《证类本草》中所收录的《开宝本草》新增药，都标注“今附”2字；所收录的《开宝本草》的注文，都冠有“今注”“今按”“今详”等。此外，《开宝本草》所载《唐本草》内容，亦被《证类本草》转录。

《证类本草》转录的《唐本草》内容，用各种卷子本《新修本草》，以及《千金翼方》《医心方》《本草和名》等书来校，可以发现与现存《唐本草》残卷内容不完全相同，多数是有脱漏的。作为辑校来讲，有脱漏的资料，就不能选用，只有早出而比较完整的资料才可用。为此，在本书辑校时，所选资料都是以最早的资料为主；如无最早的资料，才用后出的资料补充。一般来讲，《唐本草》记载的资料比宋代《证类本草》记载的资料要早，而且《唐本草》收载的本草资料要比《证类本草》详细些，所以在辑录《开宝本草》中有关古本草资料时，皆以《唐本草》为底本。笔者曾对《唐本草》和《证类本草》做过详细的比较，《证类本草》所载古本草资料中脱漏者很多，兹举一些例子说明如下。

（1）《证类本草》所载《唐本草》正文有脱漏。

例如，“牛乳”条，《唐本草》“牛乳”条正文末有“下气”2字。《证类本草》“牛乳”条脱此2字。

"发髲"条，《唐本草》"发髲"条末原有"下痢"2字，《证类本草》脱此2字。

《小儿卫生总微论方》引刘禹锡云："因阅本草有云：乱发合鸡子黄煎，消为水，疗小儿惊热下痢。"此文末"下痢"2字，在《唐本草》中是有的，但《证类本草》脱此2字。

（2）《证类本草》所载《唐本草》注文也有脱漏。

例如，木部柳华，《唐本草》"柳华"条的注文有"本草载花差灸疮"7字。《证类本草》"柳华"条"唐本注"脱漏此7字。

兽部酪，《唐本草》"酪"条的注有"并可作酪，水牛乳作者浓厚，味胜犊牛。马乳作酪性冷"21字。《证类本草》"酪"条"唐本注"脱漏此21字。

菜部荏子，《唐本草》"荏子"条注有"言为重油入漆及油绢帛，此乃用大麻子油，非用此也。漆及油帛，江左所无。故陶为谬误也"35字。《证类本草》"荏子"条"唐本注"脱漏此35字。

（3）《证类本草》所载陶隐居注文也有脱漏。

例如，果部木瓜，《唐本草》"木瓜"条后陶隐居注文末有"凡此属多不益人者也"9字。《证类本草》"木瓜"条陶隐居注文脱漏此9字。

木部猪苓，《唐本草》"猪苓"条后陶隐居注文有"比年殊难得耳"6字。《证类本草》"猪苓"条陶隐居注文脱漏此6字。

木部鼠李，《唐本草》"鼠李"条后陶隐居注文有"此条又附见，今亦在副品限也"12字。《证类本草》"鼠李"条陶隐居注文脱漏此12字。

木部榧实，《唐本草》"榧实"条后陶隐居注文有"不复有余用，不入药方，疑此与前虫品彼子疗说符同"21字。《证类本草》"榧实"条陶隐居注文脱漏此21字。

兽部牛黄，《唐本草》"牛黄"条后陶隐居注文有"俗人多假作，甚相似，唯以磨爪甲舐拭不脱者，是真之"21字。《证类本草》"牛黄"条陶隐居注文脱漏此21字。

类似以上的例子很多，由于篇幅所限，此处从略。

关于《证类本草》对《开宝本草》新增药标注"今附"一事，也存在下列一些问题。《证类本草》将《名医别录》药误注为《开宝本草》新增药。例如，《证类本草》卷十一草部下品之"蒴藋"条，原是《名医别录》药，《证类本草》在其条文末尾误注"今附"2字（"今附"为《开宝本草》新增药的标记）。

按，《证类本草》收录《开宝本草》新增药共有133条，每条末均注有“今附”2字。日本学者冈西为人对《证类本草》中“今附”2字的出现次数曾做过统计，统计的结果与133种不符。所以冈西为人《宋以前医籍考》1273页云：“按右序（指《嘉祐本草·序》）末所记药品数，未曾闻有疑之者。然今查其实数，即以《开宝》今附则一百三十四种。”

冈西为人的统计为什么会多出1种？这是《证类本草》对某些药所注“今附”有误所致。

《证类本草》对《开宝本草》新增药，漏注“今附”。《证类本草》转录《开宝本草》新增药，漏注“今附”标记的，有下列数种药（药名前号码亦为1957年人民卫生出版社影印《政和本草》的页次）：333五倍子、310金樱子、334密蒙花、333伏牛花。

此外，《证类本草》因翻刻次数多，亦存在很多误字，这对文义产生很大的影响。

例如，《证类本草》卷一“序例”所载“梁·陶隐居序”中有“其贵胜阮德如张茂先辈逸民皇甫士安”16字。清代版本《本草纲目》引此16字，断句为“其贵胜阮德如、张茂先辈、逸民皇甫士安”。按《本草纲目》所断之句，则此16字文义为3个人的名字。其实，在此16字中，有个“辈”字是“裴”字的笔误。因为敦煌出土的陶弘景《本草经集注·序录》中有此16字，其中“辈”作“裴”。按文理应断句为“其贵胜阮德如、张茂先、裴逸民、皇甫士安”。则此16字文义应该是4个人的名字。只因“辈”“裴”一字之差，引文全然不同。

又如，《证类本草》兽部“鹿茸”条中有“骨中热疽痒骨安胎下气”。《证类本草》在“痒”“骨”之间插以掌禹锡注文，将“鹿茸”条全文析为两段，“痒”字以上为一段，“骨”字以下为另一段。校以卷子本《唐本草》，则知“痒”为“养”之误。故此文应断句为“骨中热疽，养骨，安胎，下气”。但清代版本《本草纲目》引此文，断句为“骨中热，疽痒，安胎下气”，这种断句使文义与原来意思全不相同。

从以上的例子来看，辑录的资料，要用多方面资料来勘比，才能得出比较可靠的正确资料。

关于《本经》文中“生境”的处理。“生境”指生山谷、川泽、田野。清·孙星衍辑的《神农本草经》，根据《太平御览》引“《经》上云生山谷或川泽，下云生某某郡”，遂定“生山谷、生川泽”为《本经》文。日本森立之辑《本经》采用孙氏的做法，本书亦从孙氏之说，定“生境”（生山谷、川泽、田野）为《本经》文。

笔者在辑录《开宝本草》全书资料时，都经过反复勘比考核，力求资料真实精确可靠。但由于个人学识水平所限，可能存在疏误，敬请读者不吝指正。

尚志钧

1989年2月于芜湖

编校说明

（一）本书为尚志钧先生辑注的本草古籍。本次整理以尚志钧先生已出版的图书《开宝本草（辑复本）》为基础书稿。

（二）尚志钧先生原书为简化字本，本次亦统一使用简化字编排。对书稿进行编辑加工时，主要依据国家语言文字工作委员会文字规范文件（《简化字总表》《异体字整理表》等）的规定以及《汉语大字典》的相关释义，在不影响原义的情况下，将书稿中的繁体字、异体字、通假字等改为现行规范字。但对以下情况做变通或特别处理。

1. 简化字可能使字义淆错或不明晰的，不予简化。如中医病名“癥瘕”之“癥”不简化为“症”。

2.《异体字整理表》等归并不当或关系有歧见的异体字，不做简单归并。如《异体字整理表》将“剉”并入“锉”，但中草药切制古只作“剉”，与“锉”使用的工具、加工的方式与结果都不相同，故不予归并。

3. 古书中的特有、习惯表达，不改为现代用字。如“华”不改“花”，“文”不改“纹”等。

4. 同一物名，若古今用字不同者，不予改动。如“真珠”不改为“珍珠”。尚志钧先生摘录古籍药名时尊重古籍文字原貌，所写药名与现代规范药名不同者，也不做改动，如“芒消”“朴消”等。

（三）对于书稿中的明显的错别字以及常识性错误，编加时直接予以改正，不予出注。

（四）为方便读者阅读，古籍卷页均以阿拉伯数字表示。（如卷23页76，卷987页3等）

（五）为方便查找及统计，尊重并保留原书对古籍药物条文添加的编号。

在本书的编辑整理过程中，得到了尚志钧先生弟子郑金生研究员以及国内多位中医文献学者、古籍出版专家的悉心指教。由于本书体量巨大，且出版时间紧促，编辑水平有限，疏漏谬误，恐所难免，欢迎广大读者批评指正，以期再版更正。

目　录

草部上品之上　卷第六 ······ 111

草部下品之上　卷第十 ······ 179

有名无用　卷第二十 …… 363

药名索引 …… 391

序例上　卷第一

开宝重定序

三坟之书，神农预其一；百药既辨，本草存其录。旧经三卷，世所流传，《名医别录》，互为编纂。至梁正白先生陶弘景，乃以《别录》参其《本经》，朱墨杂书，时谓明白。而又考彼功用，为之注释，列为七卷，南国行焉。逮乎有唐，别加参校，增药八百余味，添注为二十一卷。本经漏功则补之，陶氏误说则证之。然而载历年祀，又逾四百，朱字、墨字无本得同，旧注、新注其文互阙，非圣主抚大同之运，永无疆之休，其何以改而正之哉。乃命尽考传误，刊为定本。类例非允，从而革焉。至如笔头灰，兔毫也，而在草部，今移附兔头骨之下；半天河、地浆，皆水也，亦在草部，今移附玉石类之间；败鼓皮移附于兽类，胡桐泪改从于木类；紫矿亦木也，自玉石而取焉；伏翼实禽也，由虫鱼部而移焉；橘柚附于果实；食盐附于光明盐；生姜、干姜同为一说；至于鸡肠、蘩蒌，陆英、蒴藋，以类相似，从而附之。仍采陈藏器《拾遗》、李含光《音义》，或讨源于别本，或传效于医家，参而较之，辨其臧否。至如突屈白，旧说灰类，今是木根；天麻根解似赤箭，今又全异，去非取是，特立新条。自余刊正，不可悉数，下采众议，定为印板。乃以白字为《神农》所说，墨字为《名医》所传；唐附、今附，各加显注，详其解释，审其形性；证谬误而辨之者，署为今注；考文记而述之者，又为今按。义既刊定，理亦详明。今以新旧药合九百八十三种，并目录二十一卷，广颁天下，传而行焉。

唐本序

礼部郎中　孔志约撰

盖闻天地之大德曰生，运阴阳以播物；含灵之所保曰命，资亭育以尽年。蛰穴栖巢，感物之情盖寡；范金揉木，逐欲之道方滋。而五味或爽，时昧甘辛之节；六气斯沴，易愆寒燠之宜。中外交侵，形神分战。饮食伺衅，成肠胃之眚；风湿候隙，遘手足之灾。几缠肤腠，莫知救止；渐固膏肓，期于夭折。暨炎晖纪物，识药石之功；云瑞名官，穷诊候之术。草木咸得其性，鬼神无所遁情。刳麝刳犀，驱泄邪恶；飞丹炼石，引纳清和。大庇苍生，普济黔首；功侔造化，恩迈财成。日用不知，于今是赖。岐、和、彭、缓，腾绝轨于前；李、华、张、吴，振英声于后。昔秦政煨燔，兹经不预；永嘉丧乱，斯道尚存。梁陶弘景雅好摄生，研精药术。以为《本草经》者，神农之所作，不刊之书也。惜其年代浸远，简编残蠹，与桐、雷众记，颇或踳驳。兴言撰辑，勒成一家，亦以雕琢经方，润色医业。然而时钟鼎峙，闻见阙于殊方；事非佥议，诠释拘于独学。至如重建平之防己，弃槐里之半夏；秋采榆仁，冬收云实；谬粱、米之黄、白，混荆子之牡、蔓；异蘩蒌于鸡肠，合由跋于鸢尾；防葵、狼毒，妄曰同根，钩吻、黄精，引为连类；铅、锡莫辨，橙、柚不分。凡此比例，盖亦多矣。自时厥后，以迄于今，虽方技分镳，名医继轨，更相祖述，罕能厘正。乃复采杜衡于及己，求忍冬于络石；舍陟厘而取莂藤，退飞廉而用马蓟。承疑行妄，曾无有觉；疾瘵多殆，良深慨叹。既而朝议郎行右监门府长史骑都尉臣苏恭，摭陶氏之乖违，辨俗用之纰紊。遂表请修定，深副圣怀。乃诏太尉扬州都督监修国史上柱国赵国公臣无忌、太中大夫行尚药奉御臣许孝崇等二十二人，与苏恭详撰。窃以动植形生，因方舛性；春秋节变，感气殊功。离其本土，则质同而效异；乖于采摘，乃物是而时非。名实既爽，寒温多谬。用之凡庶，其欺已甚；施之君父，逆莫大焉。于是上禀神规，下询众议；普颁天下，营求药物。羽、毛、鳞、介，无远不臻；根、茎、花、实，有名咸萃。遂乃详探秘要，博综方术。《本经》虽阙，有验必书；《别录》虽存，无稽必正。考其同异，择其去取。铅翰昭章，定群言之得失；丹青绮焕，备庶物之形容。撰本草并图经、目录等，凡成五十四卷。庶以网罗今古，开涤耳目，尽医方之妙极，拯生灵之性命。传万祀而无昧，悬百王而不朽。

梁·陶隐居序

隐居先生在乎茅山岩岭之上，以吐纳余暇，颇游意方技，览本草药性，以为尽圣人之心，故撰而论之。旧说皆称《神农本经》，余以为信然。昔神农氏之王天下也，画易卦，以通鬼神之情；造耕种，以省杀害之弊；宣药疗疾，以拯夭伤之命。此三道者，历群圣而滋彰。文王、孔子，彖、象、繇、辞，幽赞人天。后稷、伊尹，播厥百谷，惠被群生。岐、黄、彭、扁，振扬辅导，恩流含气。并岁逾三千，民到于今赖之。但轩辕以前，文字未传，如六爻指垂，画像稼穑，即事成迹。至于药性所主，当以识识相因，不尔何由得闻。至乎桐、雷，乃著在于篇简。此书应与《素问》同类，但后人多更修饰之尔。秦皇所焚，医方、卜术不预，故犹得全录。而遭汉献迁徙，晋怀奔迸，文籍焚糜，千不遗一。今之所存，有此四卷。是其《本经》所出郡县，乃后汉时制，疑仲景、元化等所记。又云有《桐君采药录》，说其华叶形色；《药对》四卷，论其佐使相须。魏晋以来，吴普、李当之等，更复损益。或五百九十五，或四百四十一，或三百一十九。三品混糅，冷热舛错，草石不分，虫兽无辨。且所主疗，互有多少。医家不能备见，则识智有浅深。今辄包综诸经，研括烦省。以《神农本经》三品，合三百六十五为主，又进《名医》副品，亦三百六十五，合七百三十种。精粗皆取，无复遗落，分别科条，区畛物类，兼注铭时用，土地所出，乃仙经道术所须，并此序录，合为三卷。虽未足追踵前良，盖亦一家撰制。吾去世之后，可贻诸知音尔。

本草经卷上 序药性之本源，诠病名之形诊，题记品录，详览施用。

本草经卷中 玉石、草、木三品。

本草经卷下 虫兽、果菜、米食三品，有名无用三品。

右三卷，其中、下二卷，药合七百三十种，各别有目录，并朱、墨杂书并子注，大书分为七卷。

[唐本注]《汉书·艺文志》，有黄帝《内》《外经》。班固论云：经方者，本草石之寒温，原疾病之深浅。乃班固论经方之语，而无本草之名。惟梁《七录》，有《神农本经》三卷，陶据此以《别录》加之为七卷。序云"三品混糅，冷热舛错，草石不分，虫兽无辨"；岂使草木同品，虫兽共条，披览既难，图绘非易。今以序为一卷，例为一卷，玉石三品为三卷，草三品为六卷，木三品为三卷，禽兽为一卷，虫鱼为一卷，果为一卷，菜为一卷，米谷为一卷，有名无用为一卷，合二十卷。其十八卷中，药合八百五十种，三百六十一种《本经》，一百八十一种《别录》，一百一十五种新附，一百九十三种有名未用。

上药一百二十种为君，主养命以应天，无毒，多服久服不伤人。欲轻身益气，不老延年者，本上经。

中药一百二十种为臣，主养性以应人，无毒、有毒，斟酌其宜。欲遏病补虚羸者，本中经。

下药一百二十五种为佐使，主疗病以应地，多毒，不可久服。欲除寒热邪气、破积聚、愈疾者，本下经。

三品合三百六十五种，法三百六十五度，一度应一日，以成一岁；倍其数，合七百三十名也。

本说如此。今按，上品药性，亦皆能遣疾，但其势力和厚，不为仓卒之效，然而岁月常服，必获大益，病既愈矣，命亦兼申。天道仁育，故云应天。独用百廿种者，当谓寅、卯、辰、巳之月，法万物生荣时也。

中品药性，疗病之辞渐深，轻身之说稍薄，于服之者，祛患当速，而延龄为缓。人怀性情，故云应人。一百二十种者，当谓午、未、申、酉之月，法万物熟成时也。

下品药性，专主攻击，毒烈之气，倾损中和，不可恒服，疾愈即止。地体收杀，故云应地。独用一百二十五种者，当谓戌、亥、子、丑之月，兼以闰之，盈数加之，法万物枯藏时也。今合和之体，不必偏用，自随人患苦，参而共行。但君臣配隶，应依后所说，若单服之者，所不论耳。

药有君、臣、佐、使，以相宣摄。合和宜用一君、二臣、三佐、五使；又可一君、三臣、九佐使也。

本说如此。按，今用药，犹如立人之制，若多君少臣，多臣少佐，则势力不周故也。而检仙经俗道诸方，亦不必皆尔。大抵养命之药，则多君；养性之药，则多臣；疗病之药，则多佐。犹依本性所主，而兼复斟酌，详用此者，益当为善。又恐上品君中，复各有贵贱，譬如列国诸侯，虽并得称君制，而犹归宗周；臣佐之中，亦当如此。所以门冬、远志，别有君臣；甘草国老，大黄将军，明其优劣，不皆同秩。自非农岐之徒，孰敢诠正，正应领略轻重，为其分剂也。

药有阴阳配合，子母兄弟，根叶华实，草石骨肉。有单行者，有相须者，有相使者，有相畏者，有相恶者，有相反者，有相杀者。凡此七情，合和当视之，相须、相使者良，勿用相恶、相反者。若有毒宜制，可用相畏、相杀；不尔，勿合用也。

本说如此。按，其主疗虽同，而性理不和，更以成患。今检旧方用药，亦有相恶、相反者，服之不乃为忤。或能复有制持之者，犹如寇、贾辅汉，程、周佐吴，大体既正，不得以私情为害。虽尔，恐不如不用。今仙方甘草丸，有防己、细辛；俗方玉石散，有栝楼、干姜，略举大者如此。其余复有数十余条，别注在后。半夏有毒，用之必须生姜，此是取其所畏，以相制耳。其相须、相使，不必同类，犹如和羹、调食鱼肉，葱、豉各有所宜，共相宣发也。

药有酸、咸、甘、苦、辛五味，又有寒、热、温、凉四气，及有毒、无毒。阴干、暴干，采造时月生熟，土地所出，真伪陈新，并各有法。

本说如此。又有分剂秤两，轻重多少，皆须甄别。若用得其宜，与病相会，入口必愈，身安寿延。若冷热乖衷，真假非类，分两违舛，汤丸失度，当瘥反剧，以至殆命。医者意也，古之所谓良医，盖善以意量得其节也。谚言：俗无良医，枉死者半，拙医疗病，不若不疗。喻如宰夫，以鳝鳖为莼羹，食之更足成病，岂充饥之可望乎？故仲景每云：如此死者，愚医杀之也。

药有宜丸者，宜散者，宜水煮者，宜酒渍者，宜膏煎者，亦有一物兼宜者，亦有不可入汤酒者，并随药性，不得违越。

本说如此。又疾有宜服丸者，宜服散者，宜服汤者，宜服酒者，宜服膏煎者，亦兼参用，察病之源，以为其制耳。

凡欲疗病，先察其源，先候病机。五脏未虚，六腑未竭，血脉未乱，精神未散，食药必活。若病已成，可得半愈。病势已过，命将难全。

本说如此。按，今自非明医，听声察色，至乎诊脉，孰能知未病之病乎？且未病之人，亦无肯自疗。故桓侯怠于皮肤之微，以至骨髓之痼。非但识悟之为难，亦乃信受之弗易。仓公有言：病不肯服药，一死也；信巫不信医，二死也；轻身薄命，不能将慎，三死也。夫病之所由来虽多，而皆关于邪。邪者不正之因，谓非人身之常理，风、寒、暑、湿，饥、饱、劳、逸，皆各是邪，非独鬼气疫疠者矣。人生气中，如鱼在水，水浊则鱼瘦，气昏则人疾。邪气之伤人，最为深重，经络既受此气，传入脏腑，随其虚实冷热，结以成病，病又相生，故流变遂广。精神者，本宅身为用。身既受邪，精神亦乱。神既乱矣，则鬼灵斯入，鬼力渐强，神守稍弱，岂得不致于死乎？古人譬之植杨，斯理当矣。但病亦别有先从鬼神来者，则宜以祈祷祛之，虽曰可祛，犹因药疗致益，李子豫有赤丸之例是也。其药疗无益者，是则不可祛，晋景公膏肓之例是也。大都鬼神之害人多端，疾病之源惟一种，盖有轻重者耳。《真诰》言：常不能慎事上者，自致百疴，而怨咎于神灵；当风卧湿，反责佗人于失福，皆是痴人也。云慎事上者，谓举动之事，必皆慎思；饮食男女，最为百疴之本。致使虚损内起，风湿外侵，所以共成其害，如此岂得关于神明乎？惟当勤药疗为理耳。

若用毒药疗病，先起如黍粟，病去即止，不去倍之，不去十之，取去为度。

本说如此。按，盖谓单行一两种毒物，如巴豆、甘遂辈，不可便令至剂耳。依如经言：一物一毒，服一丸如细麻；二物一毒，服二丸如大麻；三物一毒，服三丸如小豆；四物一毒，服四丸如大豆；五物一毒，服五丸如兔矢；六物一毒，服六丸如梧子；从此至十，皆如梧子，以数为丸。而毒中又有轻重，如狼毒、钩吻，岂同附子、芫花辈耶？凡此之类，皆须量宜。

［唐本注］兔矢大于梧子，等差不类，今以胡豆替小豆，小豆替大豆，大豆替兔矢，以为折衷。

疗寒以热药，疗热以寒药，饮食不消以吐下药，鬼疰蛊毒以毒药，痈肿疮瘤以疮药，风湿以风湿药，各随其所宜。

本说如此。按，今药性，一物兼主十余病者，取其偏长为本，复应观人之虚实补泻，男女老少，苦乐荣悴，乡壤风俗，并各不同。褚澄疗寡妇、尼僧，异乎妻妾，此是达其性怀之所致也。

病在胸膈以上者，先食后服药；病在心腹以下者，先服药后食。病在四肢血脉者，宜空腹而在旦；病在骨髓者，宜饱满而在夜。

本说如此。按，其非但药性之多方，节适早晚，复须修理。今方家所云先食、后食，盖此义也。又有须酒服、饮服、冷服、暖服；服汤有疏、有数；煮汤有生、有熟，皆各有法，用者并应详审之。

夫大病之主，有中风伤寒，寒热温疟，中恶霍乱，大腹水肿，腹澼下痢，大小便不通，奔豚上气，咳逆呕吐，黄疸消渴，留饮癖食，坚积癥瘕，惊邪癫痫鬼疰，喉痹齿痛，耳聋目盲、金创踒折，痈肿恶疮，痔瘘瘿瘤；男子五劳七伤，虚乏羸瘦；女子带下崩中，血闭阴蚀；虫蛇蛊毒所伤。此皆大略宗兆，其间变动枝叶，各依端绪以取之。

本说如此。按，今药之所主，各止说病之一名。假令中风，中风乃数十种；伤寒证候，亦二十余条，更复就中求其类例，大体归其始终，以本性为根宗，然后配合诸证，以合药耳。病生之变，不可一概言之。所以医方千卷，犹未理尽。春秋已前及和、缓之书蔑闻，道经略载扁鹊数法，其用药犹是本草家意。至汉淳于意及华佗等方，今时有存者，亦皆修药性。惟张仲景一部，最为众方之祖，又悉依本草。但其善诊脉、明气候以意消息之耳。至于刳肠剖臆、刮骨续筋之法，乃别术所得，非神农家事。自晋代已来，有张苗、宫泰、刘德、史脱、靳邵、赵泉、李子豫等一代良医。其贵胜阮德如、张茂先、裴逸民、皇甫士安，及江左葛稚川、蔡谟、殷渊源诸名人等，并亦研精药术。宋有羊欣、王微、胡洽、秦承祖，齐有尚书褚澄、徐文伯、嗣伯群从兄弟，疗病亦十愈其九。

凡此诸人，各有所撰用方，观其指趣，莫非本草者。或时用别药，亦修其性度，非相逾越。《范汪方》百余卷，及葛洪《肘后》，其中有细碎单行径用者，或田舍试验之法，或殊域异识之术。如藕皮散血，起自庖人；牵牛逐水，近出野老。饼店蒜齑，乃是下蛇之药；路边地菘，而为金疮所秘。此盖天地间物，莫不为天地间用，触遇则会，非其主对矣。颜光禄亦云：诠三品药性，以本草为主。道经仙方，服食断谷，延年却老，乃至飞丹转石之奇，云腾羽化之妙，莫不以药导为先。用药之理，又一同本草，但制御之途，小异俗法。犹如粱、肉，主于济命，化夷禽兽，皆共仰资。其为生理则同，其为性灵则异耳。大略所用不多，远至二十余物，或单行数种，便致大益，是其深练岁积。即本草所云久服之效，不如俗人微觉便止，故能臻其所极，以致遐龄，岂但充体愈疾而已哉。

今庸医处疗，皆耻看本草，或倚约旧方，或闻人传说，或遇其所忆，便揽笔疏之，俄然戴面，以此表奇。其畏恶相反，故自寡昧，而药类违僻，分两参差，亦不以为疑脱。或偶尔值差，则自信方验；若旬月未瘳，则言病源深结。了不反求诸已，详思得失，虚构声称，多纳金帛，非惟在显宜责，固将居幽贻谴矣。其五经四部，军国礼服，若详用乖越者，正于事迹非宜耳。至于汤药，一物有谬，便性命及之。千乘之君，百金之长，何不思戒慎耶？

昔许太子侍药不尝，招弑君之恶；季孙馈药，仲尼有未达之辞，知其药性之不可轻信也。晋时有一才人，欲刊正《周易》及诸药方，先与祖讷共论。祖云：辨释经典，纵有异同，不足以伤风教；方药小小不达，便致寿夭所由，则后人受弊不少，何可轻以裁断。祖之此言，可谓仁识，足为水镜。《论语》云：人而无恒，不可以作巫医。明此二法，不得以权饰妄造。所以医不三世，不服其药。又云：九折臂，乃成良医。盖谓学功须深故也。复患今之承藉者，多恃炫名价，亦不能精心研解，虚传声美，闻风竞往，自有新学该明，而名称未播，贵胜以为始习，多不信用，委命虚名，谅可惜也。京邑诸人，皆尚声誉，不取实录。余祖世以来，务敦方药，本有《范汪方》一部，斟酌详用，多获其效，内护家门，傍及亲族。其有虚心告请者，不限贵贱，皆摩踵救之。凡所救活，数百千人。自余投缨宅岭，犹不忘此，日夜玩味，恒觉欣欣。今撰此三卷，并效验方五卷，又补阙葛氏《肘后方》三卷。盖欲永嗣善业，令诸子侄，弗敢失坠，可以辅身济物者，孰复是先。

今诸药采造之法，既并用见成，非能自掘，不复具论其事，惟合药须解节度，列之如左。

按，诸药所生，皆的有境界。秦、汉已前，当言列国。今郡县之名，后人所改耳。自江东已来，小小杂药，多出近道，气力性理，不及本邦。假令荆、益不通，则全用历阳当归，钱唐三建，岂得相似？所以疗病不及往人，亦当缘此故也。蜀药及北药，虽有去来，亦复非精者。又市人不解药性，惟尚形饰。上党人参，殆不复售。华阴细辛，弃之如芥。且各随俗相竞，顺方切须，不能多备，诸族故往往遗漏，今之所存，二百许种耳。众医睹不识药，惟听市人；市人又不辨究，皆委采送之家。采送之家，传习造作，真伪好恶莫测。所以有钟乳醋煮令白，细辛水渍使直，黄芪蜜蒸为甜，当归酒洒取润，螵蛸胶著桑枝，蜈蚣朱足令赤。诸有此等，皆非事实，俗用既久，转以成法，非复可改，未如之何。又依方分药，不量剥除。如远志、牡丹，才不收半；地黄、门冬，三分耗一。凡去皮除心之属，分两皆不复相应，病家惟以此用，不知更秤取足。又王公贵胜，合药之日，悉付群下。其中好药贵石，无不窃遣。乃言紫石英、丹砂吞出洗取，一片经数十过卖。诸有此例，巧伪百端，皆非事实，虽复监检，终不能觉。以此疗病，理难即效，斯并药家之盈虚，不得咎医人之浅拙也。

本草时月，皆在建寅岁首，则从汉太初后所记也。其根物多以二月、八月采者，谓春初津润始萌，未冲枝叶，势力淳浓故也；至秋则枝叶就枯，又归流于下。今即事验之，春宁宜早，秋宁宜晚，其华、实、茎、叶乃各随其成熟耳。岁月亦有早晏，不必都依本文矣。经说阴干者，谓就六甲阴中干之。依遁甲法，甲子阴中在癸酉，以药著酉地也。余谓不必然，正是不露日暴，于阴影处干之耳，所以亦有云暴干故也。若幸可两用，益当为善。

[今按] 本草采药，阴干者皆多恶。至于鹿茸，《经》称阴干，皆悉烂令坏，今火干易得且良。草木根苗阴之皆恶。九月已前采者，悉宜日干；十月以后采者，阴干乃好。

古秤惟有铢两，而无分名。今则以十黍为一铢，六铢为一分，四分成一两，十六两为一斤。虽有子谷秬黍之制，从来均之已久，正尔依此用之。今方家所云等分者，非分两之分，谓诸药斤两多少皆同耳。先视病之大小轻重所须，乃以意裁之。凡此之类，皆是丸散，丸散竟便依节度用之。汤酒之中无等分也。

凡散药有云刀圭者，十分方寸匕之一，准如梧子大也。方寸匕者，作匕正方一寸，抄散取不落为度。钱五匕者，今五铢钱边五字者以抄之，亦令不落为度。一撮者，四刀圭也。十撮为一勺，十勺为一合。药以升分者，谓药有虚实轻重，不得用斤两，则以升平之。药升合方寸作，上径一寸，下径六分，深八分。内散药，勿按抑之，正尔微动令平调耳。而今人分药，多不复用此。

凡丸药有云如细麻者，即今胡麻也，不必扁扁，但令较略大小相称耳。如黍粟亦然，以十六黍为一大豆也。如大麻子者，即大麻子准三细麻也。如胡豆者，今青斑豆也，以二大麻子准之。如小豆者，今赤小豆也，粒有大小，以三大麻子准之。如大豆者，以二小豆准之。如梧子者，以二大豆准之。一方寸匕散，蜜和得如梧子，准十丸为度。如弹丸及鸡子黄者，以十梧子准之。

[唐本注] 方寸匕散为丸如梧子，得十六丸如弹丸一枚。若鸡子黄者，准四十丸。今弹丸同鸡子黄，此甚不等。

凡汤酒膏药，旧方皆云㕮咀者，谓秤毕捣之如大豆者，又使吹去细末，此于事殊不允；药有易碎、难碎，多末、少末，秤两则不复均，今皆细切之，较略令如㕮咀者，差得无末，而粒片调和，于药力同出，无生熟也。

[唐本注] 㕮咀，正谓商量斟酌之，余解皆理外生情尔。

凡丸散药，亦先切细暴燥乃捣之。有各捣者，有合捣者，并随方所言。其润湿药，如天门冬、干地黄辈，皆先切暴，独捣令扁碎，更出细擘暴干。若逢阴雨，亦以微火烘之，既燥，小停冷乃捣之。

凡润湿药，燥皆大耗，当先增分两，须得屑乃秤为正。其汤酒中不须如此。

凡筛丸药，用重密绢令细，于蜜丸易成熟。若筛散草药，用轻疏绢，于酒服则不泥。其石药亦用细绢筛如丸者。凡筛丸散药竟，皆更合于臼中，以杵研之数百过，视其色理和同为佳。

凡汤酒膏中用诸石，皆细捣之如粟米。亦可以葛布筛令调，并以新绵别裹内中。其雄黄、朱砂细末如粉。

凡煮汤，欲微火令小沸。其水数依方多少，大略二十两药，用水一斗，煮取四升，以此为率。然则利汤欲生，少水而多取；补汤欲熟，多水而少取。好详视之，不得令水多少。用新布两人以尺木绞之，澄去垽浊，纸覆令密。温汤勿令铛器中有水气，于热汤上煮令暖亦好。服汤家小热易下，冷则呕涌。

云分再服、三服者，要令力势足相及。并视人之强羸，病之轻重，以为进退增减之，不必悉依方说。

凡渍药酒，皆须细切，生绢袋盛之，乃入酒密封，随寒暑日数，视其浓烈，便可漉出，不必待至酒尽也。滓可暴燥，微捣，更渍饮之；亦可作散服。

凡建中、肾沥诸补汤，滓合两剂，加水煮竭饮之，亦敌一剂新药，贫人当依此用，皆应先暴令燥。

凡合膏，初以苦酒渍令淹浃，不用多汁，密覆勿泄。云晬时者，周时也，从今旦至明旦。亦有止一宿者。煮膏，当三上三下，以泄其焦势，令药味得出。上之使匝匝沸仍下之，下之取沸静乃上，宁欲小生。其中有薤白者，以两头微焦黄为候。有白芷、附子者，亦令小黄也。猪肪皆勿令经水，腊月者弥佳。绞膏亦以新布绞之。若是可服之膏，膏滓亦堪酒煮稍饮之；可摩之膏，膏滓即宜以敷病上。此盖贫野人欲兼尽其力。

凡膏中有雄黄、朱砂辈，皆别捣细研如面，须绞膏竟乃投中，以物疾搅，至于凝强，勿使沉聚在下不调也。有水银者，于凝膏中，研令消散。胡粉亦尔。

凡汤酒中用大黄，不须细剉。作汤者，先水渍，令淹浃，密覆一宿。明旦煮汤，临熟乃以内中，又煮两三沸，便绞出，则力势猛，易得快利。丸散中用大黄，旧皆蒸，今不须尔。

凡汤中用麻黄，皆先别煮两三沸，掠去其沫，更益水如本数，乃内余药，不尔令人烦。麻黄皆折去节，令理通，寸斩之；小草、瞿麦五分斩之；细辛、白前三分斩之；丸散膏中则细剉也。

凡汤中用完物，皆擘破，干枣、栀子、栝楼子之类是也。用细核物亦打碎，山茱萸、五味、蕤核、决明子之类是也。细花子物正尔完用之，旋覆花、菊花、地肤子、葵子之类是也。米、麦、豆辈，亦完用之。诸虫先微炙，亦完煮之。惟螵蛸当中破炙之。生姜、夜干皆薄切。芒消、饴糖、阿胶皆须绞汤竟，内汁中，更上火两三沸，烊尽乃服之。

凡用麦门冬，皆微润抽去心。杏仁、桃仁汤柔挞去皮。巴豆打破，剥皮，刮去心，不尔令人闷。石韦、辛夷刮去毛。鬼箭削取羽及皮。藜芦剔取根微炙。枳实去其核，止用皮，亦炙之。椒去实于铛器中微熬，令汗出，则有势力。矾石于瓦上若铁物中熬，令沸，汁尽即止。二礜石皆黄土泥包使燥，烧之半日，令势熟而解散。犀角、羚羊角皆刮截作屑。诸齿骨并炙捣碎之。皂荚去皮子炙之。

凡汤、丸、散，用天雄、附子、乌头、乌喙、侧子，皆煻灰火炮炙令微拆，削去黑皮乃秤之。惟姜附汤及膏酒中生用，亦削去皮乃秤，直理破作七八片，随其大小，但削除外黑尖处令尽。

凡汤、酒、丸、散、膏中，用半夏皆且完。以热汤洗去上滑，手挼之，皮释随剥去，更复易汤洗令滑尽。不尔，戟人咽喉。旧方云二十许过，今六七过便足。亦可煮之，沸易水，如此三过，仍挼洗毕便讫。随其大小破为细片，乃秤之以入汤。若膏、酒、丸、散，皆须暴燥乃秤之。丸散止削上皮用之，未必皆洗也。

凡丸散用胶皆先炙，使通体沸起燥，乃可捣。有不沸处更炙之。

凡丸中用蜡，皆烊投少蜜中，搅调以和药。若用熟艾，先细擘，合诸药捣令散；不可筛者，别捣内散中和之。

凡用蜜，皆先火上煎，掠去其沫，令色微黄，则丸经久不坏。克之多少，随蜜精粗。

凡丸散用巴豆、杏仁、桃仁、葶苈、胡麻诸有膏脂药，皆先熬黄黑，别捣令如膏，指擵视泯泯尔；乃以向成散，稍稍下臼中，合研捣，令消散，乃复都以轻疏绢筛度之，须尽，又内臼中，依法捣数百杵也。汤膏中用，亦有熬之者，虽生并捣破。

凡用桂、厚朴、杜仲、秦皮、木兰辈，皆削去上虚软甲错，取里有味者秤之。茯苓、猪苓，削除黑皮；牡丹、巴戟天、远志、野葛等皆捶破去心；紫菀洗去土皆毕乃秤之；薤白、葱白除青令尽；莽草、石南草、茵芋、泽兰皆剔取叶及嫩茎去大枝；鬼臼、黄连皆除根毛；蜀椒去闭口者及目熬之。

凡狼毒、枳实、橘皮、半夏、麻黄、吴茱萸，皆欲得陈久者良。其余须新精。

凡方云巴豆若干枚者，粒有大小，当先去心皮竟秤之，以一分准十六枚。附子、乌头若干枚者，去皮竟，以半两准一枚。枳实若干枚者，去核竟，以一分准二枚。橘皮一分准三枚。枣有大小，三枚准一两。云干姜一累者，以重一两为正。

凡方云半夏一升者，洗竟秤五两为正。蜀椒一升者，三两为正。吴茱萸一升者，五两为正。菟丝子一升，九两为正。菴蕳子一升，四两为正。蛇床子一升，三两半为正。地肤子一升，四两为正。此其不同也。云某子一升者，其子各有虚实轻重，不可通以秤准，皆取平升为正。

凡方云用桂一尺者，削去皮毕，重半两为正。甘草一尺者，重二两为正。凡方云某草一束者，以重三两为正；云一把者，重二两为正。凡方云蜜一斤者，有七合。猪膏一斤者，有一升一合也。

右合药分剂料理法。

序例下　卷第二

按，诸药，一种虽主数病，而性理亦有偏著。立方之日，或致疑混，复恐单行径用，赴急抄撮，不必皆得研究。今宜指抄病源所主药名，仍可于此处疗，若欲的寻，亦兼易解。其甘、苦之味可略，有毒、无毒易知，惟冷热须明。今以朱点为热，墨点为冷，无点者是平，以省于烦注也。其有不入汤酒者，亦条于后也。

[今详]《唐本》以朱点为热、墨为冷、无点为平，多有差互。今于逐药之下，依《本经》《别录》而注焉。

疗风通用

防风　《本经》温。

防己　《本经》温，《别录》平。

秦艽　《本经》平，《别录》微温。

独活　《本经》平，《别录》微温。

芎䓖　《本经》温。

羌活　《本经》平，《别录》微温。

麻黄　《本经》温，《别录》微温。

风眩

菊花　《本经》平。

飞廉　《本经》平。

羊踯躅　《本经》温。

虎掌　《本经》温，《别录》微寒。

杜若　《本经》微温。

茯神　《别录》平。

茯苓　《本经》平。

白芷　《本经》温。

鸱头　《别录》平。

头面风

芎䓖　《本经》温。

薯蓣　《本经》温，《别录》平。

天雄　《本经》温，《别录》大温。

山茱萸　《本经》平，《别录》微温。

莽草　《本经》温。

辛夷　《本经》温。

牡荆实　《别录》温。

蔓荆实　《本经》微寒，《别录》平、温。

藁本　《本经》温，《别录》微温、微寒。

蘼芜　《本经》温。

葈耳　《本经》温。

中风脚弱

石斛　《本经》平。

石钟乳　《本经》温。

殷孽　《本经》温。

孔公孽　《本经》温。

石硫黄　《本经》温，《别录》大热。

附子　《本经》温，《别录》大热。

豉　《别录》寒。

丹参　《本经》微寒。

五加皮　《本经》温，《别录》微寒。

竹沥　《别录》大寒。

大豆　《本经》平。

天雄　《本经》温，《别录》大温。

侧子　《别录》大热。

久风湿痹

菖蒲　《本经》温，《别录》平。

茵芋　《本经》温，《别录》微温。

天雄　《本经》温，《别录》大温。

附子　《本经》温，《别录》大热。

乌头　《本经》温，《别录》大热。

蜀椒　《本经》温，《别录》大热。

牛膝　《别录》平。

天门冬　《本经》平，《别录》大寒。

术　《本经》温。

丹参　《本经》微寒。

石龙芮　《本经》平。

茵陈蒿　《本经》平，《别录》微寒。

细辛　《本经》温。

松节　《别录》温。

侧子　《别录》大热。

松叶　《别录》温。

贼风挛痛

茵芋　《本经》温，《别录》微温。

附子　《本经》温，《别录》大热。

侧子　《别录》大热。

麻黄　《本经》温，《别录》微温。

芎䓖　《本经》温。

杜仲　《本经》平，《别录》温。

萆薢　《本经》平。

狗脊　《本经》平，《别录》微温。

白鲜皮　《本经》寒。

白及　《本经》平，《别录》微寒。

葈耳　《本经》温。

猪椒　《别录》温。

暴风瘙痒

蛇床子　《本经》平。

蒴藋　《别录》温。

乌喙　《别录》微温。

蒺藜子　《本经》温，《别录》微寒。

景天　《本经》平。

茺蔚子　《本经》微温，《别录》微寒。

青葙子　《本经》微寒。

枫香脂　平。

藜芦　《本经》寒，《别录》微寒。

伤寒

麻黄　《本经》温，《别录》微温。

葛根　《本经》平。

杏仁　《本经》温。

前胡　《别录》微寒。

柴胡　《本经》平，《别录》微寒。

大青　《别录》大寒。

龙胆　《本经》寒，《别录》大寒。

芍药　《本经》平，《别录》微寒。

薰草　《别录》平。

升麻　《本经》平，《别录》微寒。

牡丹　《本经》寒，《别录》微寒。

虎掌　《本经》温，《别录》微寒。

术　《本经》温。

防已　《本经》平，《别录》温。

石膏　《本经》微寒，《别录》大寒。

牡蛎　《本经》平，《别录》微寒。

贝母　《本经》平，《别录》微寒。

鳖甲　《本经》平。

犀角　《本经》寒，《别录》微寒。

羚羊角　《本经》寒，《别录》微寒。

葱白　《别录》平。

生姜　《别录》微温。

豉　《别录》寒。

人溺　《别录》寒。

芒消　《别录》大寒。

大热

凝水石　《本经》寒，《别录》大寒。

茵陈蒿　《本经》平，《别录》微寒。

滑石　《本经》寒，《别录》大寒。

竹沥　《别录》大寒。

知母　《本经》寒。

蛇莓　《别录》大寒。

玄参　《本经》微寒。

白颈蚯蚓　《本经》寒，《别录》大寒。

沙参　《本经》微寒。

石膏　《本经》微寒，《别录》大寒。

黄芩　《本经》平，《别录》大寒。

鼠李根皮　《别录》微寒。

白鲜皮　《本经》寒。

枝子　《本经》寒，《别录》大寒。

大黄　《本经》寒，《别录》大寒。

人粪汁　《别录》寒。

苦参　《本经》寒。

芒消　《别录》大寒。

劳复

鼠屎　《别录》微寒。

豉　《别录》寒。

竹沥　《别录》大寒。

人粪汁　《别录》寒。

温疟

常山　《本经》寒，《别录》微寒。

蜀漆　《本经》平，《别录》微温。

牡蛎　《本经》平，《别录》微寒。

鳖甲　《本经》平。

麝香　《本经》温。

麻黄　《本经》温，《别录》微温。

大青　《别录》大寒。

防葵　《本经》寒。

猪苓　《本经》平。

防己　《本经》平，《别录》温。

茵芋　《本经》温，《别录》微温。

巴豆　《本经》温，《别录》生温、熟寒。

白头翁　《本经》温。

女青　《本经》平。

芫花　《本经》温，《别录》微温。

白薇　《本经》平，《别录》大寒。

松萝　《本经》平。

中恶

麝香　《本经》温。

雄黄　《本经》平、寒，《别录》大温。

丹砂　《本经》微温。

升麻　《本经》平，《别录》微寒。

干姜　《本经》温，《别录》大热。

巴豆　《本经》温，《别录》生温、熟寒。

当归　《本经》温，《别录》大温。

芍药　《本经》平，《别录》微寒。

吴茱萸　《本经》温，《别录》大热。

鬼箭　《本经》寒。

桃枭　《本经》微温。

桃皮　《别录》平。

桃胶　《别录》微温。

乌头　《本经》温，《别录》大温。

乌雌鸡血　《别录》平。

霍乱

人参　《本经》微寒，《别录》微温。

术　《本经》温。

附子　《本经》温，《别录》大热。

桂心　《别录》大热。

干姜　《本经》温，《别录》大热。

橘皮　《本经》温。

厚朴　《本经》温，《别录》大温。

香薷　《别录》微温。

麋舌　《别录》微温。

高良姜　《别录》大温。

木瓜　《别录》温。

转筋

小蒜　《别录》温。

木瓜　《别录》温。

橘皮　《本经》温。

鸡舌香　《别录》温。

楠材　《别录》微温。

豆蔻　《别录》温。

香薷　《别录》微温。

杉木　《别录》微温。

扁豆　《别录》微温。

生姜　《本经》微温。

呕哕

厚朴　《本经》温，《别录》大温。

香薷　《别录》微温。

麋舌　《别录》微温。

附子　《本经》温，《别录》大热。

小蒜　《别录》温。

楠材　《别录》微温。

高良姜　《别录》大温。

木瓜　《别录》温。

桂　《别录》大热。

橘皮　《本经》温。

鸡舌香　《别录》微温。

大腹水肿

大戟　《本经》寒，《别录》大寒。

甘遂　《本经》寒，《别录》大寒。

泽漆　《本经》微寒。

葶苈　《本经》寒，《别录》大寒。

芫花　《本经》温，《别录》微温。

巴豆　《本经》温，《别录》生温、熟寒。

猪苓　《本经》平。

防己　《本经》平，《别录》温。

泽兰　《本经》微温。

桑根白皮　《本经》寒。

商陆　《本经》平。

泽泻　《本经》寒。

郁李仁　《本经》平。

海藻　《本经》寒。

昆布　《别录》寒。

苦瓠　《本经》寒。

小豆　《本经》平。

瓜蒂　《本经》寒。

蠡鱼　《本经》寒。

鲤鱼　《别录》寒。

大豆　《本经》平。

荛华　《本经》寒，《别录》微寒。

黄牛溺　《别录》寒。

肠澼下痢

赤石脂　《别录》大温。

龙骨　《本经》平，《别录》微寒。

牡蛎　《本经》平，《别录》微寒。

干姜　《本经》温，《别录》大热。

黄连　《本经》寒，《别录》微寒。

黄芩　《本经》平，《别录》大寒。

当归　《本经》温，《别录》大温。

附子　《本经》温，《别录》大热。

禹馀粮　《本经》寒，《别录》平。

藜芦　《本经》寒，《别录》微寒。

檗木　《本经》寒。

云实　《本经》温。

矾石　《本经》寒。

阿胶　《本经》平，《别录》微温。

熟艾　《别录》微温。

陟厘　《别录》大温。

石硫黄　《本经》温，《别录》大热。

蜡　《本经》微温。

乌梅　《别录》平。

石榴皮　《别录》平。

枳实　《本经》寒，《别录》微寒。

大便不通

大黄　《本经》寒，《别录》大寒。

巴豆　《本经》温，《别录》生温、熟寒。

石蜜　《本经》平，《别录》微温。

麻子　《本经》平。

牛胆　《别录》大寒。

猪胆　《别录》微寒。

小便淋

滑石　《本经》寒，《别录》大寒。

冬葵子及根　《本经》寒。

白茅根　《本经》寒。

瞿麦　《本经》寒。

榆皮　《本经》平。

石韦　《本经》平。

葶苈　《本经》寒，《别录》大寒。

蒲黄　《本经》平。

麻子　《本经》平。

琥珀　《别录》平。

石蚕　《本经》寒。

蜥蜴　《本经》寒。

燕屎　《本经》平。

衣鱼　《本经》温。

乱发　《别录》微温。

小便利

牡蛎　《本经》平，《别录》微寒。

龙骨　《本经》平，《别录》微寒。

鹿茸　《本经》温，《别录》微温。

桑螵蛸　《本经》平。

漏芦　《本经》寒，《别录》大寒。

土瓜根　《本经》寒。

鸡肶胵　《别录》微寒。

鸡肠草　《别录》微寒。

溺血

戎盐　《本经》寒。

蒲黄　《本经》平。

龙骨　《本经》平，《别录》微寒。

鹿茸　《本经》温，《别录》微温。

干地黄　《本经》寒。

消渴

白石英　《本经》微温。

石膏　《本经》微寒，《别录》大寒。

茯神　《别录》平。

麦门冬　《本经》平，《别录》大寒。

黄连　《本经》寒，《别录》微寒。

知母　《本经》寒。

栝楼根　《本经》寒。

茅根　《本经》寒。

枸杞根　《别录》大寒。

小麦　《别录》微寒。

篁竹叶　《别录》大寒。

土瓜根　《本经》寒。

葛根　《本经》平。

李根　《别录》大寒。

芦根　《别录》寒。

菰根　《别录》大寒。

冬瓜　《别录》微寒。

马乳　《别录》冷。

牛乳　《别录》微寒。

羊乳　《别录》温。

桑根白皮　《本经》寒。

黄疸

茵陈蒿　《本经》平，《别录》微寒。

枝子　《本经》寒，《别录》大寒。

紫草　《本经》寒。

白鲜皮　《本经》寒。

生鼠　《别录》微温。

大黄　《本经》寒，《别录》大寒。

猪屎　《别录》寒。

瓜蒂　《本经》寒。

栝楼　《本经》寒。

秦艽　《本经》平。

黄芩　《别录》大寒。

上气咳嗽

麻黄　《本经》温，《别录》微温。

杏仁　《本经》温。

白前　《别录》微温。

橘皮　《本经》温。

紫菀　《本经》温。

桂心　《别录》大热。

款冬花　《本经》温。

五味子　《本经》温。

细辛　《本经》温。

蜀椒　《本经》温，《别录》大热。

半夏　《本经》平，《别录》生微寒、熟温。

生姜　《别录》微温。

桃仁　《本经》平。

紫苏子　《别录》温。

射干　《本经》平，《别录》微温。

芫花　《本经》温，《别录》微温。

百部根　《别录》微温。

干姜　《本经》温，《别录》大热。

贝母　《本经》平，《别录》微寒。

皂荚　《本经》温。

呕吐

厚朴　《本经》温，《别录》大温。

橘皮　《本经》温。

人参　《本经》微寒，《别录》微温。

半夏　《本经》平，《别录》生微寒、熟温。

麦门冬　《本经》平，《别录》微寒。

白芷　《本经》温。

生姜　《别录》微温。

铅丹　《本经》微寒。

鸡子　《别录》微寒。

薤白　《本经》温。

甘竹叶　《别录》大寒。

痰饮

大黄　《本经》寒，《别录》大寒。

甘遂　《本经》寒，《别录》大寒。

芒消　《别录》大寒。

茯苓　《本经》平。

柴胡　《本经》平，《别录》微寒。

芫花　《本经》温，《别录》微温。

前胡　《别录》微寒。

术　《本经》温。

细辛　《本经》温。

旋覆花　《本经》温。

厚朴　《本经》温，《别录》大温。

人参　《本经》微寒，《别录》微温。

枳实　《本经》寒，《别录》微寒。

橘皮　《本经》温。

半夏　《本经》平，《别录》生微寒、熟温。

生姜　《别录》微温。

甘竹叶　《别录》大寒。

荛华　《本经》寒，《别录》微寒。

宿食

大黄　《本经》寒，《别录》大寒。

巴豆　《本经》温，《别录》生温、熟寒。

朴消　《本经》寒，《别录》大寒。

柴胡　《本经》平，《别录》微寒。

术　《本经》温。

桔梗　《本经》微温。

厚朴　《本经》温，《别录》大温。

皂荚　《本经》温。

蘗　《别录》温。

槟榔　《别录》温。

腹胀满

麝香　《本经》温。

甘草　《本经》平。

人参　《本经》微寒，《别录》微温。

术　《本经》温。

干姜　《本经》温，《别录》大热。

百合　《本经》平。

厚朴　《本经》温，《别录》大温。

菴蕳子　《本经》微寒，《别录》微温。

枳实　《本经》寒，《别录》微寒。

桑根白皮　《本经》寒。

皂荚　《本经》温。

大豆黄卷　《本经》平。

卷柏　温。

心腹冷痛

当归　《本经》温，《别录》大温。

人参　《本经》微寒，《别录》微温。

芍药　《本经》平，《别录》微寒。

桔梗　《本经》微温。

干姜　《本经》温，《别录》大热。

桂心　《别录》大热。

蜀椒　《本经》温，《别录》大热。

附子　《本经》温，《别录》大热。

吴茱萸　《本经》温，《别录》大热。

乌头　《本经》温，《别录》大热。

术　《本经》温。

甘草　《本经》平。

礜石　《本经》大热，《别录》生温、熟热。

肠鸣

丹参　《本经》微寒。

桔梗　《本经》微温。

海藻　《本经》寒。

昆布　《别录》寒。

心下满急

茯苓　《本经》平。

枳实　《本经》寒，《别录》微寒。

半夏　《本经》平，《别录》生微寒、熟温。

术　《本经》温。

生姜　《别录》微温。

百合　《本经》平。

橘皮　《本经》温。

心烦

石膏　《本经》微寒，《别录》大寒。

滑石　《本经》寒，《别录》大寒。

杏仁　《本经》温。

栀子　《本经》寒，《别录》大寒。

茯苓　《本经》平。

贝母　《本经》平，《别录》微寒。

通草　《本经》平。

李根　《别录》大寒。

竹沥　《别录》大寒。

乌梅　《别录》平。

鸡子　《别录》微寒。

豉　《别录》寒。

甘草　《本经》平。

知母　《本经》寒。

尿　《别录》寒。

积聚癥瘕

空青　《本经》寒，《别录》大寒。

朴消　《本经》寒，《别录》大寒。

芒消　《别录》大寒。

石硫黄　《本经》温，《别录》大热。

粉锡　《本经》寒。

大黄　《本经》寒，《别录》大寒。

狼毒　《本经》平。

巴豆　《本经》温，《别录》生温、熟寒。

附子　《本经》温，《别录》大热。

乌头　《本经》温，《别录》大热。

苦参　《本经》寒。

柴胡　《本经》平，《别录》微寒。

鳖甲　《本经》平。

蜈蚣　《本经》温。

赭魁　《别录》平。

白马溺　《别录》微寒。

鮀甲　《本经》微温。

礜石　《本经》大热，《别录》生温、熟热。

荛华　《本经》温，《别录》微温。

鳝鱼　《本经》微温。（按，《本经》无鳝鱼）

鬼疰尸疰

雄黄　《本经》平、寒，《别录》大温。

丹砂　《本经》微寒。

金牙　《别录》平。

野葛　《本经》温。

马目毒公　《本经》温，《别录》微温。

女青　《本经》平。

徐长卿　《本经》温。

虎骨　《别录》平。

狸骨　《别录》温。

鹳骨　《别录》大寒。

獭肝　《别录》平。

芫青　《别录》微温。

白僵蚕　《别录》平。

鬼臼　《本经》温，《别录》微温。

白盐　《别录》寒。

惊邪

雄黄　《本经》平、寒，《别录》大温。

丹砂　《本经》微寒。

紫石英　《本经》温。

茯神　《别录》平。

龙齿　《本经》平。

龙胆　《本经》寒，《别录》大寒。

防葵　《本经》寒。

马目毒公　《本经》温，《别录》微温。

升麻　《本经》平，《别录》微寒。

麝香　《本经》温。

人参　《本经》微寒，《别录》微温。

沙参　《本经》微寒。

桔梗　《本经》微温。

白薇　《本经》平，《别录》大寒。

远志　《本经》温。

柏实　《本经》平。

鬼箭　《本经》寒。

鬼督邮　《别录》平。

小草　《本经》温。

卷柏　《本经》温，《别录》平、微寒。

紫菀　《别录》温。

羚羊角　《本经》寒，《别录》微寒。

鮀甲　《本经》微温。

丹雄鸡　《本经》微温，《别录》微寒。

犀角　《本经》寒，《别录》微寒。

羖羊角　《本经》温，《别录》微寒。

茯苓　《本经》平。

蚱蝉　《本经》寒。

癫痫

龙齿角　《别录》平。

牛黄　《本经》平。

防葵　《本经》寒。

牡丹　《本经》寒，《别录》微寒。

白蔹　《本经》平，《别录》微寒。

莨菪子　《本经》寒。

雷丸　《本经》寒，《别录》微寒。

钩藤　《别录》微寒。

白僵蚕　《别录》平。

蛇床子　《本经》平。

蛇蜕　《本经》平。

蜣螂　《本经》寒。

白马目　《本经》平。

铅丹　《本经》微寒。

蚱蝉　《本经》寒。

白狗血　《别录》温。

豚卵　《本经》温。

猪牛犬等齿　《别录》平。

熊胆　《别录》寒。

喉痹痛

升麻　《本经》平，《别录》微寒。

射干　《本经》平，《别录》微温。

杏仁　《本经》温。

蒺藜子　《本经》温，《别录》微寒。

棘针　《别录》寒。

络石　《本经》温，《别录》微寒。

百合　《本经》平。

篁竹叶　《别录》大寒。

莽草　《本经》温。

苦竹叶　《别录》大寒。

细辛　《本经》温。

噎病

羚羊角　《本经》寒，《别录》微寒。

通草　《本经》平。

竹茹　《别录》微寒。

头垢　《别录》微寒。

芦根　《别录》寒。

牛齝　《别录》平。

舂杵头细糠　《别录》平。

鲠

狸头骨　《别录》温。

獭骨　《别录》平。

鸬鹚骨　《别录》微寒。

齿痛

当归　《本经》温，《别录》大温。

独活　《本经》平。

细辛　《本经》温。

蜀椒　《本经》温，《别录》大热。

芎䓖　《本经》温。

附子　《本经》温，《别录》大热。

莽草　《本经》温。

矾石　《本经》寒。

蛇床子　《本经》平。

生地黄　《别录》大寒。

莨菪子　《本经》寒。

鸡舌香　《别录》微温。

车下李根　《别录》寒。

马悬蹄　《本经》平。

雄雀屎　《别录》温。

口疮

黄连　《本经》寒，《别录》微寒。

檗木　《本经》寒。

龙胆　《本经》寒，《别录》大寒。

升麻　《本经》平，《别录》微寒。

大青　《别录》大寒。

苦竹叶　《别录》大寒。

石蜜　《本经》平，《别录》微温。

酪　《别录》寒。

酥　《别录》微寒。

豉　《别录》寒。

吐唾血

羚羊角　《本经》寒，《别录》微寒。

白胶　《本经》平，《别录》温。

戎盐　《本经》寒。

柏叶　《别录》微温。

艾叶　《别录》微温。

水苏　《本经》微温。

生地黄　《别录》大寒。

大、小蓟　《别录》温。

蛴螬　《本经》微温，《别录》微寒。

饴糖　《别录》微温。

伏龙肝　《别录》微温。

黄土　《别录》平。

鼻衄血

矾石　《本经》寒。

蒲黄　《本经》平。

虾蟆蓝　（《本经》天名精名虾蟆蓝）寒。

鸡苏　（《本经》水苏名鸡苏）微温。

大蓟　《别录》温。

艾叶　《别录》微温。

桑耳　《本经》平。

竹茹　《别录》微寒。

猬皮　《本经》平。

溺㢋　《别录》平。

蓝　《本经》寒。

狗胆　《本经》平。

烧乱发　《别录》微温。

鼻齆

通草　《本经》平。

细辛　《本经》温。

桂心　《别录》大热。

蕤核　《本经》温，《别录》微寒。

薰草　《别录》平。

瓜蒂　《本经》寒。

耳聋

磁石　《本经》寒。

菖蒲　《本经》温，《别录》平。

葱涕　《别录》平。

雀脑　《别录》平。

白鹅膏　《别录》微温。

鲤鱼脑　《别录》温。

络石　《本经》温，《别录》微寒。

白颈蚯蚓　《本经》寒，《别录》大寒。

鼻息肉

藜芦　《本经》寒，《别录》微寒。

矾石　《本经》寒。

地胆　《本经》寒。

通草　《本经》平。

白狗胆　《别录》平。

目赤热痛

黄连　《本经》寒，《别录》微寒。

蕤核　《本经》温，《别录》微寒。

石胆　《本经》寒。

空青　《本经》寒，《别录》大寒。

曾青　《本经》小寒。

决明子　《本经》平，《别录》微寒。

檗木　《本经》寒。

枝子　《本经》寒，《别录》大寒。

荠子　《别录》温。

苦竹叶　《别录》大寒。

鸡子白　《别录》微寒。

鲤鱼胆　《本经》寒。

田中螺　《别录》大寒。

车前子　《本经》寒。

菥蓂子　《本经》微温。

目肤翳

秦皮　《本经》微寒，《别录》大寒。

细辛　《本经》温。

真珠　寒。

贝子　《本经》平。

石决明　《别录》平。

麝香　《本经》温。

马目毒公　《本经》温，《别录》微温。

伏翼　《本经》平。

青羊胆　《别录》平。

蛴螬汁　《本经》微温，《别录》微寒。

菟丝子　《本经》平。

声音哑

菖蒲　《本经》温，《别录》平。

石钟乳　《本经》温。

孔公孽　《本经》温。

皂角　《本经》温。

苦竹叶　《别录》大寒。

麻油　《别录》微寒。

面皯皰

菟丝子　《本经》平。

麝香　《本经》温。

熊脂　《本经》微寒，《别录》微温。

女萎　《本经》平。

藁本　《本经》温，《别录》微寒。

木兰　《本经》寒。

栀子　《本经》寒，《别录》大寒。

紫草　《本经》寒。

白瓜子　《本经》平，《别录》寒。

发秃落

桑上寄生　《本经》平。

秦椒　《本经》温，《别录》生温、熟寒。

桑根白皮　《本经》寒。

麻子　《本经》平。

桐叶　《本经》寒。

猪膏　《别录》微寒。

雁肪　《本经》平。

马鬐膏　《别录》平。

松叶　《别录》温。

枣根

鸡肪

荆子　《本经》微寒，《别录》温。（当是蔓荆子）

灭瘢

鹰屎白　《别录》平。

白僵蚕　《别录》平。

衣鱼　《本经》温。

金疮

石胆　《本经》寒。

蔷薇　《本经》温，《别录》微寒。

地榆　《本经》微寒。

艾叶　《别录》微温。

王不留行　《别录》平。

白头翁　《本经》温。

钓樟根　《别录》温。

石灰　《本经》温。

狗头骨　《别录》平。

踒折

生鼠　《别录》微温。

生龟　《别录》平。

生地黄　《别录》大寒。

乌雄鸡血　《别录》平。

乌鸡骨　《别录》平。

李核仁　《别录》平。

瘀血

蒲黄　《本经》平。

虎魄　《别录》平。

羚羊角　《本经》寒，《别录》微寒。

牛膝　《别录》平。

大黄　《本经》寒，《别录》大寒。

干地黄　《本经》寒。

朴消　《本经》寒，《别录》大寒。

紫参　《本经》寒，《别录》微寒。

桃仁　《本经》平。

虎杖　《别录》微温。

茅根　《本经》寒。

䗪虫　《本经》寒。

虻虫　《本经》微寒。

水蛭　《本经》平，《别录》微寒。

蜚蠊　《本经》寒。

火灼

柏白皮　《别录》微寒。

生胡麻　《本经》平。

盐　《本经》寒。（当是大盐或戎盐）

豆酱　《别录》寒。

井底泥　《别录》寒。

醋　《别录》温。

黄芩　《本经》平，《别录》大寒。

牛膝　《别录》平。

栀子　《本经》寒，《别录》大寒。

痈疽

络石　《本经》温，《别录》微寒。

黄芪　《本经》微温。

白蔹　《本经》平，《别录》微寒。

乌喙　《别录》微温。

通草　《本经》平。

败酱　《本经》平，《别录》微寒。

白及　《本经》平，《别录》微寒。

大黄　《本经》寒，《别录》大寒。

半夏　《本经》平，《别录》生微寒、熟温。

玄参　《本经》微寒。

蔷蘼　《别录》微寒。

鹿角　《本经》温，《别录》微温。

虾蟆　《本经》寒。

土蜂子　《本经》平。

伏龙肝　《别录》微温。

甘蕉根　《别录》大寒。

恶疮

雄黄　《本经》平、寒，《别录》大温。

雌黄　《本经》平，《别录》大寒。

粉锡　《本经》寒。

石硫黄　《本经》温，《别录》大热。

矾石　《本经》寒。

松脂　《本经》温。

蛇床子　《本经》平。

地榆　《本经》微寒。

水银　《本经》寒。

蛇衔　《本经》微寒。

白蔹　《本经》平，《别录》微寒。

漏芦　《本经》寒，《别录》大寒。

檗木　《本经》寒。

占斯　《别录》温。

雚菌　《本经》平，《别录》微温。

莽草　《本经》温。

青葙子　《本经》微寒。

白及　《本经》平，《别录》微寒。

楝实　《本经》寒。

及己　《别录》平。

狼跋　《别录》寒。

桐叶　《本经》寒。

虎骨　《别录》平。

猪肚　《别录》微温。

蔄茹　《本经》寒，《别录》微寒。

藜芦　《本经》寒，《别录》微寒。

石灰　《本经》温。

狸骨　《别录》温。

铁浆　《别录》平。

漆疮

蟹　《别录》寒。

吴茱萸　《本经》温，《别录》大热。

苦芠　《别录》微寒。

鸡子白　《别录》微寒。

鼠查微温。

井中苔、萍　《别录》大寒。

秫米　《别录》微寒。

杉材　《别录》微温。

瘿瘤

小麦　《别录》微寒。

海藻　《本经》寒。

昆布　《别录》寒。

文蛤　《别录》平。

半夏　《本经》平，《别录》生微寒、熟温。

贝母　《本经》平，《别录》微寒。

通草　《本经》平。

松萝　《本经》平。

连翘　《本经》平。

白头翁　《本经》温。

海蛤　《本经》平。

生姜　《别录》微温。

瘘疮

雄黄　《本经》平、寒，《别录》大温。

礜石　《本经》大热，《别录》生温、熟热。

常山　《本经》寒，《别录》微寒。

狼毒　《本经》平。

侧子　《别录》大热。

连翘　《本经》平。

昆布　《别录》寒。

狸骨　《别录》温。

王不留行　《别录》平。

斑猫　《本经》寒。

地胆　《本经》寒。

鳖甲　《本经》平。

五痔

白桐叶　《本经》寒。

萹蓄　《本经》平。

猬皮　《本经》平。

猪悬蹄　《本经》平。

黄芪　《本经》微温。

脱肛

鳖头　《别录》平。

卷柏　《本经》温，《别录》平、微寒。

铁精　《别录》微温。

东壁土　《别录》平。

蜗牛　《别录》寒。

生铁　《别录》微寒。

䘌

青葙子　《本经》微寒。

苦参　《本经》寒。

蚺蛇胆　《别录》寒。

蝮蛇胆　《别录》微寒。

大蒜　《别录》温。

戎盐　《别录》寒。

蛔虫

薏苡根　《本经》微寒。

藋菌　《本经》平，《别录》微温。

干漆　《本经》温。

楝根　《别录》微寒。

吴茱萸　《本经》温，《别录》大热。

艾叶　《别录》微温。

寸白

槟榔　《别录》温。

芜荑　《别录》平。

贯众　《本经》微寒。

狼牙　《本经》寒。

雷丸　《本经》寒，《别录》微寒。

青葙子　《本经》微寒。

橘皮　《本经》温。

吴茱萸根　《本经》温，《别录》大热。

石榴根　《别录》平。

榧子　《别录》平。

虚劳

丹砂　《本经》微寒。

空青　《本经》寒，《别录》大寒。

石钟乳　《本经》温。

紫石英　《本经》温。

白石英　《本经》微温。

磁石　《本经》寒。

龙骨　《本经》平，《别录》微寒。

茯苓　《本经》平。

黄芪　《本经》微温。

干地黄　《本经》寒。

茯神　《别录》平。

天门冬　《本经》平，《别录》大寒。

薯蓣　《本经》温，《别录》平。

石斛　《本经》平。

沙参　《本经》微寒。

人参　《本经》微寒，《别录》微温。

玄参　《本经》微寒。

五味子　《本经》温。

肉苁蓉　《本经》微温。

续断　《本经》微温。

泽泻　《本经》寒。

牡丹　《本经》寒，《别录》微寒。

芍药　《本经》平，《别录》微寒。

牡桂　《本经》温。

远志　《本经》温。

当归　《本经》温，《别录》大温。

牡蛎　《本经》平，《别录》微寒。

五加皮　《本经》温，《别录》微寒。

白棘　《本经》寒。

覆盆子　《别录》平。

巴戟天　《本经》微温。

牛膝　《别录》平。

杜仲　《本经》平，《别录》温。

柏实　《本经》平。

桑螵蛸　《本经》平。

石龙芮　《本经》平。

石南　《本经》平。

桑根白皮　《本经》寒。

地肤子　《本经》寒。

车前子　《本经》寒。

麦门冬　《本经》平，《别录》微寒。

干漆　《本经》温。

菟丝子　《本经》平。

蛇床子　《本经》平。

枸杞子　《别录》微寒。

麻子　《本经》平。

胡麻　《本经》平。

葛根　《别录》平。

阴痿

白石英　《本经》微温。

阳起石　《本经》微温。

巴戟天　《本经》微温。

肉苁蓉　《本经》微温。

五味子　《本经》温。

蛇床子　《本经》平。

地肤子　《本经》寒。

铁精　《别录》微温。

白马茎　《本经》平。

菟丝子　《本经》平。

原蚕蛾　《别录》热。

狗阴茎　《本经》平。

雀卵　《别录》温。

阴㿉

海藻　《本经》寒。

铁精　《别录》微温。

狸阴茎　《别录》温。

狐阴茎　《别录》微寒。

蜘蛛　《别录》微寒。

蒺藜　《本经》温，《别录》微寒。

鼠阴　《别录》平。

囊湿

五加皮　《本经》温，《别录》微寒。

槐枝

檗木　《本经》寒。

虎掌　《本经》温，《别录》微寒。

菴蕳子　《本经》微寒，《别录》微温。

蛇床子　《本经》平。

牡蛎　《本经》平，《别录》微寒。

泄精

韭子　《别录》温。

白龙骨　《本经》平，《别录》微寒。

鹿茸　《本经》温，《别录》微温。

牡蛎　《本经》平，《别录》微温。

桑螵蛸　《本经》平。

车前子叶　《本经》寒。

泽泻　《本经》寒。

石榴皮　《别录》平。

獐骨　《别录》微温。

好眠

通草　《本经》平。

孔公孽　《本经》温。

马头骨　《别录》微寒。

牡鼠目　《别录》平。

荼茗　《别录》微寒。

不得眠

酸枣仁　《本经》平。

榆叶　《别录》平。

细辛　《本经》温。

腰痛

杜仲　《本经》平，《别录》温。

萆薢　《本经》平。

狗脊　《本经》平，《别录》微温。

梅实　《本经》平。

鳖甲　《本经》平。

五加皮　《本经》温，《别录》微寒。

菝葜　《别录》平、温。

爵床　《本经》寒。

妇人崩中

石胆　《本经》寒。

禹馀粮　《本经》寒，《别录》平。

赤石脂　《别录》大温。

牡蛎　《本经》平，《别录》微寒。

龙骨　《本经》平，《别录》微寒。

蒲黄　《本经》平。

白僵蚕　《别录》平。

牛角鳃　《本经》温。

乌贼鱼骨　《本经》微温。

紫葳　《本经》微寒。

桑耳　《本经》平。

生地黄　《别录》大寒。

檗木　《本经》寒。

白茅根　《本经》寒。

艾叶　《别录》微温。

鮀甲　《本经》微温。

鳖甲　《本经》平。

马蹄　《别录》平。

白胶　《本经》平，《别录》温。

丹雄鸡　《本经》微温，《别录》微寒。

阿胶　《本经》平，《别录》微温。

鬼箭　《本经》寒。

鹿茸　《本经》温，《别录》微温。

大、小蓟根　《别录》温。

马通　《别录》微温。

伏龙肝　《别录》微温。

干地黄　《本经》寒。

代赭　《本经》寒。

月闭

鼠妇　《本经》微温，《别录》微寒。

䗪虫　《本经》寒。

虻虫　《本经》微寒。

水蛭　《本经》平，《别录》微寒。

蛴螬　《本经》微温，《别录》微寒。

桃仁　《本经》平。

狸阴茎　《别录》温。

土瓜根　《本经》寒。

牡丹　《本经》寒，《别录》微寒。

牛膝　《别录》平。

占斯　《别录》温。

虎杖　《别录》微温。

阳起石　《本经》微温。

桃毛　《本经》平。

白垩　《本经》温。

铜镜鼻　《本经》平。

无子

紫石英　《本经》温。

石钟乳　《本经》温。

阳起石　《本经》微温。

紫葳　《本经》微温。

桑螵蛸　《本经》平。

艾叶　《别录》微温。

秦皮　《本经》微寒，《别录》大寒。

卷柏　《本经》温，《别录》平、微寒。

安胎

紫葳　《本经》微寒。

白胶　《本经》平，《别录》温。

桑上寄生　《本经》平。

鲤鱼　《别录》寒。

乌雌鸡　《本经》温。

葱白　《别录》平。

阿胶　《本经》平，《别录》微温。

生地黄　《别录》大寒。

堕胎

雄黄　《本经》平、寒，《别录》大温。

雌黄　《本经》平，《别录》大寒。

水银　《本经》寒。

粉锡　《本经》寒。

朴消　《本经》寒，《别录》大寒。

飞生虫　《别录》平。

溲疏　《本经》寒，《别录》微寒。

大戟　《本经》寒，《别录》大寒。

巴豆　《本经》温，《别录》生温、熟寒。

野葛　《本经》温。

牛黄　《本经》平。

藜芦　《本经》寒，《别录》微寒。

牡丹　《本经》寒，《别录》微寒。

牛膝　《别录》平。

桂心　《别录》大热。

皂荚　《本经》温。

䕡茹　《本经》寒，《别录》微寒。

羊踯躅　《本经》温。

鬼箭　《本经》寒。

槐子　《本经》寒。

薏苡仁　《本经》微寒。

瞿麦　《本经》寒。

附子　《本经》温，《别录》大热。

天雄　《本经》温，《别录》大温。

乌头　《本经》温，《别录》大热。

乌喙　《别录》微温。

侧子　《别录》大热。

蜈蚣　《本经》温。

地胆　《本经》寒。

斑猫　《本经》寒。

芫青　《别录》微温。

葛上亭长　《别录》微温。

水蛭　《本经》平，《别录》微寒。

虻虫　《本经》微寒。

䗪虫　《本经》寒。

蝼蛄　《本经》寒。

蛴螬　《本经》微温，《别录》微寒。

猬皮　《本经》平。

蜥蜴　《本经》寒。

蛇蜕　《本经》平。

蟹爪　《别录》寒。

芒消　《别录》大寒。

难产

槐子　《本经》寒。

桂心　《别录》大热。

滑石　《本经》寒，《别录》大寒。

贝母　《本经》平，《别录》微寒。

蒺藜　《本经》温，《别录》微寒。

皂荚　《本经》温。

酸浆　《本经》平，《别录》寒。

蚱蝉　《本经》寒。

蝼蛄　《本经》寒。

鼺鼠　《本经》微温。

生鼠肝　《别录》平。

乌雄鸡冠血　《别录》温。

弓弩弦　《别录》平。

马衔　《别录》平。

败酱　《本经》微寒，《别录》平。

榆皮　《本经》平。

蛇蜕　《本经》平。

产后病

干地黄　《本经》寒。

秦椒　《本经》温，《别录》生温、熟寒。

败酱　《本经》微寒，《别录》平。

泽兰　《本经》微温。

地榆　《本经》微寒。

大豆　《别录》平。

下乳汁

石钟乳　《本经》温。

漏芦　《本经》寒，《别录》大寒。

蛴螬　《本经》微温，《别录》微寒。

栝楼　《本经》寒。

土瓜根　《本经》寒。

狗四足　《别录》平。

猪四足　《别录》小寒。

中蛊

桔梗　《本经》微温。

鬼臼　《本经》温，《别录》微温。

马目毒公　《本经》温，《别录》微温。

犀角　《本经》寒，《别录》微寒。

斑猫　《本经》寒。

芫青　《别录》微温。

葛上长亭　《别录》微温。

射罔　《别录》大热。

鬼督邮　《别录》平。

白蘘荷　《别录》微温。

败鼓皮　《别录》平。

蓝实《本经》寒。

解　毒

蛇虺百虫毒，雄黄、巴豆、麝香、丹砂、干姜。

蜈蚣毒，桑汁及煮桑根汁。

蜘蛛毒，蓝青、麝香。

蜂毒，蜂房、蓝青汁。

狗毒，杏仁、矾石、韭根、人屎汁。

恶气瘴毒，犀角、羚羊角、雄黄、麝香。

喉痹肿邪气恶毒入腹，升麻、犀角、射干。

风肿毒肿，沉香、木香、薰陆香、鸡舌香、麝香、紫檀香。

百药毒，甘草、荠苨、大小豆汁、蓝汁、蓝实。

射罔毒，蓝汁、大小豆汁、竹沥、大麻子汁、六畜血、贝齿屑、葍根屑、蚯蚓屎、藕芰汁。

野葛毒，鸡子清、葛根汁、甘草汁、鸭头热血、猪膏。若已死口噤者，以大竹筒盛冷水，注两胁及脐上，暖辄易之，口须臾开，开则内药，药入口便活矣。用荠苨汁解之。

斑猫、芫青毒，猪膏、大豆汁、戎盐、蓝汁；盐汤煮猪膏、巴豆。

狼毒毒，杏仁、蓝汁、白蔹、盐汁、木占斯。

踯躅毒，栀子汁。

巴豆毒，煮黄连汁、大豆汁、生藿汁、菖蒲屑汁、煮寒水石汁。

藜芦毒，雄黄、煮葱汁、温汤。

雄黄毒，防已。

甘遂毒，大豆汁。

蜀椒毒，葵子汁、桂汁、豉汁、人溺、冷水、土浆、食蒜、鸡毛烧吸烟及水调服。

半夏毒，生姜汁、煮干姜汁。

礜石毒，大豆汁、白鹅膏。

芫花毒，防已、防风、甘草、桂汁。

乌头、天雄、附子毒，大豆汁、远志、防风、枣肌、饴糖。

莨菪毒，荠苨、甘草汁、犀角、蟹汁。

马刀毒，清水。

大戟毒，菖蒲汁。

桔梗毒，白粥。

杏仁毒，蓝子汁。

诸菌毒，掘地作坑，以水沃中，搅令浊，俄顷饮之。

防葵毒，葵根汁。按，防葵《本经》无毒，试用亦无毒。今用葵根汁，应是解狼毒浮者尔。

野芋毒，土浆、人粪汁。

鸡子毒，淳醋。

铁毒，磁石。

食诸肉马肝漏脯中毒，生韭汁、韭根烧末、烧猪骨末、头垢、烧犬屎酒服，豉汁亦佳。

食金银毒，服水银数两即出，鸭血、鸡子汁、水淋鸡屎汁。

食诸鱼中毒，煮橘皮、生芦苇根汁、大豆汁、马鞭草汁、烧末鲛鱼皮、大黄汁、煮朴消汁。

食蟹中毒，生藕汁、煮干蒜汁、冬瓜汁。

一云生紫苏汁、藕屑及干苏煮汁。

食诸菜毒，甘草、贝齿、胡粉三种末，水和服之；小儿溺、乳汁服二升佳。

饮食中毒心烦满，煮苦参汁饮之，令吐出即止。

服石药中毒，白鸭屎汁、人参汁。

服药过剂闷乱者，吞鸡子黄、蓝汁、水和胡粉、地浆、蘘荷汁、粳米粉汁、豉汁、干姜、黄连屑、饴糖、水和葛粉饮。

服药食忌例

有术，勿食桃、李及雀肉、胡荽、大蒜、青鱼鲊等物。

有藜芦，勿食狸肉。

有巴豆，勿食芦笋羹及野猪肉。

有黄连、桔梗，勿食猪肉。

有地黄，勿食芜荑。

有半夏、菖蒲，勿食饴糖及羊肉。

有细辛，勿食生菜。

有甘草，勿食菘菜，又勿食海藻。

有牡丹，勿食生胡荽。

有商陆，勿食犬肉。

有常山，勿食生葱、生菜。

有空青、朱砂，勿食生血物。

有茯苓，勿食醋物。

有鳖甲，勿食苋菜。

有天门冬，勿食鲤鱼。

服药不可多食生胡荽，及蒜杂生菜，又不可食诸滑物果实等，又不可多食肥猪、犬肉、油腻、肥羹、鱼脍、腥臊等物。

服药通忌见死尸及产妇淹秽事。

凡药不宜入汤酒者

朱砂熟入汤　雄黄　云母　阳起石入酒　钟乳入酒　银屑　孔公孽入酒　礜石入酒
矾石入酒　石硫黄入酒　铜镜鼻　白垩　胡粉　铅丹　卤咸入酒　石灰入酒　藜灰

右十七种石类

野葛　狼毒　毒公　鬼臼　莽草　巴豆　踯躅　蒴藋入酒　皂荚入酒　藋菌　藜芦
䕡茹　贯众入酒　狼牙　芜荑　雷丸　鸢尾　蒺藜入酒　女菀　葈耳　紫葳入酒
薇衔入酒　白及　牡蒙　飞廉　蛇衔　占斯　辛夷　石南入酒　虎掌　枳实
虎杖入酒单浸　芦根　羊桃入酒　麻勃　苦瓠　瓜蒂　陟厘　云实　狼跋入酒
槐子入酒　地肤子　青葙子　蛇床子入酒　茺蔚子　菥蓂子　王不留行　菟丝子入酒

右四十八种草木类

蜂子　蜜蜡　白马茎　狗阴茎　雀卵　鸡子　雄鹊　伏翼　鼠妇　樗鸡　萤火
蠮螉　僵蚕　蜈蚣　蜥蜴　斑猫　芫青　亭长　地胆　虻虫　蜚蠊　蝼蛄　马刀
赭魁　虾蟆　蜗牛　生鼠　生龟入酒　诸鸟兽入酒　虫鱼膏　骨髓胆　血屎溺

右二十九种虫兽类

寻万物之性，皆有离合。虎啸风生，龙吟云起。磁石引针，琥珀拾芥。漆得蟹而散，麻得漆而涌，桂得葱而软，树得桂而枯。戎盐累卵，獭胆分杯。其气爽有相关感，多如此类，其理不可得而思之。至于诸药，尤能递为利害，先圣既明言其说，何可不详而避之。时人为方，皆多漏略。若旧方已有，此病亦应改除。假如两种相当，就其轻重，择可除而除之。伤寒赤散，吾恒不用藜芦。断下黄连丸，亦去其干姜而施之，无不效。何忽强以相憎，苟令共事乎。相反为害，深于相恶。相恶者，谓彼虽恶我，我无忿心，犹如牛黄恶龙骨，而龙骨得牛黄更良，此有以相制伏故也。相反者，则彼我交仇，必不宜合。今画家用雌黄、胡粉相近，便自黯妒。粉得黄则黑，黄得粉亦变，此盖相反之征也。药理既昧，所以不效，人多轻之。今按，方处疗，恐不必卒能寻究本草，更复抄出其事在此，览略看之，易可知验。而《本经》有直云茱萸、门冬者，无以辨其山、吴、天、麦之异，咸宜各题其条。人有乱误处，譬如海蛤之与鲍甲，畏恶正同；又诸芝使薯蓣，薯蓣复使紫芝，计无应如此，不知何者是非？亦宜并记，当更广检正之。又《神农本草经》相使，止各一种；兼以《药对》参之，乃有两三，于事亦无嫌。其有云相得共疗某病者，既非妨避之禁，不复疏出。

玉石上部

玉泉　畏款冬花。

玉屑　恶鹿角。

丹砂　恶磁石，畏咸水。

曾青　畏菟丝子。

石胆　水英为使，畏牡桂、菌桂、芫花、辛夷、白薇。

云母　泽泻为使，畏鲍甲，反流水，恶徐长卿。

钟乳　蛇床子为使，恶牡丹、玄石、牡蒙，畏紫石英、蘘草。

朴消　畏麦句姜。

消石　萤火为使，恶苦参、苦菜，畏女菀。

芒消　石韦为使，恶麦句姜。

矾石　甘草为使，恶牡蛎。

滑石　石韦为使，恶曾青。

白石英　恶马目毒公。

紫石英　长石为使，畏扁青、附子，不欲鲍甲、黄连、麦句姜。

赤石脂　恶大黄，畏芫花。

黄石脂　曾青为使，恶细辛，畏蜚蠊。

白石脂　燕屎为使，恶松脂，畏黄芩。

太一禹馀粮　杜仲为使，畏贝母、菖蒲、铁落。

玉石中部

水银　畏磁石。

殷孽　恶防己，畏术。

阳起石　桑螵蛸为使，恶泽泻、箘桂、雷丸、蛇蜕皮，畏菟丝子。

凝水石　畏地榆，解巴豆毒。

石膏　鸡子为使，恶莽草、毒公。

磁石　柴胡为使，畏黄石脂，恶牡丹、莽草，杀铁毒。

玄石　恶松脂、柏子仁、箘桂。

理石　滑石为使，畏麻黄。

孔公孽　木兰为使，恶细辛。

玉石下部

青琅玕　得水银良，畏乌鸡骨，杀锡毒。

礜石　得火良，棘针为使，恶虎掌、毒公、鹜屎、细辛，畏水。

特生礜石　火炼之良，畏水。

方解石　恶巴豆。

代赭　畏天雄。

大盐　漏芦为使。

草药上部

六芝　薯蓣为使，得发良，恶恒山，畏扁青、茵陈蒿。

天门冬　垣衣、地黄为使，畏曾青。

麦门冬　地黄、车前为使，恶款冬、苦瓠，畏苦参、青蘘。

术　防风、地榆为使。

女萎、萎蕤　畏卤咸。

干地黄　得麦门冬、清酒良，恶贝母，畏芜荑。

菖蒲　秦艽、秦皮为使，恶地胆、麻黄。

远志　得茯苓、冬葵子、龙骨良，杀天雄、附子毒，畏真珠、蜚蠊、藜芦、齐蛤。

泽泻　畏海蛤、文蛤。

薯蓣　紫芝为使，恶甘遂。

菊花　术、枸杞根、桑根白皮为使。

甘草　术、干漆、苦参为使，恶远志，反甘遂、大戟、芫花、海藻。

人参　茯苓为使，恶溲疏，反藜芦。

石斛　陆英为使，恶凝水石、巴豆，畏白僵蚕、雷丸。

牛膝　恶萤火、龟甲、陆英，畏白前。

细辛　曾青、桑根为使，恶狼毒、山茱萸、黄芪，畏滑石、消石，反藜芦。

独活　蠡实为使。

柴胡　半夏为使，恶皂荚，畏女菀、藜芦。

菴蕳子　荆子、薏苡仁为使，恶细辛、干姜。

菥蓂子　得荆子、细辛良，恶干姜、苦参。

龙胆　贯众为使，恶防葵、地黄。

菟丝子　得酒良，薯蓣、松脂为使，恶雚菌。

巴戟天　覆盆子为使，恶朝生、雷丸、丹参。

防风　恶干姜、藜芦、白蔹、芫花，杀附子毒，畏草薢。

络石　杜仲、牡丹为使，恶铁落，畏菖蒲、贝母。

黄连　黄芩、龙骨、理石为使，恶菊花、芫花、玄参、白鲜皮，畏款冬，胜乌头，解巴豆毒。

蒺藜子　乌头为使。

沙参　恶防已，反藜芦。

丹参　畏咸水，反藜芦。

天名精　垣衣为使。

决明子　蓍实为使，恶大麻子。

芎䓖　白芷为使，恶黄连。

续断　地黄为使，恶雷丸。

黄芪　恶龟甲。

杜若　得辛夷、细辛良，恶柴胡、前胡。

蛇床子　恶牡丹、巴豆、贝母。

茜根　畏鼠姑。

飞廉　得乌头良，恶麻黄。

薇衔　得秦皮良。

五味子　苁蓉为使，恶萎蕤，胜乌头。

草药中部

当归　恶䕡茹，畏菖蒲、海藻、牡蒙。

秦艽　菖蒲为使。

黄芩　山茱萸、龙骨为使，恶葱实，畏丹砂、牡丹、藜芦。

芍药　须丸为使，恶石斛、芒消，畏消石、鳖甲、小蓟，反藜芦。

干姜　秦椒为使，恶黄连、黄芩、天鼠粪，杀半夏、莨菪毒。

藁本　恶䕡茹。

麻黄　厚朴为使，恶辛夷、石韦。

葛根　杀野葛、巴豆、百药毒。

前胡　半夏为使，恶皂荚，畏藜芦。

贝母　厚朴、白薇为使，恶桃花，畏秦艽、礜石、莽草，反乌头。

栝楼　枸杞为使，恶干姜，畏牛膝、干漆，反乌头。

玄参　恶黄芪、干姜、大枣、山茱萸，反藜芦。

苦参　玄参为使，恶贝母、漏芦、菟丝子，反藜芦。

石龙芮　大戟为使，畏蛇蜕皮、吴茱萸。

狗脊　萆薢为使，恶败酱。

石韦　滑石、杏仁、射干为使，得菖蒲良。

萆薢　薏苡为使，畏葵根、大黄、柴胡、牡蛎、前胡。

瞿麦　蘘草、牡丹为使，恶桑螵蛸。

白芷　当归为使，恶旋覆花。

紫菀　款冬为使，恶天雄、瞿麦、雷丸、远志、藁本，畏茵陈。

白薇　恶黄芪、大黄、大戟、干姜、干漆、大枣、山茱萸。

紫参　畏辛夷。

淫羊藿　薯蓣为使。

款冬花　杏仁为使，得紫菀良，恶皂荚、消石、玄参，畏贝母、辛夷、麻黄、黄芩、黄连、黄芪、青葙。

白鲜皮　恶桑螵蛸、桔梗、茯苓、萆薢。

牡丹　畏菟丝子、贝母、大黄。

防己　殷孽为使，恶细辛，畏萆薢，杀雄黄毒。

女菀　畏卤咸。

泽兰　防己为使。

地榆　得发良，恶麦门冬。

海藻　反甘草。

草药下部

大黄　黄芩为使。

桔梗　节皮为使，畏白及、龙胆、龙眼。

甘遂　瓜蒂为使，恶远志，反甘草。

天雄　远志为使，恶腐婢。

芫花　决明为使，反甘草。

泽漆　小豆为使，恶薯蓣。

大戟　反甘草，畏菖蒲、芦草、鼠屎。

钩吻　半夏为使，恶黄芩。

藜芦　黄连为使，反细辛、芍药、五参，恶大黄。

乌头、乌喙　莽草为使，反半夏、栝楼、贝母、白蔹、白及，恶藜芦。

附子　地胆为使，恶蜈蚣，畏防风、甘草、黄芪、人参、乌韭、大豆。

葶苈　榆皮为使，得酒良，恶僵蚕、石龙芮。

半夏　射干为使，恶皂荚，畏雄黄、生姜、干姜、秦皮、龟甲，反乌头。

虎掌　蜀漆为使，畏莽草。

贯众　雚菌为使。

蜀漆　栝楼为使，恶贯众。

恒山　畏玉札。

狼牙　芜荑为使，恶地榆、枣肌。

白蔹　代赭为使，反乌头。

白及　紫石英为使，恶理石、李核仁、杏仁。

蕳茹　甘草为使，恶麦门冬。

雚菌　得酒良，畏鸡子。

荩草　畏鼠妇。

夏枯草　土瓜为使。

狼毒　大豆为使，恶麦句姜。

鬼臼　畏垣衣。

木药上部

茯苓、茯神　马蔺为使，恶白蔹，畏牡蒙、地榆、雄黄、秦艽、龟甲。

柏实　牡蛎、桂心、瓜子为使，恶菊花、羊蹄、诸石、面、曲。

杜仲　恶蛇蜕、玄参。

干漆　半夏为使，畏鸡子，今又忌油脂。

蔓荆子　恶乌头、石膏。

牡荆实　防风为使，恶石膏。

五加皮　远志为使，畏蛇蜕、玄参。

黄檗　恶干漆。

辛夷　芎䓖为使，恶五石脂，畏菖蒲、蒲黄、黄连、石膏、黄环。

酸枣仁　恶防己。

槐子　天雄、景天为使。

木药中部

厚朴　干姜为使，恶泽泻、寒水石、消石。

山茱萸　蓼实为使，恶桔梗、防风、防己。

吴茱萸　蓼实为使，恶丹参、消石、白垩，畏紫石英。

秦皮　大戟为使，恶吴茱萸。

占斯　解狼毒毒。

枝子　解踯躅毒。

秦椒　恶栝楼、防葵，畏雌黄。

桑根白皮　续断、桂心、麻子为使。

木药下部

黄环　鸢尾为使，恶茯苓、防己。

石南　五加皮为使。

巴豆　芫花为使，恶蘘草，畏大黄、黄连、藜芦，杀斑猫毒。

蜀椒　杏仁为使，畏橐吾、附子、防风。

栾华　决明为使。

雷丸　荔实、厚朴为使，恶葛根。

溲疏　漏芦为使。

皂荚　柏实为使，恶麦门冬，畏空青、人参、苦参。

兽上部

龙骨　得人参、牛黄良，畏石膏。

龙角　畏干漆、蜀椒、理石。

牛黄　人参为使，恶龙骨、地黄、龙胆、蜚蠊，畏牛膝。

白胶　得火良，畏大黄。

阿胶　得火良，畏大黄。

兽中部

犀角　松脂为使，恶雚菌、雷丸。

羖羊角　菟丝子为使。

鹿茸　麻勃为使。

鹿角　杜仲为使。

兽下部

麋脂　畏大黄，恶甘草。

虫鱼上部

蜜蜡　恶芫花、齐蛤。

蜂子　畏黄芩、芍药、牡蛎。

牡蛎　贝母为使，得甘草、牛膝、远志、蛇床良，恶麻黄、吴茱萸、辛夷。

桑螵蛸　畏旋覆花。

龟甲　恶沙参、蜚蠊。

海蛤　蜀漆为使，畏狗胆、甘遂、芫花。

虫鱼中部

伏翼　苋实、云实为使。

猬皮　得酒良，畏桔梗、麦门冬。

蜥蜴　恶硫黄、斑猫、芜荑。

䗪虫　畏皂荚、菖蒲。

鳖甲　恶矾石。

蛴螬　蜚蠊为使，恶附子。

乌贼鱼骨　恶白蔹、白及。

蟹　杀莨菪毒、漆毒。

鮀鱼甲　蜀漆为使，畏狗胆、甘遂、芫花。

天鼠屎　恶白蔹、白薇。

露蜂房　恶干姜、丹参、黄芩、芍药、牡蛎。

虫鱼下部

蛇蜕　畏磁石及酒。

蜣螂　畏羊角、石膏。

斑猫　马刀为使，畏巴豆、丹参、空青，恶肤青。

地胆　恶甘草。

马刀　得水良，得火良。

果上部

大枣　杀乌头毒。

果下部

杏仁　得火良，恶黄芪、黄芩、葛根，解锡、胡粉毒，畏蘘草。

菜上部

冬葵子　黄芩为使。

菜中部

葱实　解藜芦毒。

米上部

麻蕡、麻子　畏牡蛎、白薇，恶茯苓。

米中部

大豆及黄卷　恶五参、龙胆，得前胡、乌喙、杏仁、牡蛎良，杀乌头毒。

大麦　食蜜为使。

酱　杀药毒、火毒。

右一百九十七种，有相制使，其余皆无。

立冬之日，菊、卷柏先生时，为阳起石、桑螵蛸凡十物使，主二百草为之长。

立春之日，木兰、射干先生，为柴胡、半夏使，主头痛四十五节。

立夏之日，蜚蠊先生，为人参、茯苓使，主腹中七节，保神守中。

夏至之日，豕首、茱萸先生，为牡蛎、乌喙使，主四肢三十二节。

立秋之日，白芷、防风先生，为细辛、蜀漆使，主胸背二十四节。

右此五条出《药对》中，义旨渊深，非俗所究，虽莫可遵用，而是主统之本，故亦载之。

玉石等部上品　卷第三

1 玉泉

味甘，平，无毒。**主五脏百病，柔筋强骨，安魂魄，长肌肉，益气，**利血脉，疗妇人带下十二病，除气癃，明耳目。**久服耐寒暑，不饥渴，不老神仙，**轻身长年。**人临死服五斤，死三年色不变。一名玉札。生**蓝田**山谷。**采无时。　畏款冬花。

［陶隐居云］蓝田在长安东南，旧出美玉，此当是玉之精华，白者质色明澈，可消之为水，故名玉泉。今人无复的识者，惟通呼为玉尔。张华又云，服玉用蓝田谷玉白色者；此物平常服之，则应神仙，有人临死服五斤，死经三年，其色不变。古来发冢见尸如生者，其身腹内外，无不大有金玉。汉制王公葬，皆用珠襦玉匣，是使不朽故也。炼服之法，亦应依《仙经》服玉法，水屑随宜，虽曰性平，而服玉者亦多乃发热如寒食散状。金玉既天地重宝，不比余石，若未深解节度，勿轻用之。

［今按］别本注云：玉泉者，玉之泉液也，以仙室、玉池中者为上。今《仙经·三十六水法》中，化玉为玉浆，称为玉泉，服之长年不老，然功劣于自然泉液也。一名玉液，一名琼浆。

2 玉屑

味甘，平，无毒。主除胃中热、喘息、烦满，止渴，屑如麻豆服之。久服轻身长年。生蓝田。采无时。　恶鹿角。

［陶隐居云］此云玉屑，亦是以玉为屑，非应别一种物也。《仙经》服谷玉，有捣如米粒，乃以苦酒辈消令如泥，亦有合为浆者。凡服玉，皆不得用已成器物，及冢中玉璞也。好玉出蓝田，及南阳徐善亭部界中，日南、卢容水中，外国于阗、

疏勒诸处皆善。《仙方》名玉为玄真，洁白如猪膏，叩之鸣者，是真也。其比类甚多相似，宜精别之。所以燕石入笥、卞氏长号也。

［**唐本注云**］饵玉，当以消作水者为佳。屑如麻豆服之，取其精润脏腑，滓秽当完出也。又为粉服之者，即使人淋壅。屑如麻豆，其义殊深。

3 丹砂

味甘，微寒，无毒。**主身体五脏百病，养精神，安魂魄，益气，明目，**通血脉，止烦满，消渴，益精神，悦泽人面，**杀精魅邪恶鬼，**除中恶、腹痛、毒气、疥瘘、诸疮。**久服通神明不老，**轻身神仙。**能化为汞，**作末名真朱，光色如云母可析者良。**生**符陵**山谷。**采无时。 恶磁石，畏咸水。

［**陶隐居云**］按，此化为汞及名真朱者，即是今朱砂也。俗医皆别取武都仇池雄黄夹雌黄者，名为丹砂。方家亦往往俱用，此为谬矣。符陵是涪州，接巴郡南，今无复采者。乃出武陵、西川诸蛮夷中，皆通属巴地，故谓之巴砂。《仙经》亦用越砂，即出广州临漳者，此二处并好，惟须光明莹澈为佳。如云母片者，谓云母砂。如樗蒲子、紫石英形者，谓马齿砂，亦好。如大小豆及大块圆滑者，谓豆砂；细末碎者，谓末砂，此二种粗，不入药用，但可画用尔。采砂皆凿坎入数丈许，虽同出一郡县，亦有好恶。地有水井，胜火井也。炼饵之法，备载《仙方》，最为长生之宝。

［**唐本注云**］丹砂大略二种，有土砂、石砂。其土砂，复有块砂、末砂，体并重而色黄黑，不任画用，疗疮疥亦好，但不入心腹之药尔，然可烧之，出水银乃多。其石砂便有十数种：最上者光明砂，云一颗别生一石龛内，大者如鸡卵，小者如枣栗，形似芙蓉，破之如云母，光明照澈，在龛中石台上生，得之者，带之辟恶为上；其次或出石中，或出水内，形块大者如拇指，小者如杏仁，光明无杂，名马牙砂，一名无重砂，入药及画俱善，俗间亦少有之。其有磨嵯、新井、别井、水井、火井、芙蓉、石末、石堆、豆末等砂，形类颇相似，入药及画，当择去其杂土石，便可用矣。别有越砂，大者如拳，小者如鸡鹅卵，形虽大，其杂土石不如细明净者。经言末之名真朱，谬矣。岂有一物而以全、末为殊名者也。

［**今注**］今出辰州、锦州者，药用最良，余皆次焉。陶云出西川非也，蛮夷中或当有之。

4 空青

味甘、酸，**寒**、大寒，无毒。**主青盲、耳聋，明目，利九窍，通血脉，养精神**，益肝气，疗目赤痛，去肤翳，止泪出，利水道，下乳汁，通关节，破坚积。**久服轻身延年不老**，令人不忘，志高神仙。**能化铜、铁、铅、锡作金。生**益州**山谷**及越巂山有铜处。铜精熏则生空青，其腹中空。三月中旬采，亦无时。

［陶隐居云］越巂属益州。今出铜官者，色最鲜深，出始兴者弗如，益州诸郡无复有，恐久不采之故也。凉州西平郡有空青山，亦甚多。今空青但圆实如铁珠，无空腹者，皆凿土石中取之。又以合丹成，则化铅为金矣。诸石药中，惟此最贵。医方乃稀用之，而多充画色，殊为可惜。

［唐本注云］此物出铜处有，乃兼诸青，但空青为难得。今出蔚州、兰州、宣州、梓州。宣州者最好，块段细，时有腹中空者。蔚州、兰州者，片块大，色极深，无空腹者。

［今注］今出饶、信等州者，亦好。

5 绿青

味酸，寒，无毒。主益气，疗鼽鼻，止泄痢。生山之阴穴中，色青白。

［陶隐居云］此即用画绿色者，亦出空青中，相带挟。今画工呼为碧青，而呼空青作绿青，正反矣。

［唐本注云］绿青即扁青也，画工呼为石绿。其碧青即白青也，不入画用。

6 曾青

味酸，小寒，无毒。**主目痛，止泪出、风痹，利关节，通九窍，破癥坚、积聚**，养肝胆，除寒热，杀白虫，疗头风、脑中寒，止烦渴，补不足，盛阴气。**久服轻身不老。能化金铜。生**蜀中**山谷**及越巂。采无时。 畏菟丝子。

［陶隐居云］此说与空青同山，疗体亦相似。今铜官更无曾青，惟出始兴。形累累如黄连相缀，色理小类空青，甚难得而贵，《仙经》少用之。化金之法，事同空青。

［唐本注云］曾青出蔚州、鄂州。蔚州者好，其次鄂州，余州并不任用。

7　白青

味甘、酸、咸，**平**，无毒。**主明目，利九窍，耳聋，心下邪气，令人吐，杀诸毒三虫。久服通神明，轻身延年不老。**可消为铜剑，辟五兵。**生**豫章**山谷**。采无时。

[陶隐居云] 此医方不复用，市人亦无卖者，惟《仙经》三十六水方中时有须处。铜剑之法，具在《九元子术》中。

[唐本注云] 陶所云今空青，圆如铁珠，色白而腹不空者是也。研之色白如碧，亦谓之碧青，不入画用。无空青时，亦用之，名鱼目青，以形似鱼目故也。今出简州、梓州者好。

8　扁青

味甘，平，无毒。**主目痛明目，折跌痈肿，金创不瘳，破积聚，解毒气，利精神**，去寒热风痹，及丈夫茎中百病，益精。**久服轻身、不老。生**朱崖**山谷**武都、朱提。采无时。

[陶隐居云]《仙经》、俗方都无用者。朱崖郡先属交州，在南海中，晋代省之。朱提郡今属宁州。

[唐本注云] 此即前条陶谓绿青也是。朱崖巴南及林邑、扶南，舶上来者，形块大如拳，其色又青，腹中亦时有空者；武昌者，片块小而色更佳；兰州、梓州者，形扁作片而色浅也。

9　石胆

味酸、辛，**寒**，有毒。**主明目目痛，金创，诸痫痉，女子阴蚀痛，石淋，寒热，崩中下血，诸邪毒气，令人有子**，散癥积，咳逆上气，及鼠瘘、恶疮。**炼饵服之，不老；久服，增寿神仙。能化铁为铜，成金银。一名毕石**，一名黑石，一名碁石，一名铜勒。**生**羌道**山谷**，羌里句青山。二月庚子、辛丑日采。　水英为之使，畏牡桂、菌桂、芫花、辛夷、白薇。

[陶隐居云]《仙经》有用此处，俗方甚少，此药殆绝。今人时有采者，其色青绿，状如琉璃而有白文，易破折。梁州、信都无复有，俗用乃以青色矾石当之，殊无仿佛。《仙经》一名立制石。

[**唐本注云**] 此物出铜处有，形似曾青，兼绿相间，味极酸、苦，磨铁作铜色，此是真者。陶云色似琉璃，此乃绛矾。比来亦用绛矾为石胆，又以醋揉青矾为之，并伪矣。真者出蒲州虞乡县东亭谷窟及薛集窟中，有块如鸡卵者为真。

10　云母

味甘，平，无毒。**主身皮死肌、中风寒热；如在车船上，除邪气；安五脏，益子精，明目**，下气，坚肌，续绝，补中，疗五劳七伤、虚损少气，止痢。**久服轻身，延年**，悦泽不老，耐寒暑，志高神仙。**一名云珠**，色多赤。**一名云华**，五色具。**一名云英**，色多青。**一名云液**，色多白。**一名云沙**，色青黄。**一名磷石**，色正白。**生**太山**山谷**，齐、庐山，及琅邪北定山石间。二月采。　泽泻为之使，畏鮀甲及流水，恶徐长卿。

[**陶隐居云**] 按，《仙经》云母乃有八种：向日视之，色青白多黑者名云母，色黄白多青名云英，色青黄多赤名云珠，如冰露乍黄乍白名云沙，黄白皛皛名云液，皎然纯白明澈名磷石，此六种并好服，而各有时月；其黯黯纯黑有文斑斑如铁者，名云胆，色杂黑而强肥者名地涿，此二种并不可服。炼之有法，惟宜精细；不尔，入腹大害人。今虚劳家丸散用之，并只捣筛，殊为未允。琅邪在彭城东北，青州亦有。今江东惟用庐山者为胜，以沙土养之，岁月生长。今炼之用矾石则柔烂，亦便是相畏之效。百草上露，乃胜东流水，亦用五月茅屋溜水。

11　石钟乳

味甘，温，无毒。**主咳逆上气，明目，益精，安五脏，通百节，利九窍，下乳汁**，益气，补虚损，疗脚弱疼冷，下焦伤竭，强阴。久服延年益寿，好颜色，不老，令人有子。不炼服之，令人淋。一名公乳，一名芦石，一名夏石。**生**少室**山谷**及太山，采无时。　蛇床为之使，恶牡丹、玄石、牡蒙，畏紫石英、蘘草。

[**陶隐居云**] 第一出始兴，而江陵及东境名山石洞亦皆有。惟通中轻薄如鹅翎管，碎之如爪甲，中无雁齿，光明者为善。长挺乃有一二尺者。色黄，以苦酒洗刷则白。《仙经》用之少，而俗方所重，亦甚贵。

[**唐本注云**] 钟乳第一始兴，其次广、连、澧、朗、郴等州者，虽厚而光润可爱，饵之并佳。今峡州、青溪、房州三洞出者，亚于始兴。自余非其土地，不可轻服。多发淋渴，止可捣筛，白练裹之，合诸药草浸酒服之。陶云钟乳一二尺者，谬说。

［今按］别本注云：凡乳生于深洞幽穴，皆龙蛇潜伏，或龙蛇毒气，或洞口阴阳不匀，或通风气，雁齿涩，或黄或赤，乳无润泽，或其煎炼火色不调，一煎已后不易水，则生火毒，服即令人发淋。又乳有三种，有石乳、竹乳、茅山之乳。石乳者，以其山洞纯石，以石津相滋，阴阳交备，蝉翼纹成，谓为石乳；竹乳者，以其山洞遍生小竹，以竹津相滋，乳如竹状，谓为竹乳；茅山之乳者，山有土石相杂，遍生茅草，以茅津相滋为乳，乳色稍黑而滑润。石乳性温，竹乳性平，茅山之乳微寒。一种之中，有上中下色，余处亦有，不可轻信。凡乳以光泽为好。

12　朴消

味苦、辛，**寒**、大寒，无毒。**主百病，除寒热邪气，逐六腑积聚、结固留癖、**胃中食饮热结，破留血、闭绝、停痰痞满，推陈致新。**能化七十二种石。炼饵服之，轻身、神仙。**炼之白如银，能寒能热，能滑能涩，能辛能苦，能咸能酸，入地千岁不变，色青白者佳，黄者伤人，赤者杀人。一名消石朴。**生**益州**山谷**有咸水之阳。采无时。　畏麦句姜。

［陶隐居云］今出益州北部汶山郡，西川、蚕陵二县界，生山崖上，色多青白，亦杂黑斑。俗人择取白软者，以当消石用之，当烧令汁沸出，状如矾石也。《仙经》惟云消石能化他石。今此亦云能化石，疑必相似，可试之。

［唐本注云］此物有二种，有纵理、缦理，用之无别。白软者，朴消苗也，虚软少力，炼为消石，所得不多，以当消石，功力大劣也。

［今注］今出益州。彼人采之，以水淋，取汁煎炼而成朴消也。一名消石朴者：硝，即是本体之名；石者，乃坚白之号；朴者，即未化之义也，以其芒消、英消皆从此出，故为消石朴也。其英消，即今俗间谓之马牙消者，是也。

13　消石

味苦、辛，**寒**、大寒，无毒。**主五脏积热、胃胀闭，涤去蓄结饮食，推陈致新，除邪气，**疗五脏十二经脉中百二十疾，暴伤寒，腹中大热，止烦满、消渴，利小便及瘘蚀疮。**炼之如膏，久服轻身。**天地至神之物，能化成十二种石。**一名芒消。生**益州**山谷**及武都、陇西、西羌。采无时。　萤火为之使，恶苦参、苦菜，畏女菀。

［陶隐居云］疗病亦与朴消相似，《仙经》多用此消化诸石，今无正识别此者。顷来寻访，犹云与朴消同山，所以朴消名消石朴也，如此则非一种物。先时有人得

一种物，其色理与朴消大同小异，朏朏如握盐雪不冰，强烧之，紫青烟起，仍成灰，不停沸如朴消，云是真消石也。此又云一名芒消，今芒消乃是炼朴消作之。与后皇甫说同，并未得核研其验，须试效，当更证记尔。化消石法，在三十六水方中。陇西属秦州，在长安西羌中。今宕昌以北诸山有咸土处皆有之。

［**唐本注云**］此即芒消是也。朴消一名消石朴，今炼粗恶朴消，淋取汁煎，炼作芒消，即是消石。《本经》一名芒消，后人更出芒消条，谬矣。

［**今注**］此即地霜也。所在山泽，冬月地上有霜，扫取以水淋汁，后乃煎炼而成。盖以能消化诸石，故名消石，非与朴消、芒消同类而有消石名也。一名芒消者，以其初煎炼时有细芒，而状若消，故名芒消之号，与后条芒消全别。旧《经》陶注引证多端，盖不的识之故也，今不取焉。

14 芒消

味辛、苦，大寒。主五脏积聚，久热、胃闭，除邪气，破留血，腹中痰实结搏，通经脉，利大小便及月水，破五淋，推陈致新。生于朴消。石韦为之使，畏麦句姜。

［**陶隐居云**］按，《神农本经》无芒消，只有消石，名芒消尔。后《名医》别载此说，其疗与消石正同，疑此即是消石。旧出宁州，黄白粒大，味极辛、苦。顷来宁州道断都绝。今医家多用煮炼作者，色全白，粒细，而味不甚烈。此云生于朴消，则作者亦好。又皇甫士安解散消石方凡说云：无朴消可用消石，生山之阴，盐之胆也。取石脾与消石，以水煮之，一斛得三斗，正白如雪，以水投中即消，故名消石。其味苦，无毒。主消渴热中，止烦满。三月采于赤山。朴消者，亦生山之阴，有盐咸苦之水，则朴消生于其阳。其味苦无毒，其色黄白，主疗热，腹中饱胀，养胃消谷，去邪气，亦得水而消，其疗与消石小异。按如此说，是取芒消合煮，更成为真消石，但不知石脾复是何物？本草乃有石脾、石肺，人无识者，皇甫既是安定人，又明医药，或当详。炼之以朴消作芒消者，但以暖汤淋朴消，取汁清澄煮之减半，出着木盆中，经宿即成，状如白石英，皆六道也，作之忌杂人临视。今益州人复炼矾石作消石，绝柔白，而味犹是矾石尔。孔氏解散方又云：熬炼消石令沸定汁尽。如此，消石犹是有汁也。今仙家须之，能化他石，乃用于理第一。

［**唐本注云**］晋宋古方，多用消石，少用芒消；近代诸医但用芒消，鲜言消石，岂古人昧于芒消也。《本经》云生于朴消，朴消一名消石朴，消石一名芒消，理既明白，不合重出之。

[**今注**] 此即出于朴消。以暖水淋朴消，取汁炼之，令减半，投于盆中，经宿乃有细芒生，故谓之芒消也。又有英消者，其状若白石英，作四五棱，白色莹澈可爱，主疗与芒消颇同，亦出于朴消，其煎炼自别有法，亦呼为马牙消。唐注以此为消石同类，深为谬矣。

15 生消

味苦，大寒，无毒。主风热癫痫，小儿惊邪瘛疭，风眩头痛，肺壅耳聋，口疮喉痹咽塞，牙颔肿痛，目赤热痛，多眵泪。生茂州西山岩石间，其形块大小不定，色青白，采无时。 恶麦句姜。 今附

16 矾石

味酸，寒，无毒。**主寒热，泄痢，白沃，阴蚀，恶疮，目痛，坚骨齿，**除固热在骨髓，去鼻中息肉。**炼饵服之，轻身，不老，增年。**岐伯云：久服伤人骨。能使铁为铜。**一名羽涅，**一名羽泽。**生**河西**山谷，**及陇西武都、石门。采无时。 甘草为之使，恶牡蛎。

[**陶隐居云**] 今出益州北部西川，从河西来。色青白，生者名马齿矾。已炼成绝白，蜀人又以当消石，名白矾。其黄黑者名鸡屎矾，不入药，惟堪镀作以合熟铜。投苦酒中，涂铁皆作铜色，外虽铜色，内质不变。《仙经》单饵之，丹方亦用。俗中合药，皆先火熬令沸燥，以疗齿痛，多即坏齿，是伤骨之证，而云坚骨齿，诚为疑也。

[**唐本注云**] 矾石有五种：青矾、白矾、黄矾、黑矾、绛矾，然白矾多入药用；青、黑二矾，疗疳及诸疮；黄矾亦疗疮生肉，兼染皮用之；其绛矾本来绿色，新出窟未见风者，正如琉璃；陶及今人谓之石胆，烧之赤色，故名绛矾矣。出瓜州。

[**今注**] 陶云蜀人用白矾当消石，误也。

17 滑石

味甘，寒、大寒，无毒。**主身热、泄澼，女子乳难，癃闭，利小便，荡胃中积聚寒热，益精气，**通九窍六腑津液，去留结，止渴，令人利中。**久服轻身，耐饥，长年。**一名液石，一名共石，一名脱石，一名番石。**生**赭阳**山谷，**及太山之

阴，或掖北白山，或卷山。采无时。　石韦为之使，恶曾青。

［陶隐居云］滑石色正白，《仙经》用之以为泥。又有冷石，小青黄，性并冷利，亦能熨油污衣物。今出湘州始安郡诸处。初取软如泥，久渐坚强，人多以作家中明器物，并散热人用之，不正入方药。赭阳县先属南阳，汉哀帝置，明《本经》所注郡县，必是后汉时也。掖县属青州东莱，卷县属司州荥阳。

［唐本注云］此石所在皆有。岭南始安出者，白如凝脂，极软滑。其出掖县者，理粗质青白黑点，惟可为器，不堪入药。齐州南山通神寺南谷亦大有，色青白不佳，至于滑腻，犹胜掖县者。

18　紫石英

味甘、辛，**温**，无毒。**主心腹咳逆邪气，补不足；女子风寒在子宫，绝孕十年无子；**疗上气心腹痛，寒热邪气结气，补心气不足，定惊悸，安魂魄，填下焦，止消渴，除胃中久寒，散痈肿，令人悦泽。**久服温中，轻身延年。生**太山**山谷**，采无时。　长石为之使，得茯苓、人参、芍药共疗心中结气；得天雄、菖蒲共疗霍乱。畏扁青、附子，不欲鮀甲、黄连、麦句姜。

［陶隐居云］今第一用太山石，色重澈，下有根。次出雹零山，亦好。又有南城石，无根。又有青绵石，色亦重黑，不明澈。又有林邑石，腹里必有一物如眼。吴兴石四面才有紫色，无光泽。会稽诸暨石，形色如石榴子。先时并杂用，今丸散家采择，惟太山最胜，余处者可作丸酒饵。《仙经》不正用，而为俗方所重也。

19　白石英

味甘、辛，**微温**，无毒。**主消渴，阴痿不足，咳逆，胸膈间久寒，益气，除风湿痹**，疗肺痿，下气，利小便，补五脏，通日月光。**久服轻身长年**，耐寒热。**生**华阴**山谷**及太山，大如指，长二三寸，六面如削，白澈有光。其黄端白棱名黄石英，赤端名赤石英，青端名青石英，黑端名黑石英。二月采，亦无时。　恶马目毒公。

［陶隐居云］今医家用新安所出，极细长白澈者；寿阳八公山多大者，不正用之。《仙经》大小并有用，惟须精白无瑕杂者。如此说，则大者为佳。其四色英，今不复用。

［唐本注云］白石英所在皆有，今泽州、虢州、洛州山中俱出。虢州者大，径三四寸，长五六寸。今通以泽州者为胜也。

20　青石、赤石、黄石、白石、黑石脂

味甘，平。主黄疸，泄痢，肠澼，脓血，阴蚀，下血赤白，邪气，痈肿，疽痔，恶疮，头疡，疥瘙。久服补髓，益气，肥健，不饥，轻身延年。五石脂各随五色补五脏。生南山之阳**山谷**中。

青石脂

味酸，平，无毒。主养肝胆气，明目，疗黄疸，泄痢，肠澼，女子带下百病，及疽痔，恶疮。久服补髓，益气，不饥，延年。生齐区山及海崖。采无时。

赤石脂

味甘、酸、辛，大温，无毒。主养心气，明目，益精，疗腹痛，泄澼，下痢赤白，小便利，及痈疽、疮痔，女子崩中漏下，产难，胞衣不出。久服补髓，好颜色，益智，不饥，轻身延年。生济南、射阳及太山之阴。采无时。　恶大黄，畏芫花。

［唐本注云］此石济南太山不闻出者，今虢州卢氏县、泽州陵川县及慈州吕乡县并有，色理鲜腻，宜州诸山亦有。此五石脂中，又有石骨，似骨，如玉坚润，服之力胜钟乳。

黄石脂

味苦，平，无毒。主养脾气，安五脏，调中，大人小儿泄痢肠澼，下脓血，去白虫，除黄疸，痈疽虫。久服轻身延年。生嵩高山，色如莺雏，采无时。　曾青为之使，恶细辛，畏蜚蠊。

白石脂

味甘、酸，平，无毒。主养肺气，厚肠，补骨髓，疗五脏惊悸不足，心下烦，止腹痛下水，小肠澼热溏，便脓血，女子崩中，漏下，赤白沃，排痈疽疮痔。久服安心，不饥，轻身长年。生太山之阴，采无时。　得厚朴并米汁饮，止便脓。燕屎为之使，恶松脂，畏黄芩。

［唐本注云］白石脂，今出慈州诸山，胜于余处者。大山左侧，不闻有之。

黑石脂

味咸，平，无毒。主养肾气，强阴，主阴蚀疮，止肠澼泄痢，疗口疮咽痛。久服益气，不饥，延年。一名石涅，一名石墨。出颍川阳城，采无时。

［陶隐居云］此五石脂如《本经》，疗体亦相似。《别录》各条，所以具载，今俗用赤石、白石二脂尔。《仙经》亦用白石脂，以涂丹釜。好者出吴郡，犹与赤石脂同源。赤石脂多赤而色好，惟可断下，不入五石散用。好者亦出武陵、建平、义阳。今五石散皆用义阳者，出鄳县界东八十里，状如豚脑，色鲜红可爱，随采随复而生，不能断痢，而不用之。余三色脂有，而无正用。黑石脂乃可画用尔。

［唐本注云］义阳即申州也，所出者，名桃花石，非五色脂，色如桃花，久服肥人。土人亦以疗下痢，旧出苏州余杭山大有，今不复采尔。

21　太一禹馀粮

味甘，平，无毒。**主咳逆上气，癥瘕，血闭，漏下，除邪气，**肢节不利，大饱绝力身重。**久服耐寒暑，不饥，轻身，飞行千里，神仙。一名石脑。**生太山**山谷，**九月采。　杜仲为之使，畏贝母、菖蒲、铁落。

［陶隐居云］今人惟总呼为太一禹馀粮，自专是禹馀粮尔，无复识太一者，然疗体亦相似。《仙经》多用之，四镇丸亦总名太一禹馀粮。

［唐本注云］太一禹馀粮及禹馀粮，一物而以精、粗为名尔。其壳如瓷，方圆不定，初在壳中未凝结者，犹是黄水，名石中黄子。久凝乃有数色，或青或白，或赤或黄。年多变赤，因赤渐紫。自赤及紫，俱名太一。其诸色通谓馀粮。今太山不见采得者，会稽、王屋、泽、潞州诸山皆有之。

22　禹馀粮

味甘，寒、平，无毒。**主咳逆，寒热、烦满，下赤白，血闭，癥瘕，大热，**疗小腹痛结烦疼。**炼饵服之，不饥，轻身延年。**一名白馀粮。生东海**池泽，**及山岛中或池泽中。

［陶隐居云］今多出东阳，形如鹅鸭卵，外有壳重叠，中有黄细末如蒲黄，无沙者为佳。近年茅山凿地大得之，极精好，乃有紫华靡靡。《仙经》服食用之。南人又呼平泽中有一种藤，叶如菝葜，根作块有节，似菝葜而色赤，根形似薯蓣，谓

为禹馀粮。言昔禹行山乏食，采此以充粮，而弃其余，此云白馀粮也。生池泽复有仿佛。或疑今石者，即是太一也。张华云：池多蓼者，必有馀粮，今庐江间便是也。适有人于铜官采空青于石坎，大得黄赤色石，极似今之馀粮，而色过赤好，疑此是太一也。彼人呼为雌黄，试涂物，正如雄黄色尔。

［唐本注云］陶云：黄赤色石，疑是太一。既无壳裹，未是馀粮，疑为太一，殊非的称。

23 石中黄子

味甘，平，无毒。久服轻身延年，不老。此禹馀粮壳中，未成馀粮黄浊水也。出馀粮处有之。陶云：芝品中有石中黄子，非也。 唐附

24 无名异

味甘，平。主金疮折伤内损，止痛，生肌肉。出大食国，生于石上，状如黑石炭。番人以油炼如黳石，嚼之如锡。 今附

25 婆娑石

主解一切药毒，瘴疫热闷头痛。生南海，胡人采得之。无斑点，有金星，磨成乳汁者为上。又豆斑石，虽亦解毒，功力不及。复有鄂绿，有文理，磨铁成铜色，人多以此为之，非真也。凡欲验真者，以水磨点鸡冠热血，当化成水是也。 此即俗谓之摩挲石是也。 今附

玉石等部中品　卷第四

26　金屑

味辛，平，有毒。主镇精神，坚骨髓，通利五脏，除邪毒气。服之神仙。生益州。采无时。

［陶隐居云］金之所生，处处皆有，梁、益、宁三州及建、晋多有，出水沙中，作屑，谓之生金。辟恶而有毒，不炼服之杀人。建、晋亦有金沙，出石中，烧熔鼓铸为埚，虽被火亦未熟，犹须更炼。又高丽、扶南及西域外国成器，金皆炼熟可服。《仙经》以醯、蜜及猪肪、牡荆、酒辈炼饵柔软，服之神仙。亦以合水银作丹砂外，医方都无用，当是犹虑其毒害故也。《仙方》名金为太真。

［今注］医家所用，皆炼熟金箔，及以水煎金器，取汁用之，固无毒矣。按，陈藏器《拾遗》云：岭南人云，生金是毒蛇屎，此有毒，常见人取金，掘地深丈余，至纷子石，石皆一头黑焦，石下有金，大者如指，小犹麻豆，色如桑黄，咬时极软，即是真金。夫匠窃而吞者，不见有毒。其麸金出水沙中，毡上淘取，或鹅鸭腹中得之，取便打成器物，亦不重炼，煎取金汁，便堪镇心。此乃藏器传闻之言，全非。按，据皇朝收复岭表，询其事于彼人，殊无蛇屎之事。入药当必用熟金，恐后人览藏器之言惑之，故此明辨。

27　银屑

味辛，平，有毒。主安五脏，定心神，止惊悸，除邪气。久服轻身长年。生永昌，采无时。

［陶隐居云］银之所出处，亦与金同，但皆是生石中耳。炼饵法亦相似。今医方合镇心丸用之，不可正服尔。为屑当以水银磨令消也。永昌本属益州，今属宁州，绝远不复宾附。《仙经》又有服炼法，此当无正主疗，故不为《本草》所载。

古者名金为黄金，银为白金，铜为赤金。今铜有生熟，炼熟者柔赤，而《本经》并无用。今铜青及大钱皆入方用，并是生铜，应在下品之例也。

［唐本注云］银之与金，生不同处，金又兼出水中。方家用银屑，当取见成银箔，以水银消之为泥。合消石及盐研为粉，烧出水银，淘去盐石，为粉极细，用之乃佳。不得已乃磨取屑耳。且银所在皆有，而以虢州者为胜，此外多锡秽为劣。高丽作帖者，云非银矿所出，然色青不如虢州者。又有黄银，《本草》不载，俗云为器辟恶，乃为瑞物也。

28　生银

寒，无毒。主热狂惊悸，发痫恍惚，夜卧不安，谵语，邪气鬼祟。服之明目镇心，安神定志。小儿诸热丹毒，并以水磨服，功胜紫雪。出饶州乐平诸坑生银矿中，状如硬锡，文理粗错自然者真。　今附

29　水银

味辛，寒，有毒。**主疥瘙，痂疡，白秃，杀皮肤中虫虱，堕胎，除热。**以傅男子阴，阴消无气。**杀金、银、铜、锡毒，熔化还复为丹。久服神仙，不死。**一名汞。**生**符陵**平土，**出于丹砂。　畏磁石。

［陶隐居云］今水银有生熟。此云生符陵平土者，是出朱砂腹中，亦别出沙地，皆青白色最胜。出于丹砂者，是今烧粗末朱砂所得，色小白浊，不及生者。甚能消化金银，使成泥，人以镀物是也。还复为丹，事出《仙经》。酒和日曝，服之长生。烧时飞著釜上灰，名汞粉，俗呼为水银灰，最能去虱。

［唐本注云］水银出于朱砂，皆因热气，未闻朱砂腹中自出之者。火烧飞取，人皆解法。南人又蒸取之，得水银少于火烧，而朱砂不损，但色少变黑耳。

［今按］陈藏器本草云：水银本功外，利水道，去热毒。入耳能食脑至尽；入肉令百节挛缩，倒阴绝阳。人患疮疥，多以水银涂之，性滑重，直入肉，宜慎之。昔北齐徐王疗挛躄病，以金物火炙熨之，水银得金，当出蚀金，候金色白者是也，如此数度并瘥也。

30　雄黄

味苦、甘，**平，寒、**大温，有毒。**主寒热，鼠瘘，恶疮，疽痔，死肌。**疗疥

虫，䘌疮，目痛，鼻中息肉，及绝筋，破骨，百节中大风，积聚，癖气，中恶，腹痛，鬼疰，**杀精物，恶鬼，邪气，百虫，毒肿，胜五兵**，杀诸蛇虺毒，解藜芦毒，悦泽人面。**炼食之，轻身、神仙。**饵服之，皆飞入人脑中，胜鬼神，延年益寿，保中不饥。得铜可作金。**一名黄食石。生**武都**山谷**、敦煌山之阳。采无时。

［**陶隐居云**］炼服雄黄法，皆在《仙经》中，以铜为金，亦出黄白术中。晋末已来，氐羌中纷扰，此物绝不复通，人间时有三五两，其价如金。合丸皆用石门、始兴石黄之好者尔。始以齐初凉州互市微有所得，将至都下，余最先见于使人陈典签处，捡获见十余片，伊辈不识此物是何等，见有搂挟雌黄，或谓是丹砂，示吾，吾乃示语，并更属觅，于是渐渐而来，好者作鸡冠色，不臭而坚实；若点黑及虚软者不好也。武都、氐羌是为仇池。宕昌亦有，与仇池正同而小劣。敦煌在凉州西数千里，所出者未尝得来，江东不知，当复云何？此药最要，无所不入也。

［**唐本注云**］出石门名石黄者，亦是雄黄，而通名黄食石。而石门者最为劣耳，宕昌、武都者为佳，块方数寸，明澈如鸡冠，或以为枕，服之辟恶。其青黑坚者，不入药用。若火烧飞之而精小，疗疮疥猥用亦无嫌。又云恶者名熏黄，用熏疗疮疥，故名之，无别熏黄也。贞观年中，以宕州新出，有得方数尺者，但重脆，不可全致之耳。

31　雌黄

味辛、甘，平，大寒，有毒。**主恶疮，头秃，痂疥，杀毒虫虱，身痒，邪气，诸毒。**蚀鼻中息肉，下部䘌疮，身面白，散皮肤死肌，及恍惚邪气，杀蜂蛇毒。**炼之，久服轻身，增年，不老，**令人脑满。**生**武都**山谷，**与雄黄同山生。其阴山有金，金精熏则生雌黄。采无时。

［**陶隐居云**］今雌黄出武都仇池者，谓为武都仇池黄，色小赤；出扶南林邑者，谓昆仑黄，色如金，而似云母甲错，画家所重。依此言，既有雌雄之名，又同山之阴阳，于合药便当以武都为胜，用之既希，又贱于昆仑。《仙经》无单服法，唯以合丹砂、雄黄共飞炼为丹耳。金精是雌黄，铜精是空青，而服空青反胜于雌黄，其义难了也。

32　殷孽

味辛，温，无毒。**主烂伤、瘀血，泄痢、寒热，鼠瘘、癥瘕，结气。**脚冷疼弱。

一名姜石，钟乳根也。**生**赵国**山谷**，又梁山及南海。采无时。 恶防己，畏术。

［陶隐居云］赵国属冀州，此即今人所呼孔公孽，大如牛羊角，长一二尺左右，亦出始兴。

［唐本注云］此即石堂下孔公孽根也，盘结如姜，故名姜石。俗人乃以孔公孽为之，误矣。

33 孔公孽

味辛，温，无毒。**主伤食不化。邪结气，恶疮疽瘘痔，利九窍，下乳汁。**疗男子阴疮，女子阴蚀，及伤食病，恒欲眠睡。一名通石，殷孽根也，青黄色。生梁山山谷。 木兰为之使，恶细辛。

［陶隐居云］梁山属冯翊郡，此即今钟乳床也，亦出始兴，皆大块折破之。凡钟乳之类，三种同一体。从石室上汁溜积久盘结者，为钟乳床，即此孔公孽也。其次长小笼炊者，为殷孽，今人呼为孔公孽。殷孽复溜，轻好者为钟乳。虽同一类，而疗体为异，贵贱悬殊。此二孽不堪丸散，人皆捣末酒渍饮之，疗脚弱。其前诸疗，恐宜水煮为汤也。按，今三种同根，而所生各异处，当是随其土地为胜尔。

［唐本注云］此孽次于钟乳，如牛羊角者，中尚孔通，故名通石。《本经》误以为殷孽之根，陶依《本经》以为今人之误，其实是也。

34 石脑

味甘，温，无毒。主风寒虚损，腰脚疼痹，安五脏，益气。一名石饴饼。生名山土石中。采无时。

［陶隐居云］此石亦钟乳之类，形如曾青而白色黑斑，软脆易破。今茅山东及西平山并有，凿土龛取之。俗方不见用，《仙经》有刘君导仙散用之。又《真诰》云：李整采服，疗风痹虚损，而得长生也。

［唐本注云］隋时有化公者，所服亦名石脑，出徐州宋里山。初在烂石中，入土一丈已下得之，大如鸡卵，或如枣许，触著即散如面，黄白色，土人号为握雪礜石，云服之长生。与李整相会也。

35 石硫黄

味酸，温、大热，有毒。**主妇人阴蚀，疽痔，恶血，坚筋骨，除头秃。**疗心腹积聚，邪气冷癖在胁，咳逆上气，脚冷疼弱无力，及鼻衄，恶疮，下部䘌疮，止血，杀疥虫。**能化金、银、铜、铁奇物。生**东海牧羊**山谷**中，及太山、河西山。矾石液也。

［**陶隐居云**］东海郡属北徐州，而箕山亦有。今第一出扶南林邑，色如鹅子初出壳，名昆仑黄。次出外国，从蜀中来，色深而煌煌。俗方用之疗脚弱及痼冷甚良。《仙经》颇用之。所化奇物，并是黄白术及合丹法。此云矾石液，今南方则无矾石，恐不必尔。

36　阳起石

味咸，微温，无毒。**主崩中漏下，破子脏中血，癥瘕结气，寒热，腹痛，无子，阴阳痿不合，补不足。**疗男子茎头寒，阴下湿痒，去臭汗，消水肿。久服不饥，令人有子。**一名白石，**一名石生，一名羊起石，云母根也。**生**齐山**山谷**及琅琊或云山、阳起山。采无时。　桑螵蛸为之使，恶泽泻、菌桂、雷丸、蛇蜕皮，畏菟丝子。

［**陶隐居云**］此所出即与云母同，而甚似云母，但厚实耳。今用乃出益州，与矾石同处，色小黄黑即矾石。云母根未知何者？俗用乃希。《仙经》亦服之。

［**唐本注云**］此石以白色、肌理似阴孽、仍夹带云母绿润者为良，故《本经》一名白石；今乃用纯黑如炭者，误矣。云母条中，既云黑者为云胆，又名地涿，服之损人，黑阳起石必为恶矣。《经》言生齐山，齐山在齐州历城西北五六里，采访无阳起石，阳起石乃在齐山西北六七里卢山出之。《本经》云：或云山。云，卢字讹矣。今太山、沂州唯有黑者，其白者独出齐州也。

37　凝水石

味辛、甘，**寒**、大寒，无毒。**主身热，腹中积聚邪气，皮中如火烧烂，烦满，水饮之。**除时气热盛，五脏伏热，胃中热，烦满，口渴，水肿，少腹痹。**久服不饥。一名白水石，**一名寒水石，一名凌水石，色如云母，可析者良，盐之精也。**生**常山**山谷**，又中水县及邯郸。　解巴豆毒，畏地榆。

［**陶隐居云**］常山即恒山，属并州。中水县属河间郡。邯郸即是赵郡，并属冀州城。此处地皆咸卤，故云盐精，而碎之亦似朴消也。此石末置水中，夏月能为冰者佳。

［**唐本注云**］此石有两种，有纵理、横理，以横理色清明者为佳。或云纵理为

寒水石，横理为凝水石。今出同州韩城，色青黄，理如云母为良；出澄城者，斜理文色白为劣也。

38 石膏

味辛、甘，**微寒**、大寒，无毒。**主中风寒热，心下逆气惊喘，口干舌焦，不能息，腹中坚痛，除邪鬼，产乳，金疮。**除时气，头痛，身热，三焦大热，皮肤热，肠胃中膈热，解肌发汗，止消渴，烦逆，腹胀，暴气喘息，咽热，亦可作浴汤。一名细石，细理白泽者良，黄者令人淋。**生**齐山**山谷**，及齐卢山、鲁蒙山。采无时。

鸡子为之使，恶莽草、马目毒公。

［陶隐居云］ 二郡之山，即青州、徐州也。今出钱塘县，皆在地中，雨后时时自出，取之皆方如棋子，白澈最佳。比难得，皆用灵隐山者，彭城者亦好。近道多有而大块，用之不及彼土。《仙经》不须此。

［唐本注云］ 石膏、方解石大体相似，而以未破者为异。今市人以方解石代石膏，未见有真石膏也。石膏生于石旁，其方解石不因石生，端然独处，大者如升，小者若拳，或在土中，或生溪水，其上皮随土及水苔色，破之方解，大者方尺。今人以此为石膏，疗风去热虽同，解肌发汗不如真者也。

39 磁石

味辛、咸，**寒**，无毒。**主周痹风湿，肢节中痛，不可持物，洗洗酸痟，除大热、烦满及耳聋。**养肾脏，强骨气，益精，除烦，通关节，消痈肿鼠瘘，颈核喉痛，小儿惊痫。炼水饮之，亦令人有子。**一名玄石，**一名处石。**生**太山**山谷**，及慈山山阴，有铁处则生其阳。采无时。 柴胡为之使，杀铁毒，恶牡丹、莽草，畏黄石脂。

［陶隐居云］ 今南方亦有，其好者，能悬吸针，虚连三、四、五为佳。杀铁物毒，消金。《仙经》、丹方、黄白术中多用之。

40 玄石

味咸，温，无毒。主大人小儿惊痫，女子绝孕，少腹寒痛，少精，身重。服之令人有子。一名玄水石，一名处石。生太山之阳，山阴有铜。铜者雌，玄者雄。

恶松脂、柏子、菌桂。

［陶隐居云］《本经》磁石，一名玄石。《别录》各一种。今按，其一名处石，

名既同，疗体又相似，而寒温铜铁及畏恶有异。俗中既不复用，无识其形者，不知与磁石相类否？

［唐本注云］此物，铁液也，但不能拾针，疗体如经方，劣于磁石。磁石中有细孔，孔中黄赤色，初破好者，能连十针，一斤铁刀亦被回转。其无孔，光泽纯黑者，玄石也，不能吸针也。

41　理石

味辛、甘，**寒**、大寒，无毒。**主身热，利胃，解烦，益精，明目，破积聚，去三虫。**除营卫中去来大热，结热，解烦毒，止消渴，及中风痿痹。**一名立制石，**一名肌石，如石膏顺理而细。**生**汉中**山谷**及卢山。采无时。　滑石为之使，畏麻黄。

［陶隐居云］汉中属梁州，卢山属青州。今出宁州，俗用亦希，《仙经》时须，亦呼为长理石。石胆一名立制石，今此又名立制石，疑必相乱类。

［唐本注云］此石夹两石间如石脉，打用之，或在土中重叠而生。皮黄赤，肉白，作针理文，全不似石膏。汉中人取酒浸服，疗癖，令人肥悦。市人或刮去皮，以代寒水石，并以当礐石，并是假伪。今卢山亦无此物，见出襄州西汎水侧也。

42　长石

味辛、苦，**寒，**无毒。**主身热，**胃中结气，**四肢寒厥，利小便，通血脉，明目，去翳眇，去三虫，杀蛊毒。**止消渴，下气，除胁肋肺间邪气。**久服不饥。一名方石，**一名土石，一名直石，理如马齿，方而润泽，玉色。**生**长子**山谷**及太山、临淄。采无时。

［陶隐居云］长子县属上党郡，临淄县属青州。俗方及《仙经》并无用此者也。

［唐本注云］此石状同石膏而厚大，纵理而长，文似马齿，今均州辽坂山有之，土人以为理石者，是长石也。

43　肤青

味辛、咸，**平，**无毒。**主蛊毒、毒蛇、菜肉诸毒，恶疮。**不可久服，令人瘦。一名推青，一名推石。**生**益州**山谷**。

［陶隐居云］俗方及《仙经》并无用此者，亦相与不复识之。

44　铁落

味辛、甘，**平，**无毒。**主风热恶疮，疡疽疮痂，疥气在皮肤中。**除胸膈中热气，食不下，心烦，去黑子。一名铁液，可以染皂。生牧羊平泽及祊城，或析城。采无时。

45　熟铁①

主坚肌耐痛。

46　生铁

微寒，主疗下部及脱肛。

47　钢铁

味甘，平，无毒。主金创，烦满热中，胸膈中气塞，食不化。一名跳铁。

［**今注**］解在铁精条。

48　铁精

平，微温。**主明目，化铜。**疗惊悸，定心气，小儿风痫，阴溃，脱肛。

［**陶隐居云**］铁落，是染皂铁浆。生铁，是不破鐳、铃、釜之类。钢铁，是杂炼生鍒，作刀、者。铁精，出锻灶中，如尘紫色，轻者为佳，亦以摩莹铜器用也。

［**唐本注云**］单言铁者，鍒铁也。铁落是锻家烧铁赤沸，砧上锻之，皮甲落者也。《甲乙》子卷阳厥条言之，夫诸铁疗病，并不入丸散，皆煮取浆用之。若以浆为铁落，钢生之汁，复谓何等？落是铁皮，落液黑于余铁。陶谓可以染皂，云是铁浆，误矣。又铁屑炒使极热，投酒中饮酒，疗贼风痓。又裹以熨腋，疗胡臭有验。

［**今按**］陈藏器本草云：凡言铁疗病，不入丸散，皆煮浆用之。按今针砂、铁精，俱堪染皂、铁，并入丸散。

---

① 熟铁：《新修本草》《证类本草》作“铁”。掌禹锡注云：“按，《详定本草》作熟铁。”

49　铁粉

味咸，平，无毒。主安心神，坚骨髓，除百病，变白，润肌肤，令人不老，体健能食，久服令人身重肥黑。合诸药，各有所主。其造作粉，飞炼有法，文多不载。人多取杂铁作屑飞之，令体重，真钢则不尔。其针砂，市人错铁为屑，和砂飞为粉卖之，飞炼家亦莫辨也。取钢铁为粉胜之。　今附

50　铁华粉

味咸，平，无毒。主安心神，坚骨髓，强志力，除风邪，养血气，延年变白，去百病，随体所冷热，合和诸药用，枣膏为丸。作铁华粉法：取钢煅作叶，如笏或团，平面磨错，令光净，以盐水洒之，于醋瓮中，阴处埋之，一百日铁上衣生，铁华成矣。刮取更细捣筛，入乳钵研如面，和合诸药为丸散，此铁之精华，功用强于铁粉也。　今附

51　秤锤

主贼风，止产后血瘕腹痛，及喉痹热塞，并烧令赤，投酒中，及热饮之。时人呼血瘕为儿枕，产后即起，痛不可忍。无锤用斧。　今附

52　马衔

无毒。主难产，小儿痫，产妇临产时，手持之，亦煮汁服一盏。此马勒口铁也。《本经》马条注中已略言之。　今附

53　车辖

无毒。主喉痹及喉中热塞。烧令赤，投酒中，及热饮之。　今附

54　光明盐

味咸、甘，平，无毒。主头面诸风，目赤痛，多眵泪。生盐州五原，盐池下凿取之。大者如升，皆正方光澈。一名石盐。　唐附

55 食盐

味咸，温，无毒。主杀鬼蛊，邪注，毒气，下部䘌疮，伤寒寒热，吐胸中痰澼，止心腹卒痛，坚肌骨。多食伤肺，喜咳。

[陶隐居云] 五味之中，惟此不可缺。今有东海、北海供京都及西川南江中。中原有河东盐池，梁、益有盐井，交、广有南海盐，西羌有山盐，胡中有树盐，而色类各不同，以河东最为胜。此间东海盐、官盐白，草粒细。北海盐黄，草粒大。以作鱼鲊及咸菹，乃言北海胜。而藏茧必用盐官者，蜀中盐小淡，广州盐咸苦。不知其为疗体复有优劣否？西方、北方人，食不耐咸，而多寿少病，好颜色。东方、南方人，食绝欲咸，少寿多病，便是损人，则伤肺之效矣。然以浸鱼肉，则能经久不败；以沾布帛，则易致朽烂。所施处各有所宜也。

[今注] 唐本原在米部，今移。

56 绿盐

味咸、苦、辛，平，无毒。主目赤泪出，肤翳眵暗。

[唐本注云] 以光明盐、硇砂、赤铜屑，酿之为块，绿色。真者，出焉耆国，水中石下取之，状若扁青、空青，为眼药之要。 唐附

57 太阴玄精

味咸，温，无毒。主除风冷邪气湿痹，益精气，妇人痼冷漏下，心腹积聚冷气，止头痛，解肌。其色青白龟背者良，出解县。 今附

58 密陀僧

味咸、辛，平，有小毒。主久痢，五痔，金创，面上瘢皯，面膏药用之。

[唐本注云] 形似黄龙齿而坚重，亦有白色者，作理石文，出波斯国。一名没多僧，并胡言也。 唐附

59 桃花石

味甘，温，无毒。主大肠中冷脓血痢。久服令人肌热能食。

[唐本注云] 出申州钟山县，似赤石脂，但舐之不著舌者为真。 唐附

60　珊瑚

味甘，平，无毒。主宿血，去目中翳。鼻衄，末吹鼻中。生南海。

［**唐本注云**］似玉红润，中多有孔，亦有无孔者。又从波斯国及师子国来。唐附

61　石花

味甘，温，无毒。酒渍服，主腰脚风冷，与殷孽同。一名乳花。

［**唐本注云**］三月、九月采之。乳水滴水上，散如霜雪者。出乳穴堂中水内。唐附

62　石床

味甘，温，无毒。酒渍服，与殷孽同。一名同石，一名乳床，一名逆石。

［**唐本注云**］陶云孔公孽即乳床，非也。二孽在上，床、花在下，性体虽同，上下有别。钟乳水滴下凝积，生如笋状，渐长，久与上乳相接为柱也。出钟乳堂中。采无时。　唐附

63　石蟹

味咸，寒，无毒。主青盲目淫，肤翳及丁翳，漆疮。生南海，又云是寻常蟹尔，年月深久，水沫相著，因化成石，每遇海潮即漂出，又一般入洞穴年深者亦然。皆细研水飞过，入诸药相佐用之，点目良。　今附

玉石等部下品　卷第五

64　青琅玕

味辛，平，无毒。**主身痒，火疮，痈伤，**白秃，**疥瘙，死肌。**浸淫在皮肤中。煮炼服之，起阴气，可化为丹。**一名石珠，**一名青珠。**生**蜀郡**平泽**。采无时。　杀锡毒，得水银良，畏鸡骨。

［陶隐居云］此即《蜀都赋》所称青珠、黄环者也。黄环乃是草，苟取名类，而种族为乖。琅玕亦是昆山上树名，又《九真经》中太丹名也。此石今亦无用，唯以疗手足逆胪耳。化丹之事，未的见其术。

［唐本注云］琅玕，乃有数种色，是琉璃之类，火齐宝也。且琅玕五色，其以青者入药为胜，今出巂州以西乌白蛮中及于阗国也。

65　礜石

味辛、甘，**大热、**生温、熟寒，有毒。**主寒热，鼠瘘，蚀疮，死肌，风痹，腹中坚癖邪气，除热，**明目，下气，除膈中热，止消渴，益肝气，破积聚，痼冷腹痛，去鼻中息肉。久服令人筋挛。火炼百日，服一刀圭。不炼服，则杀人及百兽。**一名青分石，一名立制石，一名固羊石，**一名白礜石，一名大白石，一名泽乳，一名食盐。**生**汉中**山谷**及少室。采无时。　得火良，棘针为之使，恶马目毒公、鹜矢、虎掌、细辛，畏水也。

［陶隐居云］今蜀汉亦有，而好者出南康南野溪，及彭城界中、洛阳城南堑，常取少室。生礜石内水中，令水不冰，如此则生亦大热。今以黄土泥包，炭火烧之，一日一夕则解碎，可用，疗冷结为良。丹方及黄白术皆多用此，善能柔金。又湘东新宁县及零陵皆有白礜石。

[唐本注云] 此石能拒火，久烧但解散，不可夺其坚。今市人乃取洁白细理石当之，烧即为灰，非也。此药攻击积聚痼冷之病为良，若以余物代之，疗病无效，正为此也。今汉川武当西辽坂名礜石谷，此即是其真出处。少室亦有，粒理细不如汉中者。

66 特生礜石

味甘，温，有毒。主明目，利耳，腹内绝寒，破坚结及鼠瘘，杀百虫恶兽。久服延年。一名苍礜石，一名礜石，一名鼠毒。生西城，采无时。 火炼之良，畏水。

[陶隐居云] 旧云鹳巢中者最佳，鹳恒入水冷，故取以壅卵令热。今不可得。唯用出汉中者，其外形紫赤色，内白如霜，中央有臼，形状如齿者佳。《大散方》云：出荆州新城郡防陵县，练白色为好。用之亦先以黄土包烧之一日，亦可内斧孔中烧之，合玉壶诸丸多用此。《仙经》不云特生，则止是前白礜石耳。

[唐本注云] 陶所说特生，云中如齿臼形者是。今出梁州，北马道戍涧中亦有之。形块小于白礜石而脆，粒大数倍，乃如小豆许。白礜石粒细若粟米耳。

67 握雪礜石

味甘，温，无毒。主痼冷，积聚，轻身延年。多服令人热。

[唐本注云] 出徐州西宗里山。入土丈余，生烂土石间，黄白色，细软如面。一名花公石，一名石脑，炼服别有法。 唐附

68 方解石

味苦、辛，大寒，无毒。主胸中留热、结气，黄疸，通血脉，去蛊毒。一名黄石。生方山。采无时。 恶巴豆。

[陶隐居云] 按，《本经》长石一名方石，疗体亦相似，疑是此也。

[唐本注云] 此石性冷，疗热不减石膏也。

[今注] 此物大体与石膏相似，惟不附石而生，端然独处，形块大小不定，或生土中，或生溪水，得之敲破皆方解，故以为名。今沙州大鸟山出者佳。

69 苍石

味甘，平，有毒。主寒热，下气，瘘蚀，杀飞禽鼠。生西城，采无时。

［陶隐居云］俗中不复用。莫识其状。

［唐本注云］特生礜石，一名苍礜石。而梁州时生，亦有青者。今防陵、汉川与白礜石同处，有色青者，并毒杀禽兽，与礜石同。汉中人亦取以毒鼠，不入方用。此石出梁州、均州、房州，与二礜石同处，特生、苍石并生西城，在汉川金州是也。

70 土阴孽

味咸，无毒。主妇人阴蚀，大热，干痂。生高山崖上之阴，色白如脂。采无时。

［陶隐居云］此犹似钟乳、孔公孽之类，故亦有孽名，但在崖上耳，今时有之，但不复采用耳。

［唐本注云］此即土乳是也。出渭州鄣县三交驿西北坡平地土窟中，见有六十余坎昔人采处。土人云：服之亦同钟乳，而不发热。陶及《本经》俱云在崖上，此说非也。今渭州不复采用也。

［今按］别本注云：此则土脂液也。生于土穴，状如殷孽，故名土阴孽。

71 代赭

味苦、甘，**寒**，无毒。**主鬼疰，贼风，蛊毒，杀精物恶鬼，腹中毒邪气。女子赤沃漏下，**带下百病，产难，胞衣不出，堕胎。养血气，除五脏血脉中热、血痹、血瘀，大人小儿惊气入腹及阴痿不起。**一名须丸。**出姑幕者名须丸，出代郡者名代赭，一名血师。**生齐国山谷，**赤红青色，如鸡冠有泽，染爪甲不渝者良。采无时。

畏天雄。

［陶隐居云］旧说云是代郡城下土。江东久绝，顷魏国所献，犹是彼间赤土耳，非复真物。此于俗用乃疏，而为丹方之要，并与戎盐、卤咸皆是急须。

［唐本注云］此石多从代州来，云山中采得，非城门下土，又言生齐、代山谷。今齐州亭山出赤石，其色有赤红青者。其赤者，亦如鸡冠，且润泽，土人唯采以丹楹柱，而紫色且暗，此物与代州出者相似，古来用之。今灵州鸣沙县界河北，平地掘深四五尺得者，皮上赤滑，中紫如鸡肝，大胜齐、代所出者。

72 卤咸

味苦、咸，**寒**，无毒。**主大热，消渴，狂烦，除邪，及吐下蛊毒，柔肌肤。**去五脏肠胃留热，结气，心下坚，食已呕逆，喘满，明目，目痛，生河东盐池。

［陶隐居云］云是煎盐釜下凝滓。

［唐本注云］卤咸既生河东，河东盐不釜煎，明非凝滓也。此是碱土名卤咸，今人熟皮用之，字作古陷反，斯则于碱地掘取之。

73　大盐

味甘、咸，寒，无毒。主肠胃结热，喘逆，吐胸中病。令人吐。生邯郸及河东**池泽**。　漏芦为之使。

［唐本注云］大盐即河东印盐也，人之常食者，是形粗于末盐，故以大别之也。

74　戎盐

味咸，寒，无毒。主明目、目痛，益气，坚肌骨，去毒虫。疗心腹痛，溺血，吐血，齿舌血出。一名胡盐。生胡盐山，及西羌北地，及酒泉福禄城东南角。北海青，南海赤。十月采。

［陶隐居云］今俗中不复见卤咸，唯魏国所献虏盐，即是河东大盐，形如结冰圆强，味咸、苦，夏月小润液。虏中盐乃有九种：白盐、食盐，常食者；黑盐，疗腹胀气满；胡盐，疗耳聋目痛；柔盐，疗马脊疮；又有赤盐、盐、臭盐、马齿盐四种，并不入食。马齿即大盐，黑盐疑是卤咸，柔盐疑是戎盐，而此戎盐又名胡盐，兼疗眼痛，二三相乱。今戎盐虏中甚有，从凉州来，芮芮河南使及北部胡客从敦煌来，亦得之，自是希少尔。其形作块片，或如鸡鸭卵，或如菱米，色紫白，味不甚咸，口尝气臭，正如毈鸡子臭者言是真。又河南盐池泥中，自有凝盐如石片，打破皆方，青黑色，善疗马脊疮，又疑此或是。盐虽多种，而戎盐、卤咸最为要用。又巴东朐䏰县北岸有盐井，盐水自凝生粥子盐，方一二寸，中央突张如伞形，亦有方如石膏、博棋者。李云戎盐味苦、臭，是海潮水浇山石，经久盐凝著石取之。北海者青，南海者紫赤。又云卤咸即是人煮盐釜底凝强盐滓，如此二说并未详。

［唐本注云］陶称卤咸，疑是黑盐，此是咸土，议如前说，其戎盐即胡盐。沙州名为秃登盐，廓州名为阴土盐，生河岸山坡之阴土石间，块大小不常，坚白似石，烧之不鸣灹者。

75 白垩

味苦、辛，**温**，无毒。**主女子寒热，癥瘕，月闭，积聚，阴肿痛，漏下，无子。**止泄痢。不可久服，伤五脏，令人羸瘦。一名白善。**生**邯郸**山谷**。采无时。

［**陶隐居云**］此即今画用者，甚多而贱，俗方亦希，《仙经》不须也。

［**唐本注云**］胡居士言，始兴小桂县晋阳乡有白善。

76 铅丹

味辛，微寒。主咳逆，胃反，惊痫，癫疾，除热，下气。止小便利，除毒热脐挛，金疮溢血。**炼化还成九光，久服通神明。生**蜀郡**平泽**。一名铅华，生于铅。

［**陶隐居云**］即今熬铅所作黄丹画用者，俗方亦希用，唯《仙经》涂丹釜所须此。云化成九光者，当谓九光丹以为釜耳，无别变炼法。

［**唐本注云**］丹、白二粉俱炒锡作，今《经》称铅丹，陶云熬铅，俱误也。

［**今注**］此即今黄丹也，与粉锡二物俱是化铅为之。按，李含光《音义》云：黄丹、胡粉，皆化铅，未闻用锡者。故《参同契》云：若胡粉投炭中，色坏为铅。《抱朴子·内篇》云：愚人乃不信黄丹及胡粉，是化铅所作。今唐注以三物俱炒，大误矣。

77 粉锡

味辛，寒，无毒。**主伏尸毒螫，杀三虫。**去鳖瘕，疗恶疮，堕胎，止小便利。**一名解锡。**

［**陶隐居云**］即今化铅所作胡粉也。其有金色者，疗尸虫弥良，而谓之粉锡，事与经乖。

［**唐本注云**］铅丹、胡粉，实用锡造。陶今又言化铅作之，《经》云粉锡，亦为深误。

［**今注**］按，《本经》呼为粉锡，然其实铅粉也。故英公序云：铅锡莫辨者，盖谓此也。

78 锡铜镜鼻

主女子血闭，癥瘕，伏肠，绝孕，及伏尸邪气。**生**桂阳**山谷**。

［陶隐居云］此物与胡粉异类，而今共条。当以其非正成具一药，故以附见锡品中也。古无纯以铜作镜者，皆以锡杂之。《别录》用铜镜鼻，即是今破古铜镜鼻尔，用之当烧令赤内酒中饮之。若置醯中出入百过，亦可捣也。铅与锡，《本经》云生桂阳。今乃出临贺，临贺犹是分桂阳所置。铅与锡虽相似，而入用大异。

［唐本注云］临贺出者名铅，一名白镴，唯此一处资天下用。其锡出银处皆有之。虽相似，而入用大异也。

［今按］别本注云：凡铸镜，皆用锡和，不尔即不明白，故言锡铜镜鼻，今广陵者为胜。

79 铜弩牙

主妇人产难，血闭，月水不通，阴阳隔塞。

［陶隐居云］此即今人所用射者耳，取烧赤内酒中，饮汁，亦以渗之，得古者弥胜，制镂多巧也。

80 金牙

味咸，无毒。主鬼疰，毒蛊，诸疰。生蜀郡，如金色者良。

［陶隐居云］今出蜀汉，似粗金，而大小方皆如棋子。又有铜牙亦相似，但色黑，内色小浅，不入药用。金牙唯以合酒、散及五疰丸，余方不甚须此也。

［唐本注云］金牙离本处入土水中，久皆色黑，不可谓之铜牙也。此出汉中，金牙湍湍两岸入石间，打出者，内则金色，岸崩入水，年久者皆黑。近南山溪谷茂州、维州，亦有胜于汉中也。

81 石灰

味辛，温。主疽疡，疥瘙，热气，恶疮，癞疾，死肌，堕眉，杀痔虫，去黑子息肉。疗髓骨疽。**一名恶灰，**一名希灰。**生**中山**川谷。**

［陶隐居云］中山属代郡。今近山生石，青白色，作灶烧竟，以水沃之，则热蒸而解末矣。性至烈，人以度酒饮之，则腹痛下痢，疗金疮亦甚良。俗名石垩。古今多以构冢，用捍水而辟虫。故古冢中水，以洗诸恶疮，皆即差也。

［唐本注云］《别录》及今人用疗金疮、止血大效。若五月五日采蘩蒌、葛叶、鹿活草、槲叶、地黄叶、芍药叶、苍耳叶、青蒿叶，合石灰捣为团，如鸡卵，曝干

末之，疗诸疮生肌极神验。

［今按］别本注云：烧青石为灰也。有两种：风化、水化，风化为胜。

82 冬灰

味辛，微温。主黑子，去疣、息肉，疽蚀，疥瘙。一名藜灰。生方谷川泽。

［陶隐居云］此即今浣衣黄灰耳，烧诸蒿藜积聚炼作之。性烈，又荻灰尤烈。欲消黑痣疣赘，取此三种灰水和蒸以点之即去。不可广用，烂人皮肉。

［唐本注云］桑薪灰，最入药用，疗黑子疣赘功胜冬灰。用煮小豆，大下水肿。然冬灰本是藜灰，余草不真。又有青蒿灰，烧蒿作之；柃灰，烧木叶作。并入染用，亦堪蚀恶肉。柃灰一作苓字。

83 锻灶灰

主癥瘕坚积。去邪恶气。

［陶隐居云］此即今锻铁灶中灰尔，兼得铁力。以疗暴癥水有效。

［唐本注云］二车丸用之。

84 伏龙肝

味辛，微温。主妇人崩中，吐下血。止咳逆，止血，消痈肿毒气。

［陶隐居云］此灶中对釜月下黄土也，取捣筛合葫涂痈甚效。以灶有神，故号为伏龙肝，并亦迂隐其名耳。今人又用广州盐碱屑，以疗漏血瘀血，亦是近月之土，兼得火烧之义也。

85 东壁土

主下部䘌疮，脱肛。

［陶隐居云］此屋之东壁上土耳，当取东壁之东边，谓恒先见日光，刮取用之。亦疗小儿风脐，又可除油污衣书，胜石灰、滑石。

［唐本注云］此土摩干、湿二癣，极有效。

86 硇砂

味咸、苦、辛，温，有毒。不宜多服。主积聚。破结血，烂胎，止痛，下气，疗咳嗽宿冷，去恶肉，生好肌。柔金银，可为焊药。出西戎，形如朴消，光净者良。驴马药亦用之。

［今按］陈藏器本草云：硇砂，主妇人丈夫羸瘦积病，血气不调，肠鸣，食饮不消，腰脚疼冷，痃癖痰饮，喉中结气，反胃吐水，令人能食肥健。一飞为酸砂，二飞为伏翼，三飞为定精，色如鹅儿黄，和诸补药为丸，服之有暴热。飞炼有法，亦能变铁。又按，别本注云：胡人谓为浓砂，其性大热，今云温，恐有误也。唐附

87 淋石

无毒。主石淋。此是患石淋人，或于溺中出者，如小石，水磨服之，当得碎石随溺出。今附

88 姜石

味咸，寒，无毒。主热豌豆疮、丁毒等。生土石间，状如姜，有五种，色白者最良。所在有之，以烂不磣者好，齐州历城东者良。唐附

89 赤铜屑

以醋和如麦饭，袋盛，先刺腋下脉去血，封之，攻腋臭神效。又熬使极热，投酒中，服五合，日三，主贼风反折。又烧赤铜五斤，内酒二斗中百遍，服同前，主贼风甚验。

［今按］陈藏器本草云：赤铜屑，主折伤，能人骨，及六畜有损者，取细研酒中温服之，直入骨损处。六畜死后，取骨视之，犹有痕。赤铜为佳，熟铜不堪。唐附

90 铜矿石

味酸，寒，有小毒。主丁肿恶疮，马驴脊疮，臭腋。石上水磨取汁涂臭腋，其丁肿末之，傅疮上良。

［今按］别本注云：状如姜石而有铜星，镕取铜也。唐附

91 自然铜

味辛，平，无毒。疗折伤，散血止痛，破积聚。生邕州山岩中出铜处，于坑中

及石间采得，方圆不定。其色青黄如铜，不从矿炼，故号自然铜。 今附

92 白瓷瓦屑

平，无毒。主妇人带下、白崩。止呕吐逆，破血，止血。水磨，涂疮灭瘢。广州者良，余皆不如。 唐附

93 乌古瓦

寒，无毒。以水煮及渍汁饮，止消渴。取屋上年久者良。 唐附

94 石燕

以水煮汁饮之。主淋有效。妇人难产，两手各把一枚，主产难立验。出零陵。

[唐本注云] 俗云因雷雨则从石穴中出，随雨飞坠者，妄也。永州祁阳县西北百一十五里土冈上，掘深丈余取之。形似蚶而小，坚重如石也。 唐附

95 石蚕

无毒。主金疮，止血生肌，破石淋血结。摩服之，当下碎石。生海岸石傍。状如蚕，其实石也。 今附

96 梁上尘

主腹痛，噎，中恶，鼻衄，小儿软疮。 唐附

97 不灰木

大寒。主热疿疮，和枣叶、石灰为粉，傅身。出上党，如烂木，烧之不燃，石类也。 今附

98 砒霜

味苦、酸，有毒。主诸疟，风痰在胸膈，可作吐药。不可久服，能伤人。飞炼砒黄而成，造作别有法。 今附

99 铛墨

主蛊毒中恶，血晕吐血，以酒或水细研温服之。亦涂金疮，生肌止血。疮在面慎勿涂之，黑入肉如印。此铛下墨是也。 今附

100 车脂

主卒心痛，中恶气，以温酒调，及热搅服之。又主妇人妬乳、乳痈，取脂熬令热涂之，亦和热酒服。 今附

101 缸中膏

主逆产，以膏画儿脚底即正。又主中风发狂，取膏如鸡子大，以热醋搅令消服之。 今附

102 半天河

微寒。主鬼疰，狂，邪气，恶毒。

［陶隐居云］ 此竹篱头水也，及空树中水皆可饮，并洗诸疮用之。

［今按］ 陈藏器本草云：半天河在槐树间者，主诸风及恶疮，风瘙疥痒，亦温取洗疮。

［今注］ 唐本原在草部，今移。

103 地浆

寒。主解中毒烦闷。

［陶隐居云］ 此掘地作坎，以水沃其中，搅令浊，俄顷取之，以解中诸毒。山中有毒菌，人不识，煮食之，无不死；又枫树菌，食之令人笑不止，惟饮土浆皆差，余药不能救矣。

［今注］ 唐本原在草部下品之下，今移。

草部上品之上 卷第六

104　青芝

味酸，平。主明目，补肝气，安精魂，仁恕。久食轻身不老，延年神仙。一名龙芝。生太山。

［唐本注云］不忘强志。

105　赤芝

味苦，平。主胸中结，益心气，补中，增智慧，不忘。久服轻身不老，延年神仙。一名丹芝。生霍山。

［陶隐居云］南岳本是衡山，汉武帝始以小霍山代之，非正也。此则应生衡山也。

［唐本注云］安心神。

106　黄芝

味甘，平。主心腹五邪，益脾气，安神，忠信和乐。久食轻身不老，延年神仙。一名金芝。生嵩山。

107　白芝

味辛，平。主咳逆上气，益肺气，通利口鼻，强志意，勇悍，安魄。久食轻身不老，延年神仙。一名玉芝。生华山。

108 黑芝

味咸，平。主癃，利水道，益肾气，通九窍，聪察。久食轻身不老，延年神仙。一名玄芝。生恒山。

[唐本注云] 五芝，《经》云：皆以五色生于五岳，诸方所献，白芝未必华山，黑芝又非常岳。且芝多黄白，稀有黑青者，然紫芝最多，非五芝类。但芝自难得，纵获一二，岂得终久服耶?

109 紫芝

味甘，温。主耳聋，利关节，保神，益精气，坚筋骨，好颜色。久服轻身不老，延年神仙。一名木芝。生高夏**山谷**。六芝皆无毒，六月、八月采。 薯蓣为之使，得发良，得麻子仁、白瓜子、牡桂共益人，恶恒山，畏扁青、茵陈蒿。

[陶隐居云] 按，郡县无高夏名，恐是山名尔。此六芝皆仙草之类，俗所稀见，族种甚多，形色瑰奇异，并载《芝草图》中。今俗所用紫芝，此是朽树木株上所生，状如木檽，名为紫芝，盖止疗痔，而不宜以合诸补丸药也。凡得芝草，便正尔食之，无余节度，故皆不云服法也。

110 赤箭

味辛，温。主杀鬼精物，蛊毒恶气，消痈肿，下肢满疝，下血。**久服益气力，长阴肥健，轻身增年。一名离母，一名鬼督邮。生**陈仓**川谷**、雍州及太山少室。三月、四月、八月采根，曝干。

[陶隐居云] 陈仓属雍州扶风郡。按，此草亦是芝类。云茎赤如箭杆，叶生其端，根如人足；又云如芋，有十二子为卫。有风不动，无风自摇。如此，亦非俗所见。而徐长卿亦名鬼督邮；又复有鬼箭，茎有羽，其疗并相似，而益人乖异，恐并非此赤箭。

[唐本注云] 此芝类，茎似箭杆，赤色。端有花、叶，远看如箭有羽。根皮肉汁与天门冬同，惟无心脉。去根五六寸，有十余子卫，似芋。其实似苦楝子，核作五、六棱，中肉如面，日曝则枯萎也。得根即生啖之，无干服法也。

111 天门冬

味苦、甘，平、大寒，无毒。**主诸暴风湿偏痹，强骨髓，杀三虫，去伏尸。保**

定肺气，去寒热，养肌肤，益气力，利小便，冷而能补。**久服轻身益气，延年，不饥。一名颠勒。生**奉高**山谷**。二月、三月、七月、八月采根，曝干。垣衣、地黄为之使，畏曾青。

［**陶隐居云**］奉高，太山下县名也。今处处有，以高地大根味甘者为好。张华《博物志》云：天门冬逆捋有逆刺。若叶滑者名休，一名颠棘。可以浣缣，素白如絨音越，纻类。今越人名为浣草。擘其根，温汤中挼之，以浣衣胜灰。此非门冬，相似尔。按，如此说，今人所采，皆是有刺者，本名颠勒，亦粗相似，以浣垢衣则净。《桐君药录》又云：叶有刺，蔓生，五月花白，十月实黑，根连数十枚。如此殊相乱，而不复更有门冬。恐门冬自一种，不即是浣草耶？又有百部，根亦相类，但苗异尔。门冬蒸剥去皮，食之甚甘美，止饥。虽曝干犹脂润，难捣。必须薄切，曝于日中，或火烘之也。俗人呼苗为棘刺，煮作饮乃宜人，而终非真棘刺尔。服天门冬，禁食鲤鱼。

［**唐本注云**］此有二种：苗有刺而涩者，无刺而滑者，俱是门冬。俗云颠刺、浣草者，形貌名之。虽作数名，终是一物。二根浣垢俱净，门冬、浣草，互名之也。

［**今按**］陈藏器本草云：天门冬，陶云百部根，亦相类，苗异尔。按，天门冬根有十余茎，百部多者五六十茎，根长尖内虚，味苦。天门冬根圆短实润，味甘不同，苗蔓亦别。如陶所说，乃是同类，今人或以门冬当百部者，说不明也。

112　麦门冬

味甘，平、微寒，无毒。**主心腹结气，伤中、伤饱，胃络脉绝，羸瘦短气**，身重、目黄，心下支满，虚劳客热，口干燥渴。止呕吐，愈痿蹷，强阴益精，消谷调中，保神，定肺气，安五脏，令人肥健，美颜色，有子。**久服轻身，不老，不饥。**秦名羊韭，齐名爱韭，楚名马韭，越名羊蓍，一名禹葭，一名禹馀粮。叶如韭，冬夏长生。**生**函谷**川谷**及堤坂肥土石间久废处。二月、三月、八月、十月采，阴干。地黄、车前为之使，恶款冬、苦瓠，畏苦参、青蘘。

［**陶隐居云**］函谷，即秦关。而麦门冬异于羊韭之名矣。处处有，以四月采，冬月作实如青珠，根似穬麦，故谓麦门冬，以肥大者为好。用之汤泽抽去心，不尔令人烦，断谷家为要。二门冬润时并重，既燥即轻，一斤减四五两尔。

［**今按**］陈藏器本草云：麦门冬，《本经》不言生者。按，生者本功外，去心煮饮，止烦热消渴，身重目黄，寒热体劳，止呕开胃，下痰饮。干者入丸散及汤用

之，功如《本经》。方家自有分别。出江宁小润，出新安大白。其大者，苗如鹿葱，小者如韭。叶大小有三四种，功用相似，其子圆碧。久服轻身明目，和车前子、干地黄为丸，食后服之，去温瘅变白，明目，夜中见光。

113　术

味苦、甘，**温**，无毒。**主风寒，湿痹，死肌，痉疸，止汗，除热，消食。** 主大风在身面，风眩头痛，目泪出，消痰水，逐皮间风水结肿，除心下急满，及霍乱、吐下不止，利腰脐间血，益津液，暖胃，消谷，嗜食。**作煎饵，久服轻身延年，不饥。一名山蓟**，一名山姜，一名山连。**生郑山山谷**，汉中、南郑。二月、三月、八月、九月采根，曝干。　防风、地榆为之使。

［陶隐居云］郑山，即南郑也。今处处有，以蒋山、白山、茅山者为胜。十一月、十二月、正月、二月采好，多脂膏而甘。《仙经》云：亦能除恶气，弭灾沴。丸散煎饵并有法。其苗又可作饮，甚香美，去水。术乃有两种：白术叶大有毛而作桠，根甜而少膏，可作丸散用；赤术叶细无桠，根小苦而多膏，可作煎用。昔刘涓子挼取其精而丸之，名守中金丸，可以长生。东境术大而无气烈，不任用。今市人卖者，皆以米粉涂令白，非自然，用时宜刮去之。

［唐本注云］利小便，及用苦酒渍之，用拭面皯黯极效。

114　女萎、萎蕤

味甘，平，无毒。**主中风暴热，不能动摇，跌筋结肉，诸不足，** 心腹结气，虚热，湿毒，腰痛，茎中寒，及目痛眦烂泪出。**久服去面黑皯，好颜色，润泽，轻身，不老。**一名荧，一名地节，一名玉竹，一名马薰。**生太山山谷**及丘陵。立春后采，阴干。　畏卤咸。

［陶隐居云］按，《本经》有女萎无萎蕤。《别录》无女萎有萎蕤，而为用正同，疑女萎即萎蕤也，惟名异尔。今处处有，其根似黄精而小异。服食家亦用之。今市人别用一种物，根形状如续断茎，味至苦，乃言是女青根，出荆州。今疗下痢方，多用女萎，而此都无止泄之说，疑必非也。萎蕤又主理诸石，人服石不调和者，煮汁饮之。

［唐本注云］女萎功用及苗蔓，与萎蕤全别，列在中品。今《本经》朱书是女萎能效，墨字乃萎蕤之效。

［今注］今以朱书为白字。

115　黄精

味甘，平，无毒。主补中益气，除风湿，安五脏。久服轻身延年，不饥。一名重楼，一名菟竹，一名鸡格，一名救穷，一名鹿竹。生山谷。二月采根，阴干。

［陶隐居云］今处处有。二月始生，一枝多叶，叶状似竹而短，根似萎蕤。萎蕤根如荻根及菖蒲，概节而平直；黄精根如鬼臼、黄连，大节而不平。虽燥，并柔软有脂润。俗方无用此，而为《仙经》所贵。根、叶、华、实皆可饵服，酒散随宜，具在断谷方中。黄精叶乃与钩吻相似，惟茎不紫、花不黄为异，而人多惑之。其类乃殊，遂致死生之反，亦为奇事。

［唐本注云］黄精肥地生者，即大如拳；薄地生者，犹如拇指。萎蕤肥根，颇类其小者，肌理形色，都大相似。今以鬼臼、黄连为比，殊无仿佛。又黄精叶似柳叶及龙胆、徐长卿辈而坚。其钩吻蔓生，殊非此类。

［今按］别本注云：今人服用，以九蒸九曝为胜，而云阴干者，恐为烂坏。

116　干地黄

味甘、苦，**寒**，无毒。**主折跌、绝筋，伤中，逐血痹，填骨髓，长肌肉。作汤除寒热、积聚，除痹。**主男子五劳七伤，女子伤中、胞漏、下血，破恶血、溺血，利大小肠，去胃中宿食，饱力断绝，补五脏内伤不足，通血脉，益气力，利耳目。**生者尤良。**生地黄，大寒。主妇人崩中血不止，及产后血上薄心闷绝，伤身胎动下血，胎不落；堕坠，踠折，瘀血，留血，衄鼻，吐血，皆捣饮之。**久服轻身，不老。一名地髓，**一名苄，一名。**生**咸阳**川泽**黄土地者佳。二月、八月采根，阴干。

得麦门冬、清酒良，恶贝母，畏芜荑。

［陶隐居云］咸阳即长安也。生渭城者乃有子实，实如小麦。淮南七精散用之。中间以彭城干地黄最好，次历阳，今用江宁板桥者为胜。作干者有法，捣汁和蒸，殊用工意；而此直云阴干，色味乃不相似，更恐以蒸作为失乎？大贵时乃取牛膝、萎蕤作之，人不能别。《仙经》亦服食，要用其华；又善生根，亦主耳暴聋、重听。干者粘湿，作丸散用，须烈日曝之，既燥则斤两大减，一斤才得十两散耳，用之宜加量也。

［今按］陈藏器本草云：干地黄，《本经》不言生干及蒸干。方家所用物，则

蒸干即温补，生干则平宣，当依此以用之。

117　菖蒲

味辛，温，无毒。**主风寒湿痹，咳逆上气，开心孔，补五脏，通九窍，明耳目，出音声。**主耳聋，痈疮，温肠胃，止小便利，四肢湿痹，不得屈伸，小儿温疟，身积热不解，可作浴汤。**久服轻身**，聪耳目，**不忘，不迷惑，延年**，益心智，高志不老。**一名菖阳。生**上洛**池泽**及蜀郡严道。一寸九节者良。露根不可用。五月、十二月采根，阴干。　秦皮、秦艽为之使，恶地胆、麻黄。

［陶隐居云］上洛郡属梁州，严道县在蜀郡。今乃处处有，生石碛上，概节为好。在下湿地，大根者名菖阳，止主风湿，不堪服食。此药甚去虫并蚤虱，而今都不言之。真菖蒲叶有脊，一如剑刃，四月、五月亦作小厘华也。东间溪侧又有名溪荪者，根形气色极似石上菖蒲，而叶正如蒲，无脊。俗人多呼此为石上菖蒲者，谬矣。此止主咳逆，亦断蚤虱尔，不入服御用。《诗》咏多云兰荪，正谓此也。

118　远志

味苦，温，无毒。**主咳逆伤中，补不足，除邪气，利九窍，益智慧，耳目聪明，不忘，强志，倍力。**利丈夫，定心气，止惊悸，益精，去心下膈气，皮肤中热，面目黄。**久服轻身，不老**，好颜色，延年。**叶名小草**，主益精，补阴气，止虚损，梦泄。**一名棘菀，一名葽绕，一名细草。生**太山及宛朐**川谷**。四月采根、叶，阴干。　得茯苓、冬葵子、龙骨良，杀天雄、附子毒，畏真珠、藜芦、蜚蠊、齐蛤。

［陶隐居云］按，药名无齐蛤，恐是百合。宛朐县属兖州济阴郡，今犹从彭城北兰陵来。用之打去心取皮，今用一斤正得三两皮尔，市者加量之。小草状似麻黄而青。远志亦入仙方药用。

［唐本注云］《药录》卷下有齐蛤，即齐蛤原有，不得言无，今陶云恐是百合，非也。

［今注］远志茎叶似大青而小，比之麻黄，陶不识尔。

119　泽泻

味甘、咸，**寒**，无毒。**主风寒湿痹，乳难，消水，养五脏，益气力，肥健。**补虚损五劳，除五脏痞满，起阴气，止泄精、消渴、淋沥，逐膀胱三焦停水。**久服耳**

目聪明，不饥，延年，轻身，面生光，能行水上。扁鹊云：多服病人眼。**一名水泻，**一名及泻，**一名芒芋，一名鹄泻。生**汝南**池泽**。五月、六月、八月采根，阴干。畏海蛤、文蛤。叶，味咸，无毒。主大风，乳汁不出，产难，强阴气。久服轻身。五月采。实，味甘，无毒。主风痹、消渴，益肾气，强阴，补不足，除邪湿。久服面生光，令人无子。九月采。

［**陶隐居云**］汝南郡属豫州。今近道亦有，不堪用。惟用汉中、南郑、青弋，形大而长，尾间必有两歧为好。此物易朽蠹，常须密藏之。叶狭长，丛生诸浅水中。《仙经》服食、断谷皆用之。亦云身轻，能步行水上。

［**唐本注云**］今汝南不复采用，惟以泾州、华州者为善也。

120　薯蓣

味甘，温、平，无毒。**主伤中，补虚羸，除寒热邪气，补中，益气力，长肌肉。**主头面游风、风头眼眩，下气，止腰痛，补虚劳羸瘦，充五脏，除烦热，强阴。**久服耳目聪明，轻身，不饥，延年。一名山芋，**秦楚名玉延，郑越名土薯。**生**嵩高**山谷**。二月、八月采根，曝干。　紫芝为之使，恶甘遂。

［**陶隐居云**］今近道处处有，东山、南江皆多掘取食之以充粮。南康间最大而美，服食亦用之。

［**唐本注云**］薯蓣，日干捣细，筛为粉，食之大美，且愈疾而补。此有两种：一者白而且佳；一者青黑，味亦不美。蜀道者尤良。

121　菊花

味苦、甘，平，无毒。**主风头眩、肿痛，目欲脱，泪出，皮肤死肌，恶风，湿痹。**疗腰痛去来陶陶，除胸中烦热，安肠胃，利五脉，调四肢。**久服利血气，轻身，耐老，延年。一名节华，**一名日精，一名女节，一名女华，一名女茎，一名更生，一名周盈，一名傅延年，一名阴成。**生**雍州**川泽**及田野。正月采根，三月采叶，五月采茎，九月采花，十一月采实，皆阴干。　术、枸杞根、桑根白皮为之使。

［**陶隐居云**］菊有两种：一种茎紫气香而味甘，叶可作羹食者，为真；一种青茎而大，作蒿艾气，味苦不堪食者，名苦薏，非真。其华正相似，唯以甘苦别之尔。南阳郦县最多，今近道处处有，取种之便得。又有白菊，茎叶都相似，唯花白，五月取，亦主风眩，能令头不白。《仙经》以菊为妙用，但难多得，宜常服

之尔。

122　甘草

味甘，平。无毒。**主五脏六腑寒热邪气，坚筋骨，长肌肉，倍力，金疮尰，解毒，**温中下气，烦满短气，伤脏咳嗽，止渴，通经脉，利血气，解百药毒。为九土之精，安和七十二种石，一千二百种草。**久服轻身延年。**一名密甘，一名美草，一名蜜草，一名蕗草。**生**河西**川谷**积沙山及上郡。二月、八月除日采根，曝干，十日成。　术、干漆、苦参为之使，恶远志，反大戟、芫花、甘遂、海藻四物。

［**陶隐居云**］河西、上郡不复通市。今出蜀、汉中，悉从汶山诸夷中来。赤皮、断理，看之坚实者，是抱罕草，最佳。抱罕，羌地名。亦有火炙干者，理多虚疏。又有如鲤鱼肠者，被刀破，不复好。青州间亦有，不如。又有紫甘草，细而实，乏时可用。此草最为众药之主，经方少不用者，犹如香中有沉香也。国老即帝师之称，虽非君，为君所宗，是以能安和草石而解诸毒也。

123　人参

味甘，微寒、微温，无毒。**主补五脏，安精神，定魂魄，止惊悸，除邪气，明目，开心，益智。**疗肠胃中冷，心腹鼓痛，胸胁逆满，霍乱吐逆，调中，止消渴，通血脉，破坚积，令人不忘。**久服轻身延年。一名人衔，一名鬼盖，**一名神草，一名人微，一名土精，一名血参。如人形者有神。**生**上党**山谷**及辽东。二月、四月、八月上旬采根，竹刀刮，曝干，无令见风。　茯苓为之使，恶溲疏，反藜芦。

［**陶隐居云**］上党郡在冀州西南。今魏国所献即是，形长而黄，状如防风，多润实而甘。俗用不入服，乃重百济者，形细而坚白，气味薄于上党。次用高丽，高丽即是辽东，形大而虚软，不及百济。百济今臣属高丽。高丽所献，兼有两种，止应择取之尔，实用并不及上党者。其为药切要，亦与甘草同功，而易蛀蚛。唯内器中密封头，可经年不坏。人参生一茎直上，四五叶相对生，花紫色。高丽人作人参赞曰：三桠五叶，背阳向阴。欲来求我，椵树相寻。椵树叶似桐甚大，阴广，则多生阴地，采作甚有法。今近山亦有，但作之不好。

［**唐本注云**］陶说人参，苗乃是荠苨、桔梗，不悟高丽赞也。今潞州、平州、泽州、易州、檀州、箕州、幽州、妫州并出。盖以其山连亘相接，故皆有之也。

［**今注**］人参见用多高丽百济者。潞州太行山所出，谓之紫团参，亦用焉。陶

云俗用不入服，非也。

124　石斛

味甘，平，无毒。**主伤中，除痹，下气，补五脏虚劳羸瘦，强阴，**益精，补内绝不足，平胃气，长肌肉，逐皮肤邪热疿气，脚膝疼冷痹弱。**久服厚肠胃，轻身延年，**定志除惊。**一名林兰，**一名禁生，一名杜兰，一名石蓫。**生**六安**山谷**水旁石上。七月、八月采茎，阴干。　陆英为之使，恶凝水石、巴豆，畏僵蚕、雷丸。

［陶隐居云］今用石斛，出始兴。生石上，细实，桑灰汤沃之，色如金，形似蚱蜢髀者为佳。近道亦有，次宣城间。生栎树上者，名木斛，其茎形长大而色浅。六安属庐江。今始安亦出木斛，至虚长，不入丸散，惟可为酒渍煮汤用尔。俗方最以补虚，疗脚膝。

［唐本注云］作干石斛，先以酒洗，捋蒸炙成，不用灰汤。今荆襄及汉中、江左又有二种：一种似大麦，累累相连，头生一叶，而性冷；一种大如雀髀，名雀髀斛，生酒渍服，乃言胜干者。亦如麦斛，叶在茎端，其余斛如竹，节间生叶也。

125　牛膝为君

味苦、酸，平，无毒。**主寒湿痿痹，四肢拘挛，膝痛不可屈伸，逐血气，伤热火烂，堕胎。**疗伤中少气，男子阴消，老人失溺，补中续绝，填骨髓，除脑中痛及腰脊痛，妇人月水不通，血结，益精，利阴气，止发白。**久服轻身，耐老。一名百倍。生**河内**川谷**及临朐。二月、八月、十月采根，阴干。　恶萤火、陆英、龟甲，畏白前。

［陶隐居云］今出近道蔡州者，最长大柔润，其茎有节，似牛膝，故以为名也。乃云有雌雄，雄者茎紫色而节大为胜尔。

［唐本注云］诸药，八月以前采者，皆日干、火干乃佳，不尔饱烂黑黯。其十月已后至正月，乃可阴干。

126　卷柏

味辛、甘，**温、**平、微寒，无毒。**主五脏邪气，女子阴中寒热痛，癥瘕、血闭、绝子。**止咳逆，疗脱肛，散淋结，头中风眩，痿蹶，强阴益精。**久服轻身，和颜色，**令人好容体。**一名万岁，**一名豹足，一名求股，一名交时。**生**常山**山谷**石间。五月、七月采，阴干。

［陶隐居云］今出近道，丛生石土上，细叶似柏，卷屈状如鸡足，青黄色。用之去下近石有沙土处。

127 细辛

味辛，温，无毒。**主咳逆，头痛，脑动，百节拘挛，风湿痹痛，死肌。**温中，下气，破痰，利水道，开胸中，除喉痹，𪖙鼻，风痫、癫疾，下乳结，汗不出，血不行，安五脏，益肝胆，通精气。**久服明目，利九窍，轻身，长年。一名小辛。生**华阴**山谷**。二月、八月采根，阴干。 曾青、枣根为之使，得当归、芍药、白芷、芎䓖、牡丹、藁本、甘草共疗妇人，得决明、鲤鱼胆、青羊肝共疗目痛。恶狼毒、山茱萸、黄芪，畏消石、滑石，反藜芦。

［陶隐居云］今用东阳临海者，形段乃好，而辛烈不及华阴、高丽者。用之去其头节。人患口臭者，含之多效，最能除痰明目也。

128 独活

味苦、甘，**平、**微温，无毒。**主风寒所击，金疮止痛，贲豚，痫痓，女子疝瘕。**疗诸贼风，百节痛风无久新者。**久服轻身，耐老。一名羌活，一名羌青，一名护羌使者，**一名胡王使者，一名独摇草。此草得风不摇，无风自动。生雍州川谷，或陇西南安。二月、八月采根，曝干。 豚实为之使。

［陶隐居云］药名无豚实，恐是蠡实。此州郡县并是羌地。羌活形细而多节，软润，气息极猛烈。出益州北部、西川为独活，色微白，形虚大，为用亦相似，而小不如。其一茎直上，不为风摇，故名独活。至易蛀，宜密器藏之。

［唐本注云］疗风宜用独活，兼水宜用羌活。

129 升麻

味甘、苦，**平、**微寒，无毒。**主解百毒，杀百精老物殃鬼，辟温疫、瘴气、邪气、蛊毒。**入口皆吐出，中恶腹痛，时气毒疠，头痛寒热，风肿诸毒，喉痛口疮。**久服不夭，**轻身，长年。**一名周麻。生**益州**山谷**。二月、八月采根，日干。

［陶隐居云］旧出宁州者第一，形细而黑，极坚实，顷无复有。今惟出益州，好者细削，皮青绿色，谓之鸡骨升麻。北部间亦有，形又虚大，黄色。建平间亦

有，形大味薄，不堪用。人言是落新妇根，不必尔。其形自相似，气色非也。落新妇亦解毒，取叶挼作小儿汤浴，主惊忤。

［**今按**］别本注云：今嵩高出者色青，功用不如蜀者。

130　茈胡为君

味苦，平、微寒，无毒。**主心腹，去肠胃中结气，饮食积聚，寒热邪气，推陈致新。**除伤寒心下烦热，诸痰热结实，胸中邪逆，五脏间游气，大肠停积水胀，及湿痹拘挛，亦可作浴汤。**久服轻身，明目，益精。一名地薰，**一名山菜，一名茹草。叶一名芸蒿，辛香可食。**生**洪农**川谷**及宛朐。二月、八月采根，曝干。　得茯苓、桔梗、大黄、石膏、麻子仁、甘草、桂，以水一斗煮取四升，入消石三方寸匕，疗伤寒，寒热头痛，心下烦满。半夏为之使，恶皂荚，畏女菀、藜芦。

［**陶隐居云**］今出近道，状如前胡而强。《博物志》云：芸蒿叶似邪蒿，春秋有白蒻，长四五寸，香美可食，长安及河内并有之。此柴胡疗伤寒第一用。

［**唐本注云**］茈是古柴字。《上林赋》云：茈姜，及《尔雅》云：藐，茈草，并作茈字。且此草，根紫色，今太常用茈胡是也。又以木代系，相承呼为茈胡。且检诸本草，无名此者。伤寒大小柴胡汤，最为痰气之要，若以芸蒿根为之，更作茨音，大谬矣。

131　防葵

味辛、甘、苦，**寒，**无毒。**主疝瘕肠泄，膀胱热结，溺不下，咳逆，温疟，癫痫，惊邪狂走。**疗五脏虚气，小腹支满，胪胀，口干，除肾邪，强志。**久服坚骨髓，益气轻身。**中火者不可服，令人恍惚见鬼。**一名梨盖，**一名房慈，一名爵离，一名农果，一名利茹，一名方盖。**生**临淄**川谷，**及嵩高、太山、少室。三月三日采根，曝干。

［**陶隐居云**］北信断，今用建平间者，云本与狼毒同根，犹如三建，今其形亦相似，但置水中不沉尔，而狼毒陈久亦不能沉矣。

［**唐本注云**］此药上品，无毒，久服主邪气惊狂之患。其根叶似葵花子根，香味似防风，故名防葵。采依时者，亦能沉水，今乃用枯朽狼毒当之，极为谬矣。此物亦稀有，襄阳、望楚、山东及兴州西方有之。其兴州采得，乃胜南者，为邻蜀土也。

132　蓍实

味苦、酸，**平**，无毒。**主益气，充肌肤，明目，聪慧先知。久服不饥，不老，轻身。生**少室**山谷**。八月、九月采实，日干。

[**唐本注云**] 此草，所在有之，以其茎为筮。陶误用楮实为之。《本经》云：味苦。楮实味甘，其楮实移在木部也。

133　菴蕳子

味苦，微寒、微温，无毒。**主五脏瘀血，腹中水气，胪胀留热，风寒湿痹，身体诸痛。**疗心下坚，膈中寒热，周痹，妇人月水不通，消食，明目。**久服轻身延年，不老，**驱驉食之神仙。**生**雍州**川谷**，亦生上党及道边。十月采实，阴干。荆实、薏苡为之使。

[**陶隐居云**] 状如蒿艾之类，近道处处有。《仙经》亦时用之，人家种此辟蛇也。

134　薏苡仁

味甘，微寒，无毒。**主筋急拘挛，不可屈伸，风湿痹，下气。**除筋骨邪气不仁，利肠胃，消水肿，令人能食。**久服轻身益气。其根，下三虫。一名解蠡**，一名屋菼，一名起实，一名赣。**生**真定**平泽**及田野。八月采实，采根无时。

[**陶隐居云**] 真定县属常山郡，近道处处有，多生人家。交趾者子最大，彼土呼为杆珠。马援大取将还，人谗以为真珠也。实重累者良。用之取中仁。今小儿病蛔虫，取根煮汁糜，食之甚香，而去蛔虫大效。

[**今按**] 陈藏器本草云：薏苡收子蒸令气馏，曝干，磨取入炊作饭及作面，主不饥，温气轻身。煮汁饮之，主消渴。又按，别本注云：今多用梁、汉者，气力劣于真定，取青水色者良。

135　车前子

味甘、咸，**寒**，无毒。**主气癃，止痛，利水道小便，除湿痹。**男子伤中，女子淋沥，不欲食，养肺，强阴，益精，令人有子，明目疗赤痛。**久服轻身，耐老。**叶及根，味甘、寒。主金疮，止血，衄鼻，瘀血，血瘕，下血，小便赤，止烦下气，除小虫。**一名当道**，一名芣苡，一名虾蟆衣，一名牛遗，一名胜舄。**生**真定**平泽**丘陵阪道中。五月五日采，阴干。

［陶隐居云］人家及路旁甚多，其叶捣取汁服，疗泄精甚验。子性冷利，《仙经》亦服饵之，令人身轻，能跳越岸谷，不老而长生也。《韩诗》乃言芣苡是木，似李，食其实，宜子孙，此为谬矣。

［唐本注云］今出开州者为最。

136　菥蓂子

味辛，微温，无毒。**主明目，目痛，泪出，除痹，补五脏，益精光。**疗心腹腰痛。**久服轻身，不老。一名蔑菥，一名大蕺，一名马辛**，一名大荠。**生**咸阳**川泽**及道旁。四月、五月采，曝干。　得荆实、细辛良，恶干姜、苦参。

［陶隐居云］今处处有之，人乃言是大荠子，俗用甚稀。

［唐本注云］《尔雅》云是大荠，然验其味甘而不辛也。

137　茺蔚子

味辛、甘，**微温**、微寒，无毒。**主明目，益精，除水气。**疗血逆大热，头痛，心烦。**久服轻身。茎，主瘾疹痒，可作浴汤。一名益母，一名益明，一名大札**，一名贞蔚。**生**海滨**池泽**。五月采。

［陶隐居云］今处处有。叶如荏，方茎，子形细长三棱。方用亦稀。

［唐本注云］捣茺蔚茎，敷丁肿，服汁使丁肿毒内消。又下子死腹中，主产后血胀闷，诸杂毒肿、丹游等肿。取汁如豆滴耳中，主聤耳。中虺蛇毒敷之良。

［今按］陈藏器本草云：此草田野间人呼为郁臭草，本功外，苗子入面药，令人光泽，亦捣苗傅乳痈恶肿毒者。又捣苗绞汁服，主浮肿下水，兼恶毒肿。又按，别本注云：其子状如菥蓂子而稍粗大，微有陈气。作煎及捣绞取汁服之，下死胎也。

138　木香

味辛，温，无毒。**主邪气，辟毒疫温鬼，强志，主淋露。**疗气劣，肌中偏寒，主气不足，消毒，杀鬼精物、温疟、蛊毒，行药之精。**久服不梦寤魇寐**，轻身致神仙。一名蜜香。**生**永昌**山谷**。

［陶隐居云］此即青木香也。永昌不复贡，今皆从外国舶上来，乃云大秦国。以疗毒肿，消恶气，有验。今皆用合香，不入药用。惟制蛀虫丸用之，常能煮以沐浴，大佳尔。

［唐本注云］此有二种，当以昆仑来者为佳，出西湖来者不善。叶似羊蹄而长大，花如菊花，其实黄黑，所在亦有之。

［今按］别本注云：叶似薯蓣而根大，花紫色。功极多，为药之要用。陶云不入药用，非也。

139　龙胆

味苦，寒、大寒，无毒。**主骨间寒热，惊痫，邪气，续绝伤，定五脏，杀蛊毒。**除胃中伏热，时气温热，热泄下痢，去肠中小虫，益肝胆气，止惊惕。**久服益智，不忘，轻身，耐老。一名陵游。生**齐朐**山谷**及宛朐。二月、八月、十一月、十二月采根，阴干。　贯众为之使，恶防葵、地黄。

［陶隐居云］今出近道，吴兴为胜。状似牛膝，味甚苦，故以胆为名。

［今按］别本注云：叶似龙葵，味苦如胆，因以为名。

140　菟丝子

味辛、甘，**平，**无毒。**主续绝伤，补不足，益气力，肥健。汁去面皯。**养肌，强阴，坚筋骨，主茎中寒，精自出，溺有余沥。口苦，燥渴，寒血为积。**久服明目，轻身延年。一名生菟芦，**一名菟缕，一名蓎蒙，一名玉女，一名赤网，一名菟累。**生**朝鲜**川泽**田野，蔓延草木之上，色黄而细为赤网，色浅而大为菟累。九月采实，曝干。　得酒良，薯蓣、松脂为之使，恶雚菌，宜丸不宜煮。

［陶隐居云］田野墟落中甚多，皆浮生蓝、纻麻、蒿上。旧言下有茯苓，上生菟丝，今不必尔。其茎，挼以浴小儿，疗热痱用。其实，先须酒渍之一宿。《仙经》、俗方并以为补药。

141　巴戟天

味辛、甘，**微温，**无毒。**主大风邪气，阴痿不起，强筋骨，安五脏，补中，增志，益气。**疗头面游风，小腹及阴中相引痛，下气，补五劳，益精，利男子。**生**巴郡及下邳**山谷**。二月、八月采根，阴干。　覆盆子为之使，恶朝生、雷丸、丹参。

[**陶隐居云**] 今亦用建平、宜都者，状如牡丹而细，外赤内黑，用之打去心。

[**唐本注云**] 巴戟天苗，俗方名三蔓草。叶似茗，经冬不枯，根如连珠，多者良。宿根青色，嫩根白紫，用之亦同。连珠肉厚者为胜。

142　白英

味甘，寒，无毒。**主寒热，八疸，消渴，补中益气。久服轻身延年。一名谷菜，**一名白草。**生**益州**山谷**。春采叶，夏采茎，秋采花，冬采根。

[**陶隐居云**] 诸方药不用。此乃有蘚菜，生水中，人蒸食之。此乃生山谷，当非是。又有白草，叶作羹饮，甚疗劳，而不用根、华。益州乃有苦菜，土人专食之，皆充健无病，疑或是此。

[**唐本注云**] 此鬼目草也。蔓生，叶似王瓜，小长而五桠。实圆，若龙葵子，生青，熟紫黑，煮汁饮，解劳。东人谓之白草。陶云白草，似识之，而不的辨。

[**今按**] 陈藏器本草云：白英，主烦热、风疹、丹毒，疟瘴寒热，小儿结热，煮汁饮之，一名鬼目。《尔雅》云：苻，鬼目。注：似葛，叶有毛，子赤如耳珰珠。若云子熟黑，误矣。又按，别本注云：今江东人夏月取其茎叶煮粥，极解热毒。

143　白蒿

味甘，平，无毒。**主五脏邪气，风寒湿痹，补中益气，长毛发令黑，疗心悬，少食常饥。久服轻身，耳目聪明不老。生**中山**川泽**。二月采。

[**陶隐居云**] 蒿类甚多，而俗中不闻呼白蒿者，方药家既不用，皆无复识之，所主疗既殊佳，应更加研访。服食七禽散云：白兔食之，仙。与前菴蕳子同法耳。

[**唐本注云**]《尔雅》，蘩音烦，皤音婆蒿，即白蒿也。此蒿叶粗于青蒿，从初生至枯，白于众蒿，欲似细艾者，所在有之也。

[**今按**] 别本注云：叶似艾叶，上有白毛，粗涩，俗呼为蓬蒿。

草部上品之下　卷第七

144　肉苁蓉

味甘、酸、咸，**微温**，无毒。**主五劳七伤，补中，除茎中寒热痛，养五脏，强阴，益精气，多子，疗妇人癥瘕。**除膀胱邪气、腰痛，止痢。**久服轻身。** **生**河西**山谷**及代郡雁门。五月五日采，阴干。

［陶隐居云］代郡雁门属并州，多马处便有，言是野马精落地所生。生时似肉，以作羊肉羹，补虚乏极佳，亦可生啖。芮芮河南间至多。今第一出陇西，形扁广，柔润，多花而味甘。次出北国者，形短而少花。巴东、建平间亦有，而不如也。

［唐本注云］此注论草苁蓉，陶未见肉者。今人所用亦草苁蓉刮去花，用代肉尔。《本经》有肉苁蓉，功力殊胜。比来医人，时有用者。

145　地肤子

味苦，寒，无毒。**主膀胱热，利小便，补中，益精气。**去皮肤中热气，散恶疮疝瘕，强阴。**久服耳目聪明，轻身，耐老，**使人润泽。**一名地葵，**一名地麦。**生**荆州**平泽**及田野。八月、十月采实，阴干。

［陶隐居云］今田野间亦多，皆取茎苗为扫帚。子微细，入补丸散用，《仙经》不甚须。

［唐本注云］地肤子，田野人名为地麦草。叶细茎赤，多出熟田中，苗极弱，不能胜举。今云堪为扫帚，恐人未识之。《别录》云：捣绞取汁，主赤白痢，洗目，去热暗、雀盲、涩痛。苗灰，主痢亦善。北人亦名涎衣草。

146 忍冬

味甘，温，无毒。主寒热身肿。久服轻身，长年益寿。十二月采，阴干。

[陶隐居云] 今处处皆有，似藤生，凌冬不凋，故名忍冬。人惟取煮汁以酿酒，补虚疗风。《仙经》少用。此既长年益寿，甚可常采服。凡易得之草，而人多不肯为之，更求难得者，是贵远贱近，庸人之情乎？

[唐本注云] 此草藤生，绕覆草木上。苗茎赤紫色，宿者有薄白皮膜之。其嫩茎有毛，叶似胡豆，亦上下有毛。花白蕊紫。今人或以络石当之，非也。

[今按] 陈藏器本草云：忍冬，主热毒，血痢，水痢，浓煎服之，小寒。本条云温，非也。

147 蒺藜子

味苦、辛，**温**、微寒，无毒。**主恶血，破癥结积聚，喉痹，乳难。**身体风痒，头痛，咳逆，伤肺，肺痿，止烦，下气，小儿头疮，痈肿，阴㿗，可作摩粉。其叶，主风痒，可煮以浴。**久服长肌肉，明目，轻身。一名旁道，一名屈人，一名止行，一名豺羽，一名升推，**一名即梨，一名茨。**生**冯翊**平泽**或道旁。七月、八月采实，曝干。　乌头为之使。

[陶隐居云] 多生道上，而叶布地，子有刺，状如菱而小。长安最饶，人行多著木屐。今军家乃铸铁作之，以布敌路，亦呼蒺藜。《易》云：据于蒺藜，言其凶伤。《诗》云：墙有茨，不可扫也，以刺梗秽也。方用甚希耳。

[今按] 别本注云：《本经》云温，《别录》云寒。此药性宣通，久服不冷，而无壅热，则其温也。

148 防风

味甘、辛，**温**，无毒。**主大风头眩痛，恶风，风邪，目盲无所见，风行周身，骨节疼痹，烦满。**胁痛胁风，头面去来，四肢挛急，字乳金疮内痉。**久服轻身。**叶，主中风热汗出。**一名铜芸，**一名茴草，一名百枝，一名屏风，一名蕳根，一名百蜚。**生**沙苑**川泽**及邯郸、琅玡、上蔡。二月、十月采根，曝干。　得泽泻、藁本疗风，得当归、芍药、阳起石、禹馀粮疗妇人子脏风，杀附子毒，恶干姜、藜芦、白蔹、芫花，畏萆薢。

[陶隐居云] 郡县无名沙苑。今第一出彭城、兰陵，即近琅玡者，郁州互市亦得之。次出襄阳、义阳县界，亦可用，即近上蔡者。唯实而脂润，头节坚如蚯蚓头者为好。俗用疗风最要，道方时用。

[唐本注云] 今出齐州、龙山最善，淄州、兖州、青州者亦佳。叶似牡蒿、附子苗等。《别录》云：叉头者，令人发狂；叉尾者，发痼疾。子似胡荽而大，调食用之香，而疗风更优也。沙苑在同州南，亦出防风，轻虚不如东道者。陶云无沙苑，误矣。襄阳、义阳、上蔡，原无防风，陶乃妄注尔。

149　石龙刍

味苦，微寒、微温，无毒。**主心腹邪气，小便不利，淋闭，风湿，鬼疰，恶毒。**补内虚不足，疗痞满，身无润泽，出汗，除茎中热痛，杀鬼疰恶毒气。**久服补虚羸，轻身，耳目聪明，延年。一名龙须，一名草续断，一名龙珠，**一名龙华，一名悬莞，一名草毒。九节多味者，良。**生**梁州**山谷**湿地。五月、七月采茎，曝干。

[陶隐居云] 茎青细相连，实赤。今出近道水石处，似东阳龙须；以作席者，但多节尔。

[唐本注云]《别录》云：一名方宾，主疗蛔虫及不消食尔。

[今按] 别本注云：《别录》云微温。今之服用能除热，盖不温也。

150　络石

味苦，温、微寒，无毒。**主风热，死肌，痈伤，口干，舌焦，痈肿不消，喉舌肿不通，水浆不下，**大惊入腹，除邪气，养肾，主腰髋痛，坚筋骨，利关节。**久服轻身，明目，润泽，好颜色，不老，延年，**通神。**一名石鲮，**一名石蹉，一名略石，一名明石，一名领石，一名悬石。**生**太山**川谷**，或石山之阴，或高山岩石上，或生人间。正月采。　杜仲、牡丹为之使，恶铁落，畏贝母、菖蒲。

[陶隐居云] 不识此药，仙、俗方法都无用者，或云是石类。既云或生人间，则非石，犹如石斛等，系石以为名尔。

[唐本注云] 此物，生阴湿处，冬夏常青，实黑而圆，其茎蔓延绕树石侧。若在石间者，叶细厚而圆短；绕树生者，叶大而薄。人家亦种之，俗名耐冬，山南人谓之石血，疗产后血结大良。以其包络石、木而生，故名络石。《别录》谓之石龙藤，主疗蝮蛇疮，绞取汁洗之，服汁亦去蛇毒心闷。刀斧伤诸疮，封之立瘥。

[今按] 陈藏器本草云：络石煮汁服之，主一切风，变白宜老。在石者良，在木者随木有功，生山之阴，与薜荔相似。更有木莲、石血、地锦等十余种藤，并是其类，大略皆主风血，暖腰脚，变白不衰。若呼石血为络石，殊误尔。石血叶尖，一头赤；络石叶圆正青。

151 千岁蘽汁

味甘，平，无毒。主补五脏，益气，续筋骨，长肌肉，去诸痹。久服轻身，不饥，耐老，通神明。一名蘽芜。生太山川谷。

[陶隐居云] 作藤生，树如葡萄，叶如鬼桃，蔓延木上，汁白。今俗人方药都不复识用此。《仙经》数处须之，而远近道俗，咸不识此，非甚是异物，正是未研访寻识之尔。

[唐本注云] 即蘡薁藤汁也。此藤有得千岁者，茎大如碗，冬惟叶凋，茎终不死。藤汁味甘，子味甘、酸，苗似葡萄，其茎主哕逆大善，伤寒后呕哕更良。

[今按] 陈藏器本草云：千岁蘽，陶云藤生，树如葡萄，叶如鬼桃，蔓延木上，汁白，人不复识，仙方或须。唐本注即云蘡薁，藤得千岁者汁甘，子酸。按，蘡薁是山蒲桃，斫断藤吹，气出一头如通草。以水浸，吹气取滴目中，去热翳赤障，更无甘汁。《本经》云汁甘，明非蘡薁也。千岁蘽似葛蔓，叶下白，子赤，条中有白汁。《草木疏》云：一名苣荒，连蔓而生，子赤可食。《毛诗》云：葛蘽。注云：似葛之草也。此藤大者盘薄，故云千岁蘽。谓蘡薁者，深是妄言。

152 黄连

味苦，寒、微寒，无毒。**主热气，目痛眦伤泣出，明目，肠澼，腹痛，下痢，妇人阴中肿痛。**五脏冷热，久下泄澼、脓血，止消渴，大惊，除水利骨，调胃，厚肠，益胆，疗口疮。**久服令人不忘。一名王连。生**巫阳**川谷**及蜀郡太山。二月、八月采。 黄芩、龙骨、理石为之使，恶菊花、芫花、玄参、白鲜，畏款冬，胜乌头，解巴豆毒。

[陶隐居云] 巫阳在建平。今西间者色浅而虚，不及东阳，新安诸县最胜，临海诸县者不佳。用之当布裹挼去毛，令如连珠。俗方多疗下痢及渴，道方服食长生。

[唐本注云] 蜀道者粗大节平，味极浓苦，疗渴为最。江东者节如连珠，疗痢大善。今澧州者更胜。

[今注] 医家见用宣州，九节坚重，相击有声者为胜。

153 沙参

味苦，微寒，无毒。**主血积惊气，除寒热，补中，益肺气。**疗胃痹心腹痛，结热邪气，头痛，皮间邪热，安五脏，补中。**久服利人，一名知母**，一名苦心，一名志取，一名虎须，一名白参，一名识美，一名文希。**生**河内**川谷**及宛朐般阳续山。二月、八月采根，曝干。 恶防己，反藜芦。

[陶隐居云] 今出近道，丛生，叶似枸杞，根白实者佳。此沙参并人参、玄参、丹参、苦参是为五参，其形不尽相类，而主疗颇同，故皆有参名。又有紫参，正名牡蒙，在中品。

[唐本注云] 紫参、牡蒙各是一物，非异名也。今沙参出华州为善。

154 丹参

味苦，微寒，无毒。**主心腹邪气，肠鸣幽幽如走水，寒热，积聚，破癥，除瘕，止烦满，益气**，养血，去心腹痼疾结气，腰脊强，脚痹，除风邪留热。久服利人。**一名郄蝉草**，一名赤参，一名木羊乳。**生**桐柏山**川谷**及太山。五月采根，曝干。 畏咸水，反藜芦。

[陶隐居云] 此桐柏山，是淮水源所出之山，在义阳，非江东临海之桐柏也。今近道处处有，茎方有毛，紫花，时人呼为逐马。酒渍饮之，疗风痹。道家时有用处，时人服之多眼赤，故应性热，今云微寒，恐为谬矣。

[唐本注云] 此药，冬采良，夏采虚恶。

155 王不留行

味苦、甘，平，无毒。**主金疮，止血，逐痛出刺，除风痹内塞。**止心烦，鼻衄，痈疽，恶疮，瘘乳，妇人难产。**久服轻身，耐老，增寿。生**太山**山谷**。二月、八月采。

[陶隐居云] 今处处有。人言是蓼子，亦不耳。叶似酸浆，子似松子。而多入痈瘘方用之。

156 蓝实

味苦，寒，无毒。**主解诸毒，杀蛊蚑疰鬼螫毒。久服头不白，轻身。**其叶汁，杀百药毒，解狼毒、射罔毒。其茎叶，可以染青。**生**河内**平泽**。

［陶隐居云］此即今染绁碧所用者。至解毒。人卒不能得生蓝汁，乃浣绁布汁以解之，亦善。以汁涂五心又止烦闷。尖叶者为胜，甚疗蜂螫毒。

［唐本注云］蓝实，有三种：一种围径二寸许，厚三四分，出岭南，云疗毒肿，太常名此草为木蓝子。如陶所引乃是菘蓝，其汁抨普更切为淀者。按，《经》所用，乃是蓼蓝实也，其苗似蓼，而味不辛者。此草汁疗热毒，诸蓝非比。且二种蓝，今并堪染，菘蓝为淀，惟堪染青；其蓼蓝不堪为淀，惟作碧色尔。

157 景天

味苦、酸，**平，**无毒。**主大热火疮，身热烦，邪恶气。**诸蛊毒，痂疕，寒热风痹，诸不足。**花，主女人漏下赤白。轻身明目，**久服通神不老。**一名戒火，**一名火母，一名救火，一名据火，**一名慎火。生**太山**川谷**。四月四日、七月七日采，阴干。

［陶隐居云］今人皆盆盛养之于屋上，云以辟火，叶可疗金疮止血，以洗浴小儿，去烦热惊气。广州城外有一树，云大三四围，呼为慎火树。江东者，甚细小，方用亦希。其花入服食。众药之名，此最为丽。

［今注］皇朝收复岭表，得广州医官，问其事，曾无慎火成树者，盖陶之误尔。

158 天名精

味甘，寒，无毒。**主瘀血，血瘕欲死，下血，止血，利小便，除小虫，去痹，除胸中结热，止烦渴。**逐水大吐下。**久服轻身，耐老。一名麦句姜，一名虾蟆蓝，一名豕首，**一名天门精，一名玉门精，一名彘颅，一名蟾蜍兰，一名觐。**生**平原**川泽**。五月采。　垣衣为之使。

［陶隐居云］此即今人呼为豨莶，亦名豨首。夏月捣汁服之，以除热病。味至苦，而云甘，恐或非是。

［唐本注云］鹿活草是也。《别录》一名天蔓菁，南人名为地菘，味甘、辛，故有姜称；状如蓝，故名虾蟆蓝；香气似兰，故名蟾蜍兰。主破血，生肌，止渴，利小便，杀三虫，除诸毒肿，丁疮，瘘痔，金疮内射，身痒瘾疹不止者，揩之立已。其豨莶苦而臭，名精乃辛而香，全不相类也。

159　蒲黄

味甘，平，无毒。**主心腹膀胱寒热，利小便，止血，消瘀血。久服轻身，益气力，延年神仙。生**河东**池泽**。四月采。

[**陶隐居云**] 此即蒲厘花上黄粉也，伺其有，便拂取之，甚疗血，《仙经》亦用此。

160　香蒲

味甘，平，无毒。**主五脏心下邪气，口中烂臭，坚齿，明目，聪耳。久服轻身，耐老。一名睢，**一名醮。**生**南海**池泽**。

[**陶隐居云**] 方药不复用，俗人无采，彼土人亦不复识者。江南贡菁茅，一名香茅，以供宗庙缩酒。或云是薰草，又云是燕麦，此蒲亦相类耳。

[**唐本注云**] 此即甘蒲，作荐者，春初生，用白为菹，亦堪蒸食。山南名此蒲为香蒲，谓菖蒲为臭蒲。陶隐居所引菁茅，乃三脊茅也。其燕麦、薰草、香茅，野俗皆识，都不为类此，并非例也。蒲黄，即此香蒲花是也。

161　兰草

味辛，平，无毒。**主利水道，杀蛊毒，辟不祥。**除胸中痰癖。**久服益气，轻身，不老，通神明。一名水香。生**大吴**池泽**。四月、五月采。

[**陶隐居云**] 方药俗人并不复识用。大吴即应是吴国尔，太伯所居，故呼大吴。今东间有煎泽草名兰香，亦或是此也，生湿地。李云：是今人所种，似都梁香草。

[**唐本注云**] 此是兰泽香草也。八月花白，人间多种之，以饰庭池；溪水涧傍，往往亦有。陶云不识，又言煎泽草，或称李云都梁香近之，终非的识也。

[**今按**] 别本注云：叶似马兰，故名兰草，俗呼为鷰尾香，时人皆煮水以浴疗风，故又名香水兰。陶云煎泽草，唐注云兰泽香，并非也。

162　决明子

味咸、苦、甘，**平、**微寒，无毒。**主青盲，目淫，肤赤，白膜，眼赤痛，泪出。**疗唇口青。**久服益精光，轻身。生龙门川泽，**石决明生豫章。十月十日采，阴干百日。 蓍实为之使，恶大麻子。

［陶隐居云］龙门乃在长安北。今处处有。叶如茳芒，子形似马蹄，呼为马蹄决明。用之当捣碎。又别有草决明，是萋蒿子，在下品中也。

［唐本注云］石决明，是蚌蛤类，形似紫贝，附见别出在鱼兽条中，皆主明目，故并有决明之名。俗方惟以疗眼也，道术时须。

163 芎䓖

味辛，温，无毒。**主中风入脑，头痛，寒痹，筋挛缓急，金疮，妇人血闭无子。**除脑中冷动，面上游风去来，目泪出，多涕唾，忽忽如醉，诸寒冷气，心腹坚痛，中恶，卒急肿痛，胁风痛，温中内寒。一名胡穷，一名香果。其叶名蘼芜。**生**武功**川谷**斜谷西岭。三月、四月采根，曝干。 得细辛疗金疮止痛，得牡蛎疗头风吐逆。白芷为之使，恶黄连。

［陶隐居云］今惟出历阳，节大茎细，状如马衔，谓之马衔芎䓖。蜀中亦有而细，人患齿根血出者，含之多差。苗名蘼芜，亦入药，别在下说。俗方多用，道家时须尔。胡居士云：武功去长安二百里，正长安西，与扶风、狄道相近。斜谷是长安西岭下，去长安一百八十里，山连接七百里。

［唐本注云］今出秦州。其人间种者，形块大，重实，多脂润。山中采者瘦细，味苦、辛。以九月、十月采为佳。今云三月、四月，虚恶非时也。陶不见秦地芎䓖，故云惟出历阳。历阳出者，今不复用。

164 蘼芜

味辛，温，无毒。**主咳逆，定惊气，辟邪恶，除蛊毒鬼疰，去三虫。久服通神。**主身中老风，头中久风，风眩。**一名薇芜**，一名茳蓠，芎䓖苗也。**生**雍州**川泽**及宛朐。四月、五月采叶，曝干。

［陶隐居云］今出历阳，处处亦有，人家多种之，叶似蛇床而香。骚人借以为譬，方药用甚希。

［唐本注云］此有二种：一种似芹叶，一种如蛇床。香气相似，用亦不殊尔。

165 续断

味苦、辛，**微温**，无毒。**主伤寒，补不足，金疮，痈伤，折跌，续筋骨，妇人**

乳难，崩中漏血，金疮血内漏，止痛，生肌肉，及踠伤，恶血，腰痛，关节缓急。**久服益气力。一名龙豆，一名属折，**一名接骨，一名南草，一名槐。**生**常山**山谷**。七月、八月采，阴干。　地黄为之使，恶雷丸。

［陶隐居云］按，《桐君药录》云：续断生蔓延，叶细，茎如荏，大根本，黄白有汁，七月、八月采根。今皆用茎叶，节节断，皮黄皱，状如鸡脚者，又呼为桑上寄生，恐皆非真。时人又有接骨树，高丈余许，叶似蒴藋，皮主疗金疮，有此接骨名，疑或是。而广州又有一藤名续断，一名诺藤，断其茎，器承其汁饮之，疗虚损绝伤；用沐头，又长发。折枝插地即生，恐此又相类。李云是虎蓟，与此大乖，而虎蓟亦自疗血尔。

［唐本注云］此药，所在山谷皆有，今谷用者是。叶似苎而茎方，根如大蓟，黄白色。陶注者，非也。

166　云实

味辛、苦，温，无毒。**主泄痢肠澼，杀虫蛊毒，去邪恶结气，止痛，除寒热，**消渴。**花，主见鬼精物，多食令人狂走。**杀精物，下水，烧之致鬼。**久服轻身，通神明，**益寿。一名员实，一名云英，一名天豆。**生**河间**川谷**。十月采，曝干。

［陶隐居云］今处处有，子细如葶苈子而小黑，其实亦类莨菪。烧之致鬼。未见其法术。

［唐本注云］云实，大如黍及大麻子等，黄黑似豆，故名天豆。丛生泽旁，高五六尺。叶如细槐，亦如苜蓿，枝间微刺。俗谓苗为草云母。陶云似葶苈，非也。

167　黄芪

味甘，微温，无毒。**主痈疽、久败疮，排脓止痛，大风癞疾，五痔鼠瘘，补虚，小儿百病。**妇人子脏风邪气，逐五脏间恶血，补丈夫虚损，五劳羸瘦，止渴，腹痛泄痢，益气，利阴气。生白水者冷，补。其茎、叶疗渴及筋挛、痈肿、疽疮。**一名戴糁，**一名戴椹，一名独椹，一名芰草，一名蜀脂，一名百本。**生**蜀郡**山谷**、白水、汉中。二月、十月采，阴干。　恶龟甲。

［陶隐居云］第一出陇西、叨阳，色黄白甜美，今亦难得。次用黑水宕昌者，色白肌肤粗，新者亦甘、温补；又有蚕陵、白水者，色理胜蜀中者而冷补；又有赤色者，可作膏贴用，消痈肿，俗方多用，道家不须。

［唐本注云］此物，叶似羊齿，或如蒺藜，独茎或作丛生。今出原州及华原者最良，蜀汉不复采用之。

168　徐长卿

味辛，温，无毒。**主鬼物百精蛊毒，疫疾邪恶气，温疟。久服强悍轻身，**益气延年。**一名鬼督邮。生**太山**山谷**及陇西。三月采。

［陶隐居云］鬼督邮之名甚多。今俗用徐长卿者，其根正如细辛，小短扁扁尔，气亦相似。今狗脊散用鬼督邮，当取其强悍宜腰脚，所以知是徐长卿，而非鬼箭、赤箭。

［唐本注云］此药，叶似柳，两叶相当，有光润，所在川泽有之；根如细辛，微粗长，而有臊昔刀切气。今俗用代鬼督邮，非也。鬼督邮别有本条，在下。

169　杜若

味辛，微温，无毒。**主胸胁下逆气，温中，风入脑户，头肿痛，多涕、泪出，**眩倒目䀮䀮，止痛，除口臭气。**久服益精明目，轻身，**令人不忘。**一名杜衡，**一名杜莲，一名白莲，一名白芩，一名若芝。**生**武陵**川泽**及宛朐。二月、八月采根，曝干。　得辛夷、细辛良，恶柴胡、前胡。

［陶隐居云］今处处有。叶似姜而有文理，根似高良姜而细，味辛香。又绝似旋葍根，殆欲相乱，叶小异尔。《楚辞》云：山中人兮芳杜若。此者一名杜衡，今复别有杜衡，不相似。

［唐本注云］杜若，苗似廉姜，生阴地，根似高良姜，全少辛味。陶所注旋葍根，即真杜若也。

170　蛇床子

味苦、辛、甘，**平，**无毒。**主妇人阴中肿痛，男子阴痿湿痒，除痹气，利关节，癫痫，恶疮。**温中下气，令妇人子脏热，男子阴强。**久服轻身，**好颜色，令人有子。**一名蛇粟，一名蛇米，**一名虺床，一名思益，一名绳毒，一名枣棘，一名墙蘼。**生**临淄**川谷**及田野。五月采实，阴干。　恶牡丹、巴豆、贝母。

［陶隐居云］近道田野墟落间甚多。花、叶正似蘼芜。

［唐本注云］《尔雅》一名盱。

171　茵陈蒿

味苦，平、微寒，无毒。**主风湿，寒热，邪气，热结，黄疸。**通身发黄，小便不利，除头热，去伏瘕。**久服轻身，益气耐老**，面白悦长年。白兔食之，仙。**生**太山及**丘陵**坡岸上。五月及立秋采，阴干。

［陶隐居云］今处处有，似蓬蒿而叶紧细。茎，冬不死，春又生。惟入疗黄疸用。《仙经》云：白蒿，白兔食之，仙。而今茵陈乃云此，恐是误尔。

［今按］陈藏器本草云：茵陈本功外，通关节，去滞热，伤寒用之。虽蒿类，苗细经冬不死，更因旧苗而生，故名茵陈，后加蒿字也。今又详，此非菜中茵蔯也。

172　漏芦

味苦、咸，**寒**、大寒，无毒。**主皮肤热，恶疮，疽痔，湿痹，下乳汁，** 止遗溺，热气疮痒如麻豆，可作浴汤。**久服轻身益气，耳目聪明，不老延年。一名野兰。生**乔山**山谷**。八月采根，阴干。

［陶隐居云］乔山应是黄帝所葬处，乃在上郡。今出近道亦有，疗诸瘘疥，此久服甚益人，而服食方罕用之。今市人皆取苗用之。俗中取根，名鹿骊根，苦酒摩，以疗疮疥。

［唐本注云］此药俗名荚蒿，茎叶似白蒿，花黄，生荚，长似细麻，如箸许，有四五瓣，七月、八月后皆黑，异于众草蒿之类也。常用其茎叶及子，未见用根。其鹿骊，山南谓之木藜芦，有毒，非漏芦也。

［今按］别本注云：漏芦，茎箸大，高四五尺，子房似油麻房而小，江东人取其苗用，胜于根，江宁及上党者佳。陶注云：根名鹿骊。唐注云：山南人名木藜芦，皆非也，漏芦自别尔。

173　茜根

味苦，寒，无毒。**主寒湿风痹，黄疸，补中**，止血，内崩，下血，膀胱不足，踒跌，蛊毒。久服益精气，轻身。可以染绛。一名地血，一名茹藘，一名茅蒐，一名蒨。**生**乔山**川谷**。二月、三月采根，曝干。　畏鼠姑。

［陶隐居云］此则今染绛茜草也。东间诸处乃有而少，不如西多。今俗道经方

不甚服用。此当以其为疗少而丰贱故也。《诗》云茹藘在坂者是。

174 飞廉

味苦、平，无毒。**主骨节热，胫重酸痛。**头眩顶重，皮间邪风如蜂螫针刺，鱼子细起，热疮痈疽痔，湿痹，止风邪咳嗽，下乳汁。**久服令人身轻**，益气明目不老。可煮可干。一名漏芦，一名天荠，一名伏猪，**一名飞轻**，一名伏兔，一名飞雉，一名木禾。**生**河内**川泽**。正月采根，七月、八月采花，阴干。 得乌头良，恶麻黄。

[陶隐居云] 处处有。极似苦芙，惟叶下附茎，茎有皮起似箭羽，叶又多刻缺，花紫色。俗方殆无用，而道家服其枝茎，可得长生，又入神枕方。今既别有漏芦，则非此别名尔。

[唐本注云] 此有二种：一是陶证生平泽中者；其生山岗上者，叶颇相似，而无疏缺，且多毛，茎亦无羽，根直下，更无旁枝。生则肉白皮黑，中有黑脉；日干则黑如玄参。用叶、茎及根疗疳蚀杀虫，与平泽者俱有验。今俗以马蓟似苦芙为漏芦，并非是也。

175 营实

味酸，温、微寒，无毒。**主痈疽，恶疮，结肉，跌筋，败疮，热气，阴蚀不瘳，利关节。**久服轻身益气。根，止泄利腹痛，五脏客热，除邪逆气，疽癞，诸恶疮，金疮伤挞，生肉复肌。**一名蔷薇，一名蔷麻，一名牛棘**，一名牛勒，一名蔷蘼，一名山棘。**生**零陵**川谷**及蜀郡。八月、九月采，阴干。

[陶隐居云] 营实即是蔷薇子，以白花者为良。根亦可煮酿酒，茎、叶亦可煮作饮。

176 薇衔

味苦，平、微寒，无毒。**主风湿痹、历节痛，惊痫吐舌，悸气，贼风，鼠瘘，痈肿。**暴癥，逐水，疗痿蹶。久服轻身明目。一名**麋衔**，一名承膏，一名承肌，一名无心，一名无颠。**生**汉中**川泽**及宛朐、邯郸。七月采茎、叶，阴干。 得秦皮良。

[陶隐居云] 俗用亦少。

[唐本注云] 此草丛生，似茺蔚及白头翁。其叶有毛，茎赤，疗贼风大效，南

人谓之吴风草。一名鹿衔草。言鹿有疾，衔此草，差。又有大、小二种：楚人犹谓大者为大吴风草，小者为小吴风草也。

［今按］陈藏器本草云：妇人服之，绝产无子。

177 五味子

味酸，温，无毒。**主益气，咳逆上气，劳伤羸瘦，补不足，强阴，益男子精。**养五脏，除热，生阴中肌。一名会及，一名玄及。**生**齐山**山谷**及代郡。八月采实，阴干。　苁蓉为之使，恶萎蕤，胜乌头。

［陶隐居云］今第一出高丽，多肉而酸、甜；次出青州、冀州，味过酸，其核并似猪肾；又有建平者，少肉，核形不相似，味苦，亦良。此药多膏润，烈日曝之，乃可捣筛。道方亦须用。

［唐本注云］五味，皮肉酸、甘，核中辛、苦，都有咸味，此则五味具也。《本经》云：味酸，当以木为五行之先也。其叶似杏而大，蔓生木上。子作房如落葵，大如蘡子。一出蒲州及蓝田山中。

［今注］今河中府岁贡焉。

178 旋花

味甘，温，无毒。**主益气，去面皯黑色，媚好。其根，味辛，主腹中寒热邪气，利小便。久服不饥轻身。一名筋根花，一名金沸，**一名美草。**生**豫州**平泽**。五月采，阴干。

［陶隐居云］东人呼为山姜，南人呼为美草，根似杜若，亦似高良姜。腹中冷痛，煮服甚效；作丸散服之，辟谷止饥。近有人从南还，遂用此术与人断谷，皆得半年、百日不饥不瘦，但志浅嗜深，不能久服尔。其叶似姜，花赤色，殊辛美，子状如豆蔻。此旋花之名，即是其花也，今山东甚多。

［唐本注云］此即生平泽，旋葍是也。其根似筋，故一名筋根。旋花，陶所说真山姜尔。陶复于下品旋葍注中云：此根出河南，北国来，根似芎䓖，惟膏中用。今复道似高良姜，二说自相矛盾。且此根味甘，山姜味辛，都非此类。其旋葍膏疗风，逐水止用花，言根亦无妨，然不可以杜若乱之也。又将旋葍花名金沸，作此别名非也。《别录》云：根，主续筋也。

［今按］陈藏器本草云：旋花本功外，取根食之不饥；又取根苗捣绞汁服之，

主丹毒，小儿毒热。根主续筋骨，合金疮。陶注误，而唐注是也。

179　白兔藿

味苦，平，无毒。**主蛇虺、蜂虿、猘狗、菜肉、蛊毒，鬼疰，**风疰，诸大毒不可入口者，皆消除之。又去血，可末着痛上，立消。毒入腹者，煮饮之即解。**一名白葛。生**交州**山谷**。

[陶隐居云] 此药疗毒，莫之与敌。而人不复用，殊不可解，都不闻有识之者，想当似葛尔，须别广访交州人，未得委悉。

[唐本注云] 此草，荆、襄间山谷大有，苗似萝摩，叶圆厚，茎俱有白毛，与众草异。蔓生，山南俗谓之白葛，用疗毒有效。而交广又有白花藤，生叶似女贞，茎叶俱无毛，花白，根似野葛，云大疗毒。而交州用根，不用苗，则非藿也。用叶苗者，真矣。二物所疗，并如经说，各自一物，下条载白花藤也。

180　鬼督邮

味辛、苦，平，无毒。主鬼疰，卒忤，中恶，心腹邪气，百精毒，温疟，疫疾，强腰脚，益膂力。一名独摇草。

[唐本注云] 苗惟一茎，叶生茎端若伞，根如牛膝而细黑。所在有之，有必丛生。今人以徐长卿代之，非也。　唐附

181　白花藤

味苦，寒，无毒。主解诸药、菜、肉中毒。酒渍服之，主虚劳风热。生岭南、交州、广川平泽。

[唐本注云] 苗似野葛而白花，根皮厚肉白，其骨柔于野葛。　唐附

草部中品之上　卷第八

182　当归

味甘、辛，**温**、大温，无毒。**主咳逆上气，温疟寒热洗洗在皮肤中，妇人漏下绝子，诸恶疮疡，金疮，煮饮之。**温中止痛，除客血内塞，中风痓，汗不出，湿痹，中恶，客气虚冷，补五脏，生肌肉。**一名干归。生**陇西**川谷**。二月、八月采根，阴干。　恶䕡茹，畏菖蒲、海藻、牡蒙。

[陶隐居云] 今陇西叨阳、黑水当归，多肉少枝气香，名马尾当归，稍难得。西川北部当归，多根枝而细。历阳所出，色白而气味薄，不相似，呼为草当归，阙少时乃用之。方家有云真当归，正谓此，有好恶故也。俗用甚多，道方时须尔。

[唐本注云] 当归苗，有二种：一种似大叶芎䓖，一种似细叶芎䓖，惟茎叶卑下于芎䓖也。今出当州、宕州、翼州、松州，宕州最胜。细叶者名蚕头当归，大叶者名马尾当归。今用多是马尾当归，蚕头者不如此，不复用。陶称历阳者，是蚕头当归也。

183　秦艽

味苦、辛，**平**、微温，无毒。**主寒热邪气，寒湿风痹，肢节痛，下水，利小便。**疗风无问久新，通身挛急。**生**飞乌**山谷**。二月、八月采根，曝干。　菖蒲为之使。

[陶隐居云] 飞乌或是地名。今出甘松、龙洞、蚕陵，长大黄白色为佳。根皆作罗文相交，中多衔土，用之熟破除去。方家多作秦胶字，与独活疗风常用，道家不须尔。

[唐本注云] 今出泾州、鄜州、岐州者良。本作札，或作纠，作胶；正作

芃也。

184 黄芩

味苦，平、大寒，无毒。**主诸热黄疸，肠澼泄痢，逐水，下血闭，恶疮，疽蚀，火伤。**疗痰热，胃中热，小腹绞痛，消谷，利小肠，女子血闭、淋露、下血，小儿腹痛。**一名腐肠，**一名空肠，一名内虚，一名黄文，一名经芩，一名妒妇。其子主肠澼脓血。**生**秭归**川谷**及宛朐。三月三日采根，阴干。 得厚朴、黄连止腹痛。得五味子、牡蒙、牡蛎，令人有子。得黄芪、白蔹、赤小豆疗鼠瘘。山茱萸、龙骨为之使，恶葱实，畏丹砂、牡丹、藜芦。

［陶隐居云］秭归属建平郡。今第一出彭城，郁州亦有之。圆者名子芩为胜。破者名宿芩，其腹中皆烂破名腐肠。惟取深色坚实者为好。俗方多用，道家不须。

［唐本注云］叶细长，两叶相对，作丛生，亦有独茎者。今出宜州、鄜州、泾州者佳，兖州者大实亦好，名豚尾芩也。

185 芍药

味苦、酸，平、微寒，有小毒。**主邪气腹痛，除血痹，破坚积，寒热疝瘕，止痛，利小便，益气，**通顺血脉，缓中，散恶血，逐贼血，去水气，利膀胱、大小肠，消痈肿，时行寒热，中恶，腹痛，腰痛。一名白木，一名余容，一名犁食，一名解仓，一名。**生**中岳**川谷**及丘陵。二月、八月采根，曝干。 须丸为之使，恶石斛、芒消，畏消石、鳖甲、小蓟，反藜芦。

［陶隐居云］今出白山、蒋山、茅山最好，白而长大；余处亦有而多赤，赤者小利。俗方以止痛，乃不减当归。道家亦服食之，又煮石用之。

［今按］别本注云：此有两种，赤者利小便下气，白者止痛散血。其花亦有红、白二色。

186 干姜

味辛，温、大热，无毒。**主胸满咳逆上气，温中，止血，出汗，逐风湿痹，肠澼下痢，**寒冷腹痛，中恶，霍乱，胀满，风邪诸毒，皮肤间结气，止唾血。**生者尤良。**疗风下气，止血，宣诸络脉，微汗。久服令眼暗。**生姜，**味辛，微温。主伤寒头痛鼻塞，咳逆上气，止呕吐。**久服去臭气，通神明。生**犍为**川谷**及荆州、扬州。

九月采。 秦椒为之使，杀半夏、莨菪毒，恶黄芩、黄连、天鼠粪。

[陶隐居云] 干姜今惟出临海、章安，两三村解作之。蜀汉姜旧美，荆州有好姜，而并不能作干者。凡作干姜法，水淹三日毕，去皮置流水中六日，更去皮，然后晒干，置瓮缸中，谓之酿也。

生姜是常食物，其已随干姜在中品，今依次入食，更别显之，而复有小异处，所以弥宜书。生姜，微温，辛，归五脏，去痰下气，止呕吐，除风邪寒热。久服少志、少智，伤心气。如此则不可多食长御，有病者是所宜也耳。今人啖诸辛辣物，惟此最恒，故《论语》云：不撤姜食。言可常啖，但勿过多耳。

[唐本注云] 姜，久服通神明，主风邪，去痰气，生者尤良。《经》云：久服通神明，即可常啖也。今云少智、少志，伤心气，不可多服者，误为此说，检无所据也。

[今注] 陶注生姜别出菜部韭条下，今并唐本注，移在本条。

187 藁本

味辛、苦，**温**、微温、微寒，无毒。**主妇人疝瘕，阴中寒肿痛，腹中急，除风头痛，长肌肤，悦颜色。**辟雾露润泽，疗风邪亸曳，金疮，可作沐药面脂。实主风流四肢。**一名鬼卿，一名地新**，一名微茎。**生**崇山**山谷**。正月、二月采根，曝干，三十日成。 恶藺茹。

[陶隐居云] 俗中皆用芎䓖根须，其形气乃相类。而《桐君药录》说芎䓖苗似藁本，论说花实皆不同，所生处又异。今东山别有藁本，形气甚相似，惟长大尔。

[唐本注云] 藁本，茎、叶、根、味与芎䓖小别，以其根上苗下似藁根，故名藁本。今出宕州者，佳也。

188 麻黄

味苦，温、微温，无毒。**主中风伤寒头痛，温疟，发表出汗，去邪热气，止咳逆上气，除寒热，破癥坚积聚。**五脏邪气缓急，风胁痛，字乳余疾，止好唾，通腠理，疏伤寒头疼，解肌，泄邪恶气，消赤黑斑毒。不可多服，令人虚。一名卑相，**一名龙沙**，一名卑盐。**生**晋地及河东**川谷**。立秋采茎，阴干令青。 厚朴为之使，恶辛夷、石韦。

[陶隐居云] 今出青州、彭城、荥阳、中牟者为胜，色青而多沫。蜀中亦有，不好。用之折除节，节止汗故也。先煮一两沸，去上沫，沫令人烦。其根亦止汗，

夏月杂粉用之。俗用疗伤寒，解肌第一。

［唐本注云］郑州、鹿台及关中沙苑河旁沙洲上大多，其青徐者，今不复用。同州沙苑最多也。

［今注］今用中年者为胜，开封府岁贡焉。

189 葛根

味甘，平，无毒。**主消渴，身大热，呕吐，诸痹，起阴气，解诸毒。**疗伤寒中风头痛，解肌发表出汗，开腠理，疗金疮，止痛，胁风痛。生根汁，大寒，疗消渴，伤寒壮热。**葛谷，主下痢十岁已上。**白葛，烧以粉创，止痛断血。叶，主金疮止血。花，主消酒。**一名鸡齐根，**一名鹿藿，一名黄斤。**生**汶山**川谷。**五月采根，曝干。 杀野葛、巴豆、百药毒。

［陶隐居云］即今之葛根，人皆蒸食之。当取入土深大者，破而日干之。生者捣取汁饮之，解温病发热。其花并小豆花干末，服方寸匕，饮酒不知醉。南康、庐陵间最胜，多肉而小筋，甘美。但为药用之，不及此间尔。五月五日日中时，取葛根为屑，疗金疮断血为要药，亦疗疟及疮至良。

［唐本注云］葛谷，即是实尔，陶不言之。葛虽除毒，其根入土五六寸已上者，名葛脰，脰颈也，服之令人吐，以有微毒也。根末之，主猘狗啮，并饮其汁良。蔓烧为灰，水服方寸匕，主喉痹。

［今按］陈藏器本草云：葛根，生者破血合疮，堕胎，解酒毒，身热赤，酒黄，小便赤涩，可断谷不饥。根堪作粉。

190 前胡

味苦，微寒，无毒。主痰满，胸胁中痞，心腹结气，风头痛，去痰实，下气。疗伤寒寒热，推陈致新，明目益精。二月、八月采根，曝干。 半夏为之使，恶皂荚，畏藜芦。

［陶隐居云］前胡似柴胡而柔软，为疗殆欲同。而《本经》上品有柴胡而无此，晚来医乃用之。亦有畏恶，明畏恶非尽出《本经》也。此近道皆有，生下湿地，出吴兴者为胜。

191 知母

味苦，寒，无毒。**主消渴热中，除邪气，肢体浮肿，下水，补不足，益气。**疗伤寒久疟烦热，胁下邪气，膈中恶，及风汗内疸。多服令人泄。**一名蚳母，一名连母，一名野蓼，一名地参，一名水参，一名水浚，一名货母，一名蝭母，**一名女雷，一名女理，一名儿草，一名鹿列，一名韭逢，一名儿踵草，一名东根，一名水须，一名沈燔，一名荨，一名昌支。**生**河内**川谷**。二月、八月采根，曝干。

［陶隐居云］今出彭城。形似菖蒲而柔润，叶至难死，掘出随生，须枯燥乃止。甚疗热结，亦主疟热烦也。

192　大青

味苦，大寒，无毒。主疗时气头痛，大热口疮。三月、四月采茎，阴干。

［陶隐居云］疗伤寒方多用此，《本经》又无。今出东境及近道，长尺许，紫茎。除时行热毒为良。

［唐本注云］大青用叶兼茎，不独用茎也。

193　贝母

味辛、苦，**平**、微寒，无毒。**主伤寒烦热，淋沥邪气，疝瘕，喉痹，乳难，金疮风痉。**疗腹中结实，心下满，洗洗恶风寒，目眩项直，咳嗽上气，止烦热渴，出汗，安五脏，利骨髓。**一名空草，**一名药实，一名苦花，一名苦菜，一名商草，一名勤母。生晋地。十月采根，曝干。　厚朴、白薇为之使，恶桃花，畏秦艽、礜石、莽草，反乌头。

［陶隐居云］今出近道，形似聚贝子，故名贝母。断谷服之不饥。

［唐本注云］此叶似大蒜，四月蒜熟时采，良。若十月，苗枯根亦不佳也。出润州、荆州、襄州者最佳，江南诸州亦有。味甘、苦，不辛。按，《尔雅》亦名商也。

194　栝楼根

味苦，寒，无毒。**主消渴身热，烦满大热，补虚安中，续绝伤。**除肠胃中痼热，八疸身面黄，唇干口燥，短气，通月水，止小便利。**一名地楼，**一名果赢，一名天瓜，一名泽姑。实，名黄瓜，主胸痹，悦泽人面。茎叶，疗中热伤暑。**生**弘农**川谷**及山阴地。入土深者良。生卤地者有毒。二月、八月采根曝干，三十日成。　枸杞为之使，恶干姜，畏牛膝、干漆，反乌头。

［陶隐居云］出近道，藤生，状如土瓜，而叶有叉。《毛诗》云：果蠃之实，亦施于宇。其实今以杂作手膏；用根，入土六七尺，大二三围者，服食亦用之。

［唐本注云］今用根作粉，大宜服石，虚热人食之。作粉如作葛粉法，洁白美好。今出陕州者，白实最佳。

195 玄参

味苦、咸，**微寒**，无毒。**主腹中寒热积聚，女子产乳余疾，补肾气，令人目明。**疗暴中风伤寒，身热支满，狂邪忽忽不知人，温疟洒洒，血瘕，下寒血，除胸中气，下水，止烦渴，散颈下核，痈肿，心腹痛，坚癥，定五脏。久服补虚明目，强阴益精。**一名重台，**一名玄台，一名鹿肠，一名正马，一名咸，一名端。**生**河间**川谷**及宛朐。三月、四月采根，曝干。　恶黄芪、干姜、大枣、山茱萸，反藜芦。

［陶隐居云］今出近道，处处有。茎似人参而长大。根甚黑，亦微香，道家时用，亦以合香。

［唐本注云］玄参根苗并臭，茎亦不似人参。陶云道家亦以合香，未见其理也。

［今注］详此药茎方大，高四五尺，紫赤色，而有细毛，叶如掌大而尖长。根，生青白，干即紫黑，新者润腻，合香用之，俗呼为馥草。酒渍饮之，疗诸毒鼠瘘。陶云似人参茎，唐本注言根苗并臭，盖未深识尔。

196 苦参

味苦，寒，无毒。**主心腹结气，癥瘕，积聚，黄胆，溺有余沥，逐水，除痈肿，补中，明目，止泪。**养肝胆气，安五脏，定志，益精，利九窍，除伏热，肠澼，止渴，醒酒，小便黄赤，疗恶疮，下部䘌疮，平胃气，令人嗜食轻身。**一名水槐，一名苦䔲，**一名地槐，一名菟槐，一名骄槐，一名白茎，一名虎麻，一名岑茎，一名禄白，一名陵郎。**生**汝南**山谷**及田野。三月、八月、十月采根，曝干。玄参为之使，恶贝母、漏芦、菟丝，反藜芦。

［陶隐居云］今出近道，处处有。叶极似槐树，故有槐名。花黄，子作荚。根味至苦恶。病人酒渍饮之，多差。患疥者，一两服，亦除，盖能杀虫。

［唐本注云］苦参疗胫酸，恶虫。以十月收其实，饵如槐子法，久服轻身不老，明目有验。

197 石龙芮

味苦，平，无毒。**主风寒湿痹，心腹邪气，利关节，止烦满。**平肾胃气，补阴气不足，失精，茎冷。**久服轻身，明目，不老，**令人皮肤光泽，有子。**一名鲁果能，一名地椹，**一名石能，一名彭根，一名天豆。**生**太山**川泽**石旁。五月五日采子，二月、八月采皮，阴干。 大戟为之使，畏蛇蜕、吴茱萸。

［陶隐居云］今出近道，子形粗，似蛇床子而扁，非真好者，人言是蓄菜子尔。东山石上所生，其叶芮芮短小，其子状如葶苈，黄色而味小辛，此乃实是也。

［唐本注云］今用者，俗名水堇。苗似附子，实如桑椹，故名地椹。生下湿地，五月熟，叶、子皆味辛。山南者粒大如葵子。关中、河北者细如葶苈，气力劣于山南者。陶以细者为真，未为通论。又《别录》水堇云：主毒肿、痈疖疮、蛔虫、齿龋。

198 石韦

味苦、甘，**平，**无毒。**主劳热邪气，五癃闭不通，利小便水道。**止烦，下气，通膀胱满，补五劳，安五脏，去恶风，益精气。**一名石韀，**一名石皮。用之去黄毛，毛射入肺，令人咳，不可疗。**生**华阴**山谷**及石上，不闻水及人声者良。二月采叶，阴干。 滑石、杏仁、射干为之使，得菖蒲良。

［陶隐居云］蔓延石上，生叶如皮，故名石韦。今处处有，以不闻水声、人声者为佳。出建平者，叶长大而厚。

［唐本注云］此物丛生石旁阴处，不蔓延生。生古屋瓦上，名瓦韦，用疗淋亦好也。

199 狗脊

味苦、甘，**平，**微温，无毒。**主腰背强，关机缓急，周痹寒湿，膝痛，颇利老人。**疗失溺不节，男子脚弱腰痛，风邪淋露，少气，目暗，坚脊，利俯仰，女子伤中，关节重。**一名百枝，**一名强膂，一名扶盖，一名扶筋。**生**常山**川谷。**二月、八月采根，曝干。 萆薢为之使，恶败酱。

［陶隐居云］今山野处处有，与菝葜相似而小异。其茎叶小肥，其节疏，其茎大直，上有刺，叶圆有赤脉。根凹凸巃嵸如羊角细强者是。

[唐本注云] 此药苗似贯众，根长多歧，状如狗脊骨，其肉作青绿色，今京下用者是。陶所说，乃有刺萆薢，非狗脊也，今江左俗犹用之。

200 萆薢

味苦、甘，**平**，无毒。**主腰背痛强，骨节风寒湿周痹，恶疮不瘳，热气。**伤中恚怒，阴痿失溺，关节老血，老人五缓。一名赤节。**生**真定**山谷**。二月、八月采根，曝干。 薏苡为之使，畏葵根、大黄、柴胡、牡蛎。

[陶隐居云] 今处处有，亦似菝葜而小异，根大，不甚有角节，色小浅。

[唐本注云] 此药有二种：茎有刺者，根白实；无刺者，根虚软，内软者为胜，叶似薯蓣，蔓生。

201 菝葜

味甘，平、温，无毒。主腰背寒痛，风痹，益血气，止小便利。生山野。二月、八月采根，曝干。

[陶隐居云] 此有三种，大略根苗并相类。菝葜茎紫，短小多细刺，小减萆薢而色深，人用作饮。

[唐本注云] 陶云三种相类，非也。萆薢有刺者，叶粗相类，根不相类，萆薢细长而白，菝葜根作块结，黄赤色，殊非狗脊之流也。

202 通草

味辛、甘，**平**，无毒。**主去恶虫，除脾胃寒热，通利九窍血脉关节，令人不忘。**疗脾疸，常欲眠，心烦，哕出音声，疗耳聋，散痈肿诸结不消，及金疮恶疮，鼠瘘、踒折，齆鼻，息肉，堕胎，去三虫。**一名附支，**一名丁翁。**生**石城**山谷**及山阳。正月采枝，阴干。

[陶隐居云] 今出近道。绕树藤生，汁白。茎有细孔，两头皆通。含一头吹之，则气出彼头者良。或云即蔷藤茎。

[唐本注云] 此物大者径三寸，每节有二三枝，枝头有五叶。其子长三四寸，核黑穰白，食之甘美。南人谓之燕覆，或名乌覆。今言蔷藤，蔷覆声相近尔。

203 瞿麦

味苦、辛，**寒**，无毒。**主关格诸癃结，小便不通，出刺，决痈肿，明目去翳，**

破胎堕子，下闭血。养肾气，逐膀胱邪逆，止霍乱，长毛发。**一名巨句麦，**一名大菊，一名大兰。**生太山川谷。**立秋采实，阴干。　蘘草、牡丹为之使，恶桑螵蛸。

［陶隐居云］今出近道，一茎生细叶，花红紫赤可爱，合子叶刈取之。子颇似麦，故名瞿麦。此类乃有两种：一种微大，花边有叉桠，未知何者是。今市人皆用小者。复一种，叶广相似而有毛，花晚而甚赤。按，《经》云采实，实中子至细，燥熟便脱尽，今市人惟合茎叶用，而实正空壳，无复子尔。

204　败酱

味苦、咸，**平**、微寒，无毒。**主暴热火疮赤气，疥瘙，疽痔，马鞍热气。**除痈肿，浮肿，结热，风痹，不足，产后疾痛。**一名鹿肠，**一名鹿首，一名马草，一名泽败。**生**江夏**川谷**。八月采根，曝干。

［陶隐居云］出近道，叶似豨莶，根形似柴胡，气如败豆酱，故以为名。

［唐本注云］此药不出近道，多生岗岭间。叶似水莨及薇衔，丛生，花黄，根紫，作陈酱色，其叶殊不似豨莶也。

205　白芷

味辛，温，无毒。**主女人漏下赤白，血闭，阴肿，寒热，风头侵目泪出，长肌肤润泽，可作面脂。**疗风邪，久渴，吐呕，两胁满，风痛，头眩，目痒，可作膏药面脂，润颜色。**一名芳香，**一名白茝，一名䖶，一名莞，一名苻离，一名泽芬。叶名蒚麻，可作浴汤。**生**河东**川谷**下泽。二月、八月采根，曝干。　当归为之使，恶旋覆花。

［陶隐居云］今出近道，处处有，近下湿地，东间甚多。叶亦可作浴汤，道家以此香浴去尸虫，又用合香也。

206　杜衡

味辛，温，无毒。主风寒咳逆，香人衣体。生山谷。三月三日采根，熟洗，曝干。

［陶隐居云］根叶都似细辛，惟气小异尔。处处有之。方药少用，惟道家服之，令人身衣香。《山海经》云：可疗瘿。

［唐本注云］杜衡叶似葵，形如马蹄，故俗云马蹄香。生山之阴，水泽下湿

地，根似细辛、白前等，今俗以及己代之，谬矣。及己独茎，茎端四叶，叶间白花，殊无芳气，有毒，服之令人吐，惟疗疮疥，不可乱杜衡也。

207　紫草

味苦，寒，无毒。**主心腹邪气，五疸，补中益气，利九窍，通水道。**疗腹肿胀满痛，以合膏，疗小儿疮及面皻。**一名紫丹，一名紫芙。生**砀山**山谷**及楚地。三月采根，阴干。

［陶隐居云］今出襄阳，多从南阳、新野来，彼人种之，即是今漆紫者，方药家都不复用。《博物志》云：平氏阳山紫草特好。魏国以漆色殊黑。比年东山亦种，色小浅于北者。

［唐本注云］紫草，所在皆有。《尔雅》云一名藐，苗似兰香，茎赤节青，花紫白色，而实白。

208　紫菀

味苦、辛，**温，**无毒。**主咳逆上气，胸中寒热结气，去蛊毒、痿蹷，安五脏。**疗咳唾脓血，止喘悸，五劳体虚，补不足，小儿惊痫。一名紫蒨，一名青菀。**生**房陵**山谷**及真定、邯郸。二月、三月采根，阴干。　款冬为之使，恶天雄、瞿麦、雷丸、远志、藁本，畏茵陈蒿。

［陶隐居云］近道处处有，生布地，花亦紫，本有白毛，根甚柔细。有白者名白菀，不复用。

［唐本注云］白菀，即女菀也，疗体与紫菀同。无紫菀时，亦用白菀。陶云不复用，或是未悉。

209　白鲜

味苦、咸，**寒，**无毒。**主头风，黄疸，咳逆，淋沥，女子阴中肿痛，湿痹死肌，不可屈伸起止行步。**疗四肢不安，时行腹中大热，饮水，欲走，大呼，小儿惊痫，妇人产后余痛。**生**上谷**川谷**及宛朐。四月、五月采根，阴干。　恶桑螵蛸、桔梗、茯苓、萆薢。

［陶隐居云］近道处处有，以蜀中者为良。俗呼为白羊鲜，气息正似羊膻，或名白膻。

［唐本注云］此药叶似茱萸，苗高尺余，根皮白而心实，花紫白色。根宜二月采，若四月、五月采，便虚恶也。

210 白薇

味苦、咸，**平**、大寒，无毒。**主暴中风，身热肢满，忽忽不知人，狂惑邪气，寒热酸疼，温疟洗洗，发作有时。**疗伤中淋露，下水气，利阴气，益精。一名白幕，一名薇草，一名春草，一名骨美。久服利人。**生**平原**川谷**。三月三日采根，阴干。

恶黄芪、大黄、大戟、干姜、干漆、山茱萸、大枣。

［**陶隐居云**］近道处处有。根状似牛膝而短小尔。方家用，多疗惊邪、风狂、痓病。

211 葈耳实

味苦、**甘，温。**叶，味苦、辛，微寒，有小毒。**主风头寒痛，风湿周痹，四肢拘挛痛，去恶肉死肌，**膝痛，溪毒。**久服益气，耳目聪明，强志轻身。一名胡枲，一名地葵，**一名葹，一名常思。**生**安陆**川谷**及六安田野，实熟时采。

［**陶隐居云**］此是常思菜，伧人皆食之。以叶覆麦作黄衣者，一名羊负来。昔中国无此，言从外国逐羊毛中来，方用亦甚稀。

［**唐本注云**］苍耳，三月已后、七月已前刈，日干为散。夏，水服；冬，酒服，主大风癫痫，头风湿痹，毒在骨髓。日二服，丸服二十、三十丸；散服一二匕。服满百日，病当出如疬疥，或痒汁出，或斑驳甲错皮起，后乃皮落，肌如凝脂，令人省睡，除诸毒螫，杀疳湿匿。久服益气，耳目聪明，轻身强志，主腰膝中风毒尤良。忌食猪肉米泔，亦主猘狗毒。

［**今按**］陈藏器本草云：葈耳叶挼安舌下，令涎出，去目黄、好睡。子炒令香，捣去刺，使腹破，浸酒，去风补益。又烧作灰和腊月猪脂封丁肿，出根。又毡中子七枚烧作灰，投酒中饮之，勿令知，主嗜酒。叶煮服之，主狂狗咬。

212 茅根

味甘，寒，无毒。**主劳伤虚羸，补中益气，除瘀血，血闭，寒热，利小便，**下五淋，除客热在肠胃，止渴，坚筋，妇人崩中。久服利人。**其苗主下水。一名兰根，一名茹根，**一名地菅，一名地筋，一名兼杜。**生**楚地**山谷**田野，六月采根。

［陶隐居云］此即今白茅菅。《诗》云：露彼菅茅。其根如渣芹甜美。服食此断谷甚良。俗方稀用，惟疗淋及崩中尔。

［唐本注云］菅花，味甘，温，无毒。主衄血、吐血、灸疮。

213 百合

味甘，平、无毒。**主邪气腹胀，心痛，利大小便，补中益气。**除浮肿，胪胀，痞满，寒热，通身疼痛，及乳难喉痹肿，止涕泪。一名重箱，一名重迈，一名摩罗，一名中逢花，一名强瞿。**生**荆州**川谷**。二月、八月采根，曝干。

［陶隐居云］近道处处有，根如胡蒜，数十片相累，人亦蒸煮食之。乃言初是蚯蚓相缠结变作之，俗人皆呼为强仇，仇即瞿也，声之讹尔，亦堪服食。

［唐本注云］此药有二种：一种细叶，花红白色；一种叶大，茎长，根粗，花白，宜入药用。

214 酸浆

味酸，平、寒，无毒。**主热烦满，定志益气，利水道，产难吞其实立产。一名醋浆。生**荆楚**川泽**及人家田园中。五月采，阴干。

［陶隐居云］处处人家多有，叶亦可食。子作房，房中有子如梅李大，皆黄赤色。小儿食之，能除热，亦主黄病，多效。

215 紫参

味苦、辛，寒、微寒，无毒。**主心腹积聚，寒热邪气，通九窍，利大小便。**疗肠胃大热，唾血，衄血，肠中聚血，痈肿诸疮，止渴，益精。**一名牡蒙，**一名众戎，一名童肠，一名马行。**生**河西及宛朐**山谷**。三月采根，火炙使紫色。　畏辛夷。

［陶隐居云］今方家皆呼为牡蒙，用之亦少。

［唐本注云］紫参，叶似羊蹄，紫花青穗，皮紫黑，肉红白，肉浅皮深。所在有之。牡蒙叶似及己而大，根长尺余，皮肉亦紫色，根苗并不相似。虽一名牡蒙，乃王孙也。紫参京下见用者，是出蒲州也。

216 女萎

味辛，温。主风寒洒洒，霍乱，泄痢，肠鸣游气上下无常，惊痫寒热百病，出汗。《李氏本草》云：止下，消食。

［唐本注云］其叶似白蔹，蔓生，花白，子细，荆襄之间名为女萎，亦名蔓楚，止痢有效。用苗不用根，与萎蕤全别。今太常谬以为白头翁者是也。 唐附

217 淫羊藿

味辛，寒，无毒。**主阴痿，绝伤，茎中痛，利小便，益气力，强志。**坚筋骨，消瘰疬，赤痈，下部有疮洗出虫。丈夫久服，令人有子。**一名刚前。生**上郡阳山**山谷。** 薯蓣为之使。

［陶隐居云］服此使人好为阴阳。西川北部有淫羊，一日百遍合，盖食藿所致，故名淫羊藿。

［唐本注云］此草，叶形似小豆而圆薄，茎细亦坚，所在皆有，俗名仙灵脾者是也。

218 蠡实

味甘，平、温，无毒。**主皮肤寒热，胃中热气，风寒湿痹，坚筋骨，令人嗜食。**止心烦满，利大小便，长肌肤肥大。**久服轻身。花叶去白虫，**疗喉痹，多服令人溏泄。一名荔实，**一名剧草，一名三坚，一名豕首。生**河东**川谷，**五月采实，阴干。

［陶隐居云］方药不复用，俗无识者，天名精亦名豕首也。

［唐本注云］此即马蔺子也。《月令》云：荔挺出。郑注云：荔，马薤也。《说文》云：荔似蒲根，可为刷。《通俗文》一名马蔺。《本经》一名荔实。子疗金疮、血内流、痈肿等病，有效。

219 石香葇

味辛、香，温，无毒。主调中温胃，止霍乱吐泻，心腹胀满，脐腹痛，肠鸣。一名石苏。生蜀郡、陵、荣、资、简州，及南中诸处，在山岩石缝中生。二月、八月采，苗、茎、花、实俱用。 今附

草部中品之下　卷第九

220　款冬

味辛、甘，**温，**无毒。**主咳逆上气善喘，喉痹，诸惊痫，寒热，邪气。**消渴，喘息呼吸。**一名橐吾，一名颗东，一名虎须，一名菟奚，**一名氐冬。**生**常山**山谷**及上党水旁。十一月采花，阴干。　杏仁为之使，得紫菀良，恶皂荚、消石、玄参，畏贝母、辛夷、麻黄、黄芪、黄芩、黄连、青葙。

［**陶隐居云**］第一出河北，其形如宿莼未舒者佳，其腹里有丝。次出高丽百济，其花乃似大菊花。次亦出蜀北部宕昌，而并不如。其冬月在冰下生，十二月、正月旦取之。

［**唐本注云**］今出雍州南山溪水及华州山谷涧间。叶似葵而大，丛生，花出根下。

221　牡丹

味辛、苦，**寒、**微寒，无毒。**主寒热，中风，瘛疭，痉，惊痫，邪气，除癥坚瘀血留舍肠胃，安五脏，疗痈疮，**除时气，头痛，客热，五劳，劳气，头腰痛，风噤，癫疾。**一名鹿韭，一名鼠姑。生**巴郡**山谷**及汉中。二月、八月采根，阴干。　畏菟丝子、贝母、大黄。

［**陶隐居云**］今东间亦有，色赤者为好，用之去心。按，鼠妇亦名鼠姑，而此又同，殆非其类，恐字误。

［**唐本注云**］牡丹，生汉中。剑南所出者，苗似羊桃，夏生白花，秋实圆绿，冬实赤色，凌冬不凋，根似芍药，肉白皮丹。出汉、剑南，土人谓之牡丹，亦名百两金，京下谓之吴牡丹者，是真也。今俗用者，异于此，别有臊气也。

222 防己

味辛、苦，**平**、温，无毒。**主风寒，温疟，热气，诸痫，除邪，利大小便**，疗水肿，风肿，去膀胱热，伤寒，寒热邪气，中风手脚挛急，止泄，散痈肿，恶结，诸病疥癣，虫疮，通腠理，利九窍。**一名解离**，文如车辐理解者良。**生**汉中**川谷**。二月、八月采根，阴干。 殷孽为之使，杀雄黄毒，恶细辛，畏萆薢。

［**陶隐居云**］今出宜都、建平，大而青白色，虚软者好，黯黑冰强者不佳。服食亦须之。是疗风水家要药耳。

［**唐本注云**］防己，本出汉中者，作车辐解，黄实而香。其青白虚软者，名木防己，都不任用。陶谓之佳者，盖未见汉中者尔。

223 女菀

味辛，温，无毒。**主疗风寒洗洗，霍乱，泄痢，肠鸣上下无常处，惊痫，寒热百疾。**疗肺伤咳逆出汗，久寒在膀胱支满，饮酒夜食发病。一名白菀，一名织女菀，一名茆。**生**汉中**川谷**或山阳。正月、二月采，阴干。 畏卤咸。

［**陶隐居云**］比来医方都无复用之。市人亦少有，便是欲绝。别复有白菀似紫菀，非此之别名也。

［**唐本注云**］白菀即女菀，更无别者。有名无用中浪出一条，无紫菀时亦用之，功效相似也。

224 泽兰

味苦、甘，**微温**，无毒。**主乳妇内衄，中风余疾，大腹水肿，身面四肢浮肿，骨节中水，金疮痈肿疮脓。**产后金疮内塞。**一名虎兰，一名龙枣**，一名虎蒲。**生**汝南诸**大泽**旁。三月三日采，阴干。 防己为之使。

［**陶隐居云**］今处处有，多生下湿地。叶微香，可煎油，或生泽旁，故名泽兰，亦名都梁香，可作浴汤。人家多种之，而叶小异。今山中又有一种甚相似，茎方，叶小强，不甚香。既云泽兰，又生泽旁，故山中者为非，而药家乃采用之。

［**唐本注云**］泽兰，茎方，节紫色，叶似兰草而不香，今京下用之者，是。陶云都梁香，乃兰草尔，俗名兰香，煮以洗浴，亦生泽畔，人家种之，花白，紫萼圆茎，殊非泽兰也。陶注兰草，复云名都梁香，并不深识也。

225 地榆

味苦、甘、酸，**微寒**，无毒。**主妇人乳痓痛，七伤，带下病，止痛，除恶肉，止汗，疗金疮**，止脓血，诸瘘恶疮，热疮，消酒，除消渴，补绝伤，产后内塞，可作金疮膏。**生**桐柏及宛朐**山谷**。二月、八月采根，曝干。 得发良，恶麦门冬。

［陶隐居云］今近道处处有，叶似榆而长。初生布地，而花子紫黑色如豉，故名玉豉。一茎长直上，根亦入酿酒。道方烧作灰，能烂石也。乏茗时，用叶作饮，亦好。

［唐本注云］主带下十二病。《孔氏音义》云：一曰多赤，二曰多白，三曰月水不通，四曰阴蚀，五曰子脏坚，六曰子门僻，七曰合阴阳患痛，八曰小腹寒痛，九曰子门闭，十曰子宫冷，十一曰梦与鬼交，十二曰五脏不定。用叶作饮代茶，甚解热。

［今按］别本注云：今人止冷热痢及疳痢热极效。

226 王孙

味苦，平，无毒。**主五脏邪气，寒湿痹，四肢疼酸，膝冷痛。**疗百病，益气。吴名白功草，楚名王孙，齐名长孙，一名黄孙，一名黄昏，一名海孙，一名蔓延。**生**海西**川谷**及汝南城郭垣下。

［陶隐居云］今方家皆呼名黄昏，又云牡蒙，市人亦少识者。

［唐本注云］《小品》述本草牡蒙，一名王孙；《药对》有牡蒙，无王孙。此则一物明矣。又主金疮破血，生肌肉，止痛，赤白痢，补虚益气，除脚肿，发阴阳也。

227 爵床

味咸，寒，无毒。**主腰脊痛，不得着床，俯仰艰难，除热，可作浴汤。生**汉中**川谷**及田野。

［唐本注云］此草似香菜，叶长而大，或如荏且细，生平泽熟田近道旁，甚疗血胀，下气，又主杖疮，汁涂立差，俗名赤眼老母草。

［今按］别本注云：今人名为香苏。

228　白前

味甘，微温，无毒。主胸胁逆气，咳嗽上气。

［陶隐居云］此药出近道，似细辛而大，色白易折。主气咳方多用之。

［唐本注云］此药叶似柳，或似芫花，苗高尺许，生洲渚沙碛之上。根白，长于细辛，味甘，俗以酒渍服，主上气。不生近道，俗名石蓝，又名嗽药。今用蔓生者味苦，非真也。

［今按］别本注云：二月、八月采根曝干。根似牛膝、白薇。

229　百部根

微温，有小毒。主咳嗽上气。

［陶隐居云］山野处处有。根数十相连，似天门冬而苦强，亦有小毒。火炙酒渍饮之，疗咳嗽。亦主去虱，煮作汤，洗牛犬虱即去。《博物志》云：九真有一种草似百部，但长大尔。悬火上令干，夜取四五寸短切，含咽汁，勿令人知，疗暴嗽甚良，名为嗽药。疑此是百部，恐其土肥润处，是以长大尔。

［今按］陈藏器本草云：百部根，火炙，酒浸，空腹饮，去虫蚕咬，兼疥癣疮。

230　王瓜

味苦，寒，无毒。**主消渴，内痹，瘀血，月闭，寒热，酸疼，益气，愈聋。**疗诸邪气，热结，鼠瘘，散痈肿留血，妇人带下不通，下乳汁，止小便数不禁，逐四肢骨节中水，疗马骨刺人疮。**一名土瓜。生鲁地平泽**田野，及人家垣墙间。三月采根，阴干。

［陶隐居云］今土瓜生篱院间亦有，子熟时赤，如弹丸大。根今多不预干，临用时乃掘取，不堪入大方，正单行小小尔。《礼记·月令》云王瓜生，此之谓也。郑玄云菝葜，殊为谬矣。

［唐本注云］此物蔓生，叶似栝楼，圆无叉缺，子如枝子，生青熟赤，但无棱尔。根似葛，细而多糁。北间者，累累相连，大如枣，皮黄肉白。苗子相似，根状不同。试疗黄疸、破血，南者大胜也。

［今按］陈藏器本草云：王瓜主蛊毒，小儿闪癖痞满并疟，取根皮叶捣绞汁

服，当吐下，宜少进之，有小毒故也。

231 荠苨

味甘，寒，无毒。主解百药毒。

［陶隐居云］根茎都似人参，而叶小异，根味甜绝，能杀毒。以其与毒药共处，而毒皆自然歇，不正入方家用也。

［今按］别本注云：根似桔梗，以无心为异。无毒。二月、八月采根曝干。

232 高良姜

大温，无毒。主暴冷，胃中冷逆，霍乱腹痛。

［陶隐居云］出高良郡。人腹痛不止，但嚼食亦效。形气与杜若相似，而叶如山姜。

［唐本注云］生岭南者，形大虚软；江左者细紧，味亦不甚辛，其实一也。今相与呼细者为杜若，大者为高良姜，此非也。

［今按］陈藏器本草云：高良姜，味辛，温。下气益声，好颜色，煮作饮服之，止痢及霍乱。又按，别本注云：二月、三月采根曝干。味辛、苦，大热，无毒。

233 马先蒿

味苦，**平**，无毒。**主寒热鬼疰，中风湿痹，女子带下病，无子。一名马屎蒿。生**南阳**川泽**。

［陶隐居云］方云一名烂石草，主恶疮，方药亦不复用。

［唐本注云］此叶大如茺蔚，花红白色，实八月、九月熟，俗谓之虎麻是也。一名马新蒿，所在有之。茺蔚苗短小，子夏中熟。而初生二种，极相似也。

［今按］别本注云：近道处处有。三月、八月采茎叶阴干。

234 蜀羊泉

味苦，微寒，无毒。**主头秃，恶疮，热气，疥瘙痂癣虫。**疗龋齿，女子阴中内伤，皮间实积。一名羊泉，一名羊饴。**生**蜀郡**川谷**。

［陶隐居云］方药亦不复用，彼土人时有采识者。

［唐本注云］此草，俗名漆姑，叶似菊，花紫色，子类枸杞子，根如远志，无心有糁。苗主小儿惊，兼疗漆疮，生毛发。所在平泽皆有之。

［今按］别本注云：今处处有，生阴湿地。三月、四月采苗阴干之。

235　积雪草

味苦，寒，无毒。**主大热，恶疮，痈疽，浸淫赤熛，皮肤赤，身热。生**荆州川谷。

［陶隐居云］方药亦不用，想此草当寒冷尔。

［唐本注云］此草，叶圆如钱大，茎细劲蔓延，生溪涧侧。捣傅热肿丹毒，不入药用。荆楚人以叶如钱，谓为地钱草。《徐仪药图》名连钱草，生处亦稀。

［今按］陈藏器本草云：积雪草，主暴热，小儿丹毒寒热，腹内热结，捣绞汁服之。又按，别本注云：今处处有，并入药用。生阴湿地。八月、九月采苗叶，阴干。

236　恶实

味辛，平，无毒。主明目，补中，除风伤。根茎疗伤寒寒热汗出，中风面肿，消渴热中，逐水。久服轻身，耐老。生鲁山平泽。

［陶隐居云］方药不复用。

［唐本注云］鲁山在邓州东北。其草叶大如芋，子壳似栗状，实细长如茺蔚子。根主牙齿疼痛，劳疟，脚缓弱，风毒痈疽，咳嗽伤肺，肺壅，疝瘕，积血，主诸风，癥瘕，冷气。吞一枚，出痈疽头。《别录》名牛蒡，一名鼠粘草。

［今按］陈藏器本草云：恶实根蒸曝干，不尔令人欲吐，浸酒去风，又主恶疮。子名鼠粘，上有芒，能缀鼠。味苦，主风毒肿诸瘘。根可作茹食之，叶亦捣傅杖疮不脓，辟风。

237　莎草根

味甘，微寒，无毒。主除胸中热，充皮毛。久服利人，益气，长须眉。一名薃，一名候莎，其实名缇。生田野，二月、八月采。

［陶隐居云］方药亦不复用。《离骚》云：青莎杂树，繁草霍靡。古人为诗多用之，而无识者。乃有鼠蓑，疗体异此。

［唐本注云］此草，根名香附子，一名雀头香，大下气，除胸腹中热，所在有之。茎叶都似三棱，根若附子，周匝多毛，交州者最胜。大者如枣，近道者如杏仁许。荆、襄人谓之莎草根，合和香用之。

238 大、小蓟根

味甘，温。主养精保血。大蓟主女子赤白沃，安胎，止吐血、衄鼻，令人肥健。五月采 。

［陶隐居云］大蓟是虎蓟，小蓟是猫蓟，叶并多刺，相似。田野甚多，方药不复用，是贱之故。大蓟根甚疗血，亦有毒。

［唐本注云］大、小蓟，叶欲相似，功力有殊，并无毒，亦非虎、猫蓟也。大蓟生山谷，根疗痈肿；小蓟生平泽。俱能破血，小蓟不能消肿也。

［今按］陈藏器本草云：小蓟破宿血，止新血、暴下血、血痢、金疮出血、呕血等，绞取汁温服；作煎和糖合，金疮及蜘蛛蛇蝎毒，服之亦佳。

239 垣衣

味酸，无毒。主黄疸，心烦，咳逆，血气，暴热在肠胃，金疮内塞。久服补中益气，长肌，好颜色。一名昔邪，一名乌韭，一名垣嬴，一名天韭，一名鼠韭。生古垣墙阴或屋上。三月三日采，阴干。

［陶隐居云］方药不甚用，俗中少见有者。《离骚》亦有昔邪，或云即是天蒜尔。

［唐本注云］此即古墙北阴青苔衣也，其生石上者名昔邪，一名乌韭。江南少墙，陶故云少见。《本经》载之：屋上者名屋游，在下品，形并相似，为疗略同。《别录》云：主暴风口噤，金疮，酒渍服之效。

240 艾叶

味苦，微温，无毒。主灸百病，可作煎，止下痢，吐血，下部䘌疮，妇人漏血，利阴气，生肌肉，辟风寒，使人有子。一名冰台，一名医草。生田野。三月三日采，曝干。作煎勿令见风。

［陶隐居云］捣叶以灸百病，亦止伤血。汁，又杀蛔虫。苦酒煎叶，疗癣甚良。

［**唐本注云**］《别录》云：艾生寒熟热，主下血、衄血、脓血痢，水煮及丸散任用。

241　水萍

味辛、酸，**寒**，无毒。**主暴热身痒，下水气，胜酒，长须发，止消渴，**下气。以沐浴，生毛发。**久服轻身。一名水花，**一名水白，一名水苏。**生**雷泽**池泽**。三月采，曝干。

［**陶隐居云**］此是水中大萍尔，非今浮萍子。《药录》云：五月有花，白色，即非今沟渠所生者。楚王渡江所得，非斯实也。

［**唐本注云**］水萍者，有三种：大者名萍，中者曰荇，小者即水上浮萍。水中又有荇菜，亦相似，而叶圆。水上小浮萍，主火疮。

［**今按**］陈藏器本草云：水萍有三种：大者曰，叶圆，阔寸许，叶下有一点如水沫，一名芣菜。曝干，与栝楼等分，以人乳为丸，主消渴。捣绞取汁饮，主蛇咬毒入腹，亦可傅热疮。小萍子是沟渠间者，末傅面皯；捣汁服之，主水肿，利小便。又人中毒。取萍子曝干，末，酒服方寸匕；又为膏长发。《本经》云水萍，应是小者。

242　海藻

味苦、咸，**寒**，无毒。**主瘿瘤气颈下核，破散结气、痈肿、癥瘕、坚气，腹中上下鸣，下十二水肿。**疗皮间积聚暴㿉，留气热结，利小便。一名落首，一名藫。**生**东海**池泽**。七月七日采，曝干。　反甘草。

［**陶隐居云**］生海岛上，黑色如乱发而大少许，叶大都似藻叶。又有石帆，状如柏，疗石淋。又有水松，状如松，疗溪毒。

［**今按**］陈藏器本草云：此物有马尾者，大而有叶者。《本经》及注海藻功状不分。马尾藻生浅水，如短马尾，细黑色，用之当浸去咸。大叶藻生深海中及新罗，叶如水藻而大。《本经》云主结气瘿瘤是也。《尔雅》云：纶似纶，组似组，正为二藻也。海人取大叶藻，正在深海底，以绳系腰，没水下，刈得，旋系绳上。五月已后，当有大鱼伤人，不可取也。

243　昆布

味咸，寒，无毒。主十二种水肿，瘿瘤聚结气，瘘疮。生东海。

［陶隐居云］今惟出高丽。绳把索之如卷麻，作黄黑色，柔韧可食。《尔雅》云：纶似纶，组似组，东海有之。今青苔、紫菜皆似纶，此昆布亦似组，恐即是也。凡海中菜，皆疗瘿瘤结气，青苔、紫菜辈亦然。干苔性热，柔苔甚冷也。

［今按］陈藏器本草云：昆布主阴㿉，含之咽汁。生南海。叶如手大，如薄苇，紫色。

244 荭草

味咸，微寒，无毒。主消渴，去热，明目，益气。一名鸿藹。如马蓼而大，生水旁，五月采实。

［陶隐居云］此类甚多，今生下湿地，极似马蓼，甚长大。诗称隰有游龙，注云荭草。郭景纯云：即茏古也。

［今按］别本注云：此即水红也，以为汤浸疗脚气。

245 陟厘

味甘，大温，无毒。主心腹大寒，温中消谷，强胃气，止泄痢。生江南池泽。

［陶隐居云］此即南人作纸者，方家惟合断下药用之。

［唐本注云］此物，乃水中苔，今取以为纸，名苔纸，青黄色，体涩。《小品方》云：水中粗苔也。《范东阳方》云：水中石上生，如毛，绿色者。《药对》云：河中侧梨。侧梨、陟厘，声相近也。王子年《拾遗》云：张华撰《博物志》上晋武帝，嫌繁，命削之，赐华侧理纸万张。子年云：陟厘纸也，此纸以水苔为之，溪人语讹，谓之侧理也。

［今按］别本注云：此即石发也。色类似苔而粗涩为异。且水苔性冷，陟厘甘、温，明其陟厘与苔全异。池泽中石上名陟厘，浮水中者名苔尔。

246 井中苔及萍

大寒。主漆疮，热疮，水肿。井中蓝，杀野葛、巴豆诸毒。

［陶隐居云］废井中多生苔萍，及砖土间生杂草、菜蓝，即解毒，在井中者弥佳，不应复别是一种名井中蓝。井底泥至冷，亦疗汤火灼疮，井华水又服炼法用之。

247 蔛草

味甘，寒，无毒。主暴热喘息，小儿丹肿。一名蔛荣。生水旁。

［唐本注云］叶圆，似泽泻而小。花青白，亦堪啖，所在有之。

［今按］别本注云：江南人用蒸鱼，食之甚美。五月、六月采茎叶曝干。唐附

248 凫葵

味甘，冷，无毒。主消渴，去热淋，利小便。生水中，即荇菜也。一名接余。五月采。

［唐本注云］南人名猪莼，堪食。有名无用条中载也。

［今按］别本注云：即芹菜也，生水中，菜似莼，茎涩，根极长。江南人多食，云是猪莼，全为误也。猪莼与丝莼并二种，以春夏细长肥滑为丝莼，至冬短为猪莼，亦呼为龟莼。此与凫葵殊不相似也。南人捣汁服之，疗寒热也。 唐附

249 菟葵

味甘，寒，无毒。主下诸石，五淋，止虎蛇毒。

［唐本注云］苗如石龙芮，叶光泽，花白似梅，茎紫色，煮汁极滑，堪啖。《尔雅·释草》一名莃。所在平泽皆有，田间人多识之。

［今按］别本注云：蛇虎毒诸疮，捣汁饮之及涂疮，能解毒止痛。六月、七月采茎叶曝干。 唐附

250 鳢肠

味甘、酸，平，无毒。主血痢，针灸疮发，洪血不可止者，傅之立已。汁涂发眉，生速而繁。生下湿地。

［唐本注云］苗似旋蕧，一名莲子草，所在坑渠间有之。

［今按］别本注云：二月、八月采，阴干。 唐附

251 蒟酱

味辛，温，无毒。主下气温中，破痰积。生巴蜀。

［唐本注云］《蜀都赋》所谓流味于番禺者。蔓生，叶似王瓜而厚大，味辛香，实似桑椹，皮黑肉白。西戎亦时将来，细而辛烈，或谓二种。交州、爱州人云蒟酱，人家多种，蔓生，子长大，谓苗为浮留藤，取叶合槟榔食之，辛而香也。又有荜拔，丛生，子细，味辛烈于蒟酱，此当信也。

［今按］渝、泸等州出焉。 唐附

252 百脉根

味甘、苦，微寒，无毒。主下气，止渴，去热，除虚劳，补不足。酒浸若水煮丸散兼用之。出肃州、巴西。

［唐本注云］叶似苜蓿，花黄，根如远志。二月、八月采根。 唐附

253 萝摩子

味甘、辛，温，无毒。主虚劳。叶食之，功同于子。陆机云：一名芄兰，幽州谓之雀瓢。

［唐本注云］雀瓢，是女青别名，叶盖相似，以叶似女青，故兼名雀瓢。

［今按］陈藏器本草云：萝摩条中白汁，主蜘蛛、蚕咬，折取汁点疮上，此汁烂丝，煮食补益。按，陶注枸杞条云傅胛，东人呼为白环藤，生篱落间，折有白汁，一名雀瓢。此注又云雀瓢是女青，然女青终非白环，二物相似，不能分别。唐附

254 白药

味辛，温，无毒。主金疮，生肌。出原州。

［唐本注云］三月苗生，叶似苦苣。四月抽赤茎，花白，根皮黄。八月叶落，九月枝折，采根，日干。

［今按］别本注云：解野葛、生金、巴豆药毒。刀斧折伤，能止血痛，干末傅之。 唐附

255 蘹香子

味辛，平，无毒。主诸瘘，霍乱，及蛇伤。

［唐本注云］叶似老胡荽，极细，茎粗，高五六尺，丛生。

[今注] 一名茴香子，亦主膀胱、肾间冷气及盲肠气，调中止痛，呕吐。唐附

256 莳萝

味辛，温，无毒。主小儿气胀，霍乱呕逆，腹冷，食不下，两肋痞满。生佛誓国，如马芹子辛香。一名慈谋勒。 今附

257 姜黄

味辛、苦，大寒，无毒。主心腹结积、疰忤，下气破血，除风热，消痈肿，功力烈于郁金。

[唐本注云] 叶、根都似郁金，花春生于根，与苗并出。夏，花烂，无子。根有黄、青、白三色。其作之方法，与郁金同尔。西戎人谓之蒁药，其味辛少、苦多，与郁金同，惟花生异尔。 唐附

258 郁金

味辛、苦，寒，无毒。主血积，下气，生肌，止血，破恶血，血淋，尿血，金疮。

[唐本注云] 此药苗似姜黄，花白质红，末秋出茎，心无实，根黄赤，取四畔子根，去皮火干之。生蜀地及西戎，马药用之。破血而补。胡人谓之马蒁。岭南者有实似小豆蔻，不堪啖。 唐附

259 蓬莪茂

味苦、辛，温，无毒。主心腹痛，中恶疰忤鬼气，霍乱冷气，吐酸水，解毒，食饮不消，酒研服之。又疗妇人血气，丈夫贲豚。生西戎及广南诸州。子似干椹，叶似蘘荷，茂在根下，并生一好一恶，恶者有毒。西戎人取之，先放羊食，羊不食者弃之。 今附

260 京三棱

味苦，平，无毒。主老癖癥瘕结块。俗传昔人患癥癖，死遗言，令开腹取之，得病块，干硬如石，文理有五色，人谓异物，窃取削成刀柄，后因以刀刈三棱，柄

消成水，乃知此可疗癥癖也。黄色体重，状若鲫鱼而小。又有黑三棱，状似乌梅而稍大，有须相连蔓延，体轻，为疗体并同。 今附

261 延胡索

味辛，温，无毒。主破血，产后诸病因血所为者，妇人月经不调，腹中结块，崩中淋露，产后血晕，暴血冲上，因损下血，或酒摩及煮服。生奚国。根如半夏，色黄。 今附

262 阿魏

味辛，平，无毒。主杀诸小虫，去臭气，破癥积，下恶气，除邪鬼蛊毒。生西蕃及昆仑。

[唐本注云] 苗、叶、根、茎酷似白芷。捣根汁，日煎作饼者为上，截根穿曝干者为次。体性极臭，而能止臭，亦为奇物也。 唐附

263 芦荟

味苦，寒，无毒。主热风烦闷，胸膈间热气，明目镇心，小儿癫痫惊风，疗五疳，杀三虫及痔病疮瘘，解巴豆毒。一名讷会，一名奴会。俗呼为象胆，盖以其味苦如胆故也。生波斯国，似黑锡。 今附

264 青黛

味咸，寒，无毒。主解诸药毒，小儿诸热，惊痫发热，天行头痛寒热，并水研服之，并摩傅热疮恶肿，金疮下血，蛇犬等毒。从波斯国来及太原并庐陵、南康等。染淀，亦堪傅热恶肿，蛇虺螫毒。染瓮上池沫，紫碧色者，用之同青黛功。今附

265 胡黄连

味苦，平，无毒。主久痢成疳，伤寒咳嗽，温疟骨热，理腰肾，去阴汗，小儿惊痫寒热，不下食，霍乱下痢。生胡国。似干杨柳，心黑外黄。一名割孤露泽。今附

266　天麻

味辛，平，无毒。主诸风湿痹，四肢拘挛，小儿风痫惊气，利腰膝，强筋力。久服益气，轻身，长年。生郓州、利州、太山、劳山诸山，五月采根，曝干。叶如芍药而小，当中抽一茎直上如箭杆，茎端结实，状若续随子，至叶枯时，子黄熟。其根连一二十枚，犹如天门冬之类，形如黄瓜，亦如芦菔，大小不定，彼人多生啖或蒸煮食之。今多用郓州者佳。　今附

267　缩砂蜜

味辛，温，无毒。主虚劳冷泻，宿食不消，赤白泄痢，腹中虚痛下气。生南地。苗似廉姜，形如白豆蔻。其皮紧厚而皱，黄赤色，八月采。　今附

268　肉豆蔻

味辛，温，无毒。主鬼气，温中，治积冷，心腹胀痛，霍乱中恶，冷疰，呕沫冷气，消食止泄，小儿乳霍。其形圆小，皮紫紧薄，中肉辛辣。生胡国，胡名迦拘勒。　今附

269　红豆蔻

味辛，温，无毒。主肠虚水泻，心腹搅痛，霍乱呕吐酸水，解酒毒。不宜多服，令人舌粗，不思饮食。云是高良姜子，其苗如芦，叶似姜，花作穗，嫩叶卷而生，微带红色。生南海诸谷。　今附

270　白豆蔻

味辛，大温，无毒。主积冷气，止吐逆反胃，消谷上气，出伽古罗国，呼为多骨。形如芭蕉，叶似杜若，长八九尺，冬夏不凋，花浅黄色。子作朵，如葡萄，其子初出微青，熟则变白。七月采。　今附

271　茅香花

味苦，温，无毒。主中恶，温胃，止呕吐，疗心腹冷痛。苗叶可煮作浴汤，辟

邪气，令人身香。生剑南道诸州。其茎叶黑褐色，花白，即非白茅香也。 今附

272 零陵香

味甘，平，无毒。主恶气疰，心腹痛满，下气，令体香。和诸香作汤丸用之，得酒良。生零陵山谷。叶如罗勒。《南越志》名燕草，又名薰草，即香草也。《山海经》云：薰草，麻叶方茎，气如蘼芜，可以止疠，即零陵香也。 今附

273 艾纳香

味甘，温，无毒。去恶气，杀虫，主腹冷泄痢。《广志》曰：出西国，似细艾。又有松树皮绿衣，亦名艾蒳，可以和合诸香，烧之能聚其烟，青白不散，而与此不同也。 今附

274 甘松香

味甘，温，无毒。主恶气，卒心腹痛满，兼用合诸香。丛生，叶细，《广志》云：甘松香出姑藏。 今附

275 荜拨

味辛，大温，无毒。主温中下气，补腰脚，杀腥气，消食，除胃冷，阴疝，痃癖。其根名荜拨没，主五劳七伤，阴汗核肿。生波斯国。此药丛生，茎叶似蒟酱，子紧细，味辛烈于蒟酱。 今附

276 荜澄茄

味辛，温，无毒。主下气消食，皮肤风，心腹间气胀，令人能食。疗鬼气，能染发及香身。生佛誓国，似梧桐子及蔓荆子微大，亦名毗陵茄子。 今附

277 补骨脂

味辛，大温，无毒。主五劳七伤，风虚冷，骨髓伤败，肾冷精流，及妇人血气堕胎。一名破故纸。生广南诸州及波斯国。树高三四尺，叶小似薄荷。其舶上来者最佳。 今附

278　使君子

味甘，温，无毒。主小儿五疳，小便白浊，杀虫，疗泻痢。生交、广等州。形如枝子，棱瓣深而两头尖，亦似诃梨勒而轻。俗传始因潘州郭使君疗小儿多是独用此物，后来医家因号为使君子也。　今附

279　密蒙花

味甘，平、微寒，无毒。主青盲肤翳，赤涩多眵泪，消目中赤脉，小儿麸豆及疳气攻眼。生益州川谷。树高丈余，叶似冬青叶而厚，背色白，有细毛。二月、三月采花。　今附

280　伏牛花

味苦、甘，平，无毒。疗久风湿痹，四肢拘挛，骨肉疼痛。作汤，主风眩头痛，五痔下血。一名隔虎刺花。花黄色。生蜀地，所在皆有。三月采。　今附

281　陀得花

味甘，温，无毒。主一切风血，浸酒服。生西国，胡人将来。胡人采此花以酿酒，呼为三勒浆。　今附

282　红蓝花

味辛，温，无毒。主产后血运口噤，腹内恶血不尽、绞痛，胎死腹中，并酒煮服。亦主蛊毒下血，堪作燕脂。其苗生捣碎，傅游肿。其子吞数颗，主天行疮子不出。其燕脂，主小儿聤耳，滴耳中。生梁汉及西域。一名黄蓝。《博物志》云：黄蓝，张骞所得，今仓魏地亦种之。　今附

草部下品之上　卷第十

283　大黄将军

味苦，寒、大寒，无毒。**主下瘀血，血闭，寒热，破癥瘕积聚，留饮宿食，荡涤肠胃，推陈致新，通利水谷，调中化食，安和五脏**，平胃下气，除痰实，肠间结热，心腹胀满，女子寒血闭胀，小腹痛，诸老血留结。一名黄良。**生**河西**山谷**及陇西。二月、八月采根，火干。　得芍药、黄芩、牡蛎、细辛、茯苓疗惊恚怒，心下悸气。得消石、紫石英、桃仁疗女子血闭。黄芩为之使，无所畏。

［陶隐居云］今采益州北部汶山及西山者，虽非河西、陇西，好者犹作紫地锦色，味甚苦涩，色至浓黑。西川阴干者胜。北部日干，亦有火干者，皮小焦不如，而耐蛀堪久。此药至劲利，粗者便不中服，最为俗方所重。道家时用以去痰疾，非养性所须也。将军之号，当取其骏快矣。

［唐本注云］大黄性湿润，而易坏蛀，火干乃佳。二月、八月日不烈，恐不时燥，即不堪矣。叶、子、茎并似羊蹄，但粗长而厚，其根细者，亦似宿羊蹄，大者乃如碗，长二尺。作时烧石使热，横寸截著石上煿之，一日微燥，乃绳穿晾之，至干为佳。幽、并已北渐细。气力不如蜀中者。今出宕州、凉州、西羌、蜀地皆有。其茎味酸，堪生啖，亦以解热，多食不利人。陶称蜀地者不及陇西，误矣。

［今按］陈藏器本草云：大黄用之，当分别其力。老取和厚深沉能攻病者，可用蜀中似牛舌片紧硬者；若取泻泄骏快、推陈去热，当取河西锦纹者。凡有蒸有生有熟，不得一概用之。

284　桔梗

味辛、苦，**微温**，有小毒。**主胸胁痛如刀刺，腹满，肠鸣幽幽，惊恐悸气。**利五脏肠胃，补血气，除寒热风痹，温中消谷，疗喉咽痛，下蛊毒。一名利如，一名房图，一名白药，一名梗草，一名荠苨。**生**嵩高**山谷**及宛朐。二月、八月采根，曝干。　节皮为之使。得牡蛎、远志疗恚怒，得消石、石膏疗伤寒。畏白及、龙眼、龙胆。

［陶隐居云］近道处处有，叶名隐忍。二、三月生，可煮食之。桔梗疗蛊毒甚验。俗方用此，乃名荠苨，今别有荠苨，能解药毒，所谓乱人参者便是，非此桔梗，而叶甚相似。但荠苨叶下光明、滑泽、无毛为异，叶生又不如人参相对者尔。

［唐本注云］人参，苗似五加阔短，茎圆，有三四桠，桠头有五叶。陶引荠苨乱人参，谬矣。且荠苨、桔梗，又有叶差互者，亦有叶三四对者，皆一茎直上，叶既相乱，惟以根有心、无心为别尔。

285　甘遂

味苦、甘，**寒**、大寒，有毒。**主大腹疝瘕，腹满，面目浮肿，留饮宿食，破癥坚积聚，利水谷道**，下五水，散膀胱留热，皮中痞，热气肿满。**一名主田**，一名甘藁，一名陵藁，一名凌泽，一名重泽。**生**中山**川谷**。二月采根，阴干。　瓜蒂为之使，恶远志，反甘草 。

［陶隐居云］中山在代郡。先第一本出太山，江东比来用京口者，太不相似。赤皮者胜，白皮都下亦有，名草甘遂，殊恶，盖谓赝伪草耳，非言草石之草也。

［唐本注云］所谓草甘遂者，乃蚤休也，疗体全别。真甘遂苗似泽漆，草甘遂苗一茎，茎端六七叶，如蓖麻、鬼臼叶等。生食一升，亦不能利，大疗痈疽蛇毒。且真甘遂皆以皮赤肉白，作连珠实重者良。亦无皮白者，皮白乃是蚤休，俗名重台也。

286　葶苈

味辛、苦，寒、大寒，无毒。**主癥瘕积聚结气，饮食寒热，破坚逐邪，通利水道**，下膀胱水，腹留热气，皮间邪水上出，面目浮肿，身暴中风热痱痒，利小腹。久服令人虚。**一名大室，一名大适**，一名丁历，一名革蒿。**生**藁城**平泽**及田野。立夏后采实，阴干。　得酒良，榆皮为之使，恶僵蚕、石龙芮。

［陶隐居云］出彭城者最胜，今近道亦有。母即公荠，子细黄至苦，用之当熬也。

［今按］此药亦疗肺壅上气咳嗽，定喘促，除胸中痰饮。

287　芫花

味辛、苦，**温**、微温，有小毒。**主咳逆上气，喉鸣喘，咽肿，短气，蛊毒，鬼疟，疝瘕，痈肿，杀虫鱼**，消胸中痰水，喜唾，水肿，五水在五脏皮肤，及腰痛，下寒毒、肉毒。久服令人虚。**一名去水**，一名毒鱼，一名杜芫。其根名蜀桑根，疗疥疮，可用毒鱼。**生**淮源**川谷**。三月三日采花，阴干。　决明子为之使，反甘草。

［陶隐居云］近道处处有，用之微熬，不可近眼。

288　泽漆

味苦、辛，**微寒**，无毒。**主皮肤热，大腹水气，四肢面目浮肿，丈夫阴气不足。**利大小肠，明目，轻身。一名漆茎，大戟苗也。**生**太山**川泽**。三月三日、七月七日采茎叶，阴干。　小豆为之使，恶薯蓣。

［陶隐居云］此是大戟苗，生时摘叶有白汁，故名泽漆，亦能啮人肉。

289　大戟

味苦，甘，**寒**、大寒，有小毒。**主蛊毒，十二水，腹满急痛，积聚，中风，皮肤疼痛，吐逆。**颈腋痈肿，头痛，发汗，利大小肠。**一名邛钜。**生常山。十二月采根，阴干。　反甘草，畏菖蒲、芦草、鼠屎。

［陶隐居云］近道处处有，至猥贱也。

290　荛华

味苦、辛，**寒**、微寒，有毒。**主伤寒，温疟，下十二水，破积聚，大坚，癥瘕，荡涤肠胃中留癖饮食，寒热邪气，利水道。**疗痰饮咳嗽。**生**咸阳**川谷**及河南中牟。六月采花，阴干。

［陶隐居云］中牟者，平时惟从河上来，形似芫花而极细，白色。比来隔绝，殆不可得。

［唐本注云］此药苗似胡荽，茎无刺，花细黄色，四月、五月收，与芫花全不相似也。

291 旋覆花

味咸、甘，**温**、微温，冷利，有小毒。**主结气胁下满，惊悸，除水，去五脏间寒热，补中下气。**消胸上痰结，唾如胶漆，心胁痰水，膀胱留饮，风气湿痹，皮间死肉，目中眵𥌒，利大肠，通血脉，益色泽。**一名金沸草，一名盛椹**，一名戴椹。其根主风湿。**生**平泽**川谷**。五月采花，日干，二十日成。

［**陶隐居云**］出近道下湿地，似菊花而大。又别有旋葍根，出河南来，北国亦有，形似芎䓖，唯合旋覆膏用之，余无所入也，非此旋覆花根也。

［**唐本注云**］旋覆根在上品，陶云：苗似姜，根似高良姜而细，证是旋覆根。今复道从北国来，似芎䓖，与高良姜全无仿佛尔。

292 钩吻

味辛，温，有大毒。**主金创乳痓，中恶风，咳逆上气，水肿，杀鬼疰蛊毒。**破癥积，除脚膝痹痛，四肢拘挛，恶疮疥虫，杀鸟兽。**一名野葛。**折之青烟出者名固活。甚热，不入汤。**生**傅高**山谷**及会稽东野。秦钩吻，味辛。疗喉痹，咽中塞，声变，咳逆气，温中。一名除辛，一名毒根。生寒石山。二月、八月采。 半夏为之使，恶黄芩。

［**陶隐居云**］五符中亦云，钩吻是野葛，言其入口能钩人喉吻，或言吻作挽字，牵挽人腹而绝之。核事而言，乃是两物。野葛是根，状如牡丹，所生处亦有毒，飞鸟不得集之，今人用合膏服之无嫌。钩吻别是一草，叶似黄精而茎紫，当心抽花，黄色，初生即极类黄精，故以为杀生之对也。或云钩吻是毛茛，此《本经》及后说皆参错不同，未详定云何？又有一物名阴命，赤色，着木悬其子，生山海中，最有大毒，入口即杀人。

［**唐本注云**］野葛生桂州以南，村墟闾巷间皆有，彼人通名钩吻，亦谓苗名钩吻，根名野葛。蔓生。人自求死者，取一二叶手挼使汁出，掬水饮，半日即死，而羊食其苗大肥。物有相伏如此，若巴豆鼠食则肥也。陶云飞鸟不得集之，妄矣，其野葛以时新采者，皮白骨黄，宿根似地骨，嫩根如汉中防己，皮节断者良。正与白花藤根相类，不深别者，颇亦惑之。其新取者，折之无尘气，经年以后，则有尘起，根骨似枸杞，有细孔，久者折之，则尘气从孔中出，令折枸杞根亦然。《经》言折之青烟出者名固活为良，此亦不达之言也。且黄精直生，如龙胆、泽漆，两叶或四五叶相对；钩吻蔓生，叶如柳叶。《博物志》云：钩吻叶似凫葵，并非黄精之

类。毛茛是有毛，石龙芮何干钩吻？秦中遍访元无物，乃文外浪说耳。

293　藜芦

味辛、苦，**寒**、微寒，有毒。**主蛊毒，咳逆，泄痢，肠澼，头疡，疥瘙，恶疮，杀诸虫毒，去死肌。**疗哕逆，喉痹不通，鼻中息肉，马刀，烂疮，不入汤。**一名葱苒**，一名葱菼，一名山葱。**生太山山谷**。二月采根，阴干。　黄连为之使，反细辛、芍药、五参，恶大黄。

［陶隐居云］近道处处有。根下极似葱而多毛。用之止剔取根，微炙之。

**294　**䓘魁

味甘，平，无毒。主心腹积聚，除三虫。生山谷。二月采。

［陶隐居云］状如小芋子，肉白皮黄，近道亦有。

［唐本注云］䓘魁，大者如斗，小者如升，叶似杜衡，蔓生草木上，有小毒。陶所说者，乃土卵尔，不堪药用。梁、汉人名为黄独，蒸食之，非䓘魁也。

**295　**及已

味苦，平，有毒。主诸恶疮，疥痂，瘘蚀，及牛马诸疮。

［陶隐居云］今人多用以合疗疥膏，甚验也。

［唐本注云］此草一茎，茎头四叶，叶隙着白花，好生山谷阴虚软地，根似细辛而黑，有毒，入口使人吐，而今以当杜衡非也。疥瘙必须用之。

296　乌头

味辛、甘，**温**、大热，有大毒。**主中风，恶风，洗洗出汗，除寒湿痹，咳逆上气，破积聚寒热，**消胸上痰冷，食不下，心腹冷疾，脐间痛，肩胛痛不可俯仰，目中痛不可力视，又堕胎。**其汁煎之名射罔，杀禽兽。**射罔，味苦，有大毒。疗尸疰癥坚，及头中风痹痛。**一名奚毒，一名即子，一名乌喙。**乌喙，味辛，微温，有大毒。主风湿，丈夫肾湿，阴囊痒，寒热历节，掣引腰痛，不能步行，痈肿脓结。又堕胎。**生朗陵川谷**。正月、二月采，阴干。长三寸以上为天雄。　莽草为之使，反半夏、栝楼、贝母、白蔹、白及，恶藜芦。

［陶隐居云］今采用四月，乌头与附子同根，春时茎初生有脑形似乌鸟之头，

故谓之乌头；有两歧共蒂，状如牛角，名乌喙，喙即乌之口也。亦以八月采，捣榨茎取汁，日煎为射罔，猎人以傅箭射禽兽，中人亦死，宜速解之。

［唐本注云］ 乌喙，即乌头异名也。此物同苗或有三歧者，然两歧者少。纵天雄、附子有两歧者，仍依本名。如乌头有两歧，即名乌喙；天雄、附子若有两歧者，复云何名之？

297　天雄

味辛、甘，**温**、大温，有大毒。**主大风，寒湿痹，历节痛，拘挛缓急，破积聚，邪气，金创，强筋骨，轻身，健行。**疗头面风去来疼痛，心腹结积，关节重，不能行步，除骨间痛，长阴气，强志令人武勇，力作不倦。又堕胎。**一名白幕。生**少室**山谷**。二月采根，阴干。　远志为之使，恶腐婢。

［陶隐居云］ 今采用八月中旬。天雄似附子，细而长者便是，长者乃至三四寸许，此与乌头、附子三种，本并出建平，谓为三建。今宜都佷山最好，谓为西建。钱塘间者，谓为东建，气力劣弱，不相似，故曰西水犹胜东白也。其用灰杀之时，有冰强者并不佳。

［唐本注云］ 天雄、附子、乌头等，并以蜀道绵州、龙州出者佳。余处纵有造得者，气力劣弱，都不相似。江南来者，全不堪用。陶以三物俱出建平故名之，非也。按，《国语》寘堇于肉，注云乌头也。《尔雅》云：芨，堇草。郭注云：乌头苗也，此物本出蜀汉，其本名堇，今讹为建，遂以建平释之。又石龙芮叶似堇草，故名水堇。今复说为水茛，亦作建音，此岂复生建平耶？检字书又无茛字，甄立言《本草音义》亦论之。天雄、附子、侧子并同用八月采造，其乌头四月上旬，今云二月采，恐非时也。

298　附子

味辛、甘，**温**、大热，有大毒。**主风寒咳逆，邪气，温中，金创，破癥坚积聚，血瘕，寒湿踒躄，拘挛膝痛，不能行走。**疗脚疼冷弱，腰脊风寒，心腹冷痛，霍乱转筋，下痢赤白，坚肌骨，强阴。又堕胎，为百药长。**生犍为山谷**及广汉。八月采为附子。春采为乌头。　地胆为之使，恶蜈蚣，畏防风、黑豆、甘草、黄芪、人参、乌韭。

［陶隐居云］ 附子以八月上旬采也，八角者良。凡用三建，皆热灰炮令拆，勿过焦，惟姜附汤生用之。俗方动用附子，皆须甘草，或人参、干姜相配者，正以制

其毒故也。

［今按］陈藏器本草云：附子醋浸，削如小指，内耳中，去聋。去皮炮令拆，以蜜涂上炙之，令蜜入内，含之，勿咽其汁，主喉痹。

299 侧子

味辛，大热，有大毒。主痈肿，风痹历节，腰脚疼冷，寒热鼠瘘。又堕胎。

［陶隐居云］此即附子边角之大者，脱取之，昔时不用，比来医家以疗脚气多验。凡此三建，俗中乃是同根，而《本经》分生三处，当各有所宜故也。方云：少室天雄，朗陵乌头，皆称本土，今则无别矣。少室山连嵩高，朗陵县属豫州，汝南郡今在北国。

［唐本注云］侧子，只是乌头下共附子、天雄同生，小者侧子，与附子皆非正生，谓从乌头旁出也。以小者为侧子，大者为附子。今称附子角为侧子，理必不然。若当阳已下，江左及山南嵩高、齐、鲁间，附子时复有角如大豆许。夔州已上剑南所出者，附子之角曾微黍粟，持此为用，诚亦难充。比来京下，皆用细附子有效，未尝取角，若然，方须八角附子，应言八角侧子，言取角用，不近人情也。

300 **羊踯躅**

味辛，温，有大毒。**主贼风在皮肤中淫痛，温疟，恶毒，诸痹**，邪气，鬼疰，蛊毒。一名玉支。**生**太行**山谷**及淮南山。三月采花，阴干。

［陶隐居云］今近道诸山皆有之。花黄似鹿葱，羊误食其叶，踯躅而死，故以为名。不可近眼。

［唐本注云］玉支，踯躅一名。陶于枝子注中云：是踯躅，子名玉支，非也。花亦不似鹿葱，正似旋覆花黄色也。

［今注］其苗树生，高三四尺，叶似桃叶，花似山石榴。

301 茵芋

味苦，温、微温，有毒。**主五脏邪气，心腹寒热，羸瘦，如疟状，发作有时，诸关节风湿痹痛。**疗久风湿走四肢，脚弱。一名芫草，一名卑共。**生**太山**川谷**。三月三日采叶，阴干。

［陶隐居云］好者出彭城，今近道亦有。茎叶状如莽草而细软耳，取用之皆连

细茎。方用甚稀，惟以合疗风酒散用之。

302　射干

味苦，平、微温，有毒。**主咳逆上气，喉痹咽痛，不得消息，散结气，腹中邪逆，食饮大热。**疗老血在心肝脾间，咳唾、言语气臭，散胸中热气。久服令人虚。**一名乌扇，一名乌蒲**，一名乌翣，一名乌吹，一名草姜。**生**南阳**川谷**，生田野。三月三日采根，阴干。

［**陶隐居云**］此即是乌翣根，庭坛多种之，黄色，亦疗毒肿。方多作夜干字，今射亦作夜音，乃言其叶是鸢尾，而复有鸢头，此盖相似尔，恐非。乌翣，即其叶名矣。又别有射干，相似而花白茎长，似射人之执竿者。故阮公诗云：射干临增城。此不入药用，根亦无块，惟有其质。

［**唐本注云**］射干，此说者是。其鸢尾，叶都似夜干，而花紫碧色，不抽高茎，根似高良姜而肉白，根即鸢头也。陶说由跋，都论此耳。

303　鸢尾

味苦，平，有毒。**主蛊毒，邪气，鬼疰诸毒，破癥瘕积聚、大水，下三虫。**疗头眩，杀鬼魅。一名乌园。**生**九嶷**山谷**。五月采。

［**陶隐居云**］方家皆云，是夜干苗，无鸢尾之名，主疗亦异。此当别一种物，方亦有用。鸢头者即应是其根，疗体相似，而本草不显之。

［**唐本注云**］此草叶似夜干而阔短，不抽长茎，花紫碧色，根似高良姜，皮黄肉白，有小毒，嚼之戟人咽喉，与夜干全别。人家亦种，所在有之。夜干花红，抽茎长，根黄有白。今陶云由跋，正说鸢尾根茎也。

304　贯众

味苦，微寒，有毒。**主腹中邪热气，诸毒，杀三虫**，去寸白，破癥瘕，除头风，止金创。花，疗恶疮，令人泄。**一名贯节，一名贯渠，一名百头，一名虎卷，一名扁苻**，一名伯萍，一名乐藻，此谓草鸱头。**生**玄山**山谷**及宛朐，又少室。二月、八月采根，阴干。　雚菌为之使。

［**陶隐居云**］近道亦有，叶如大蕨，其根形、色、毛芒全似老鸱头，故呼为草鸱头也。

305　半夏

味辛，平、生微寒、熟温，有毒。**主伤寒寒热，心下坚，下气，喉咽肿痛，头眩，胸胀，咳逆，肠鸣，止汗。**消心腹胸中膈痰热满结，咳嗽上气，心下急痛坚痞，时气呕逆，消痈肿，胎堕，疗痿黄，悦泽面目。生令人吐，熟令人下。用之汤洗令滑尽。**一名地文，一名水玉**，一名守田，一名示姑。**生槐里川谷**。五月、八月采根，曝干。　射干为之使，恶皂荚，畏雄黄、生姜、干姜、秦皮、龟甲，反乌头。

［陶隐居云］槐里属扶风。今第一出青州，吴中亦有，以肉白者为佳，不厌陈久，用之皆汤洗十许过，令滑尽，不尔戟人咽喉。方中有半夏必须生姜者，亦以制其毒故也。

［唐本注云］半夏所在皆有，生泽中者，名羊眼半夏，圆白为胜。然江南者，大乃径寸，南人特重之。顷来互相用，功状殊异。问南人说：苗，乃是由跋。陶注云：虎掌极似半夏，注由跋，乃说鸢尾，于此注中，似说由跋。三事混淆，陶竟不识。

306　由跋根

主毒肿结热。

［陶隐居云］本出始兴，今都下亦种之。状如乌翣而布地，花紫色，根似附子，苦酒摩涂肿，亦效，不入余药。

［唐本注云］由跋根，寻陶所注，乃是鸢尾根，即鸢头也。由跋，今南人以为半夏，顿尔乖越。非惟不识半夏，亦不知由跋与鸢尾也。

［今按］陈藏器本草云：半夏，高一二尺，生泽中熟地，根如小指正圆，所谓羊眼半夏也。由跋，苗高一二尺，似苣蒻即蒟蒻，根如鸡卵，生林下，所谓由跋也。

307　虎掌

味苦，温、微寒，有大毒。**主心痛，寒热结气，积聚伏梁，伤筋痿拘缓，利水道**，除阴下湿，风眩。**生汉中山谷**及宛朐。二月、八月采，阴干。　蜀漆为之使，恶莽草。

［陶隐居云］近道亦有，极似半夏，但皆大，四边有子如虎掌。今用多破之，或三四片耳，方药亦不正用也。

[**唐本注云**] 此药，是由跋宿者，其苗一茎，茎头一叶，枝丫夹茎。根大者如拳，小者若卵，都似扁柿，四畔有圆牙，看如虎掌，故有此名。其由跋是新根，犹大于半夏二三倍，但四畔无子牙耳。陶云虎掌似半夏，即由跋，以由跋为半夏，释由跋苗全说鸢尾，南人至今犹用由跋为半夏也。

308 莨菪子

味苦、甘，**寒**，有毒。**主齿痛出虫，肉痹拘急，使人健行见鬼。**疗颠狂风痫，颠倒拘挛。**多食令人狂走。久服轻身，走及奔马，强志，益力，通神。**一名横唐，**一名行唐。生**海滨**川谷**及雍州。五月采子。

[**陶隐居云**] 今处处有。子形颇似五味核而极小。惟入疗癫狂方用，寻此乃不可多食过剂耳。久服自无嫌，通神健行，足为大益，而《仙经》不见用之，今方家多作狼蓎也。

[**今按**] 陈藏器本草云：莨菪子，主痃癖，安心定志，聪明耳目，除邪逐风变白。性温不寒，取子洗曝干，隔日空腹水下一指捻，勿令子破，破即令人发狂。亦用小便浸之，令泣，小便尽曝干，依前服之。

309 蜀漆

味辛，平、微温，有毒。**主疟及咳逆寒热，腹中癥坚，痞结，积聚，邪气，蛊毒，鬼疰。**疗胸中邪结气吐出之。**生**江林山**川谷**，生蜀汉中，恒山苗也。五月采叶，阴干。　栝楼为之使，恶贯众。

[**陶隐居云**] 犹是恒山苗，而所出又异者，江林山即益州江阳山名，故是同处尔。彼人采，仍萦结作丸，得时燥者，佳矣。

[**唐本注云**] 此草日干，微萎则把束曝使燥，色青白堪用，若阴干便黑烂郁坏矣。陶云作丸此乃捺饼，非蜀漆也。

310 常山

味苦、辛，**寒**、微寒，有毒。**主伤寒寒热，热发温疟，鬼毒，胸中痰结吐逆。**疗鬼蛊往来，水胀，洒洒恶寒，鼠瘘。**一名互草。生**益州**川谷**及汉中。八月采根，阴干。　畏玉札。

[**陶隐居云**] 出宜都、建平，细实黄者，呼为乌骨恒山，用最胜。

［唐本注云］恒山叶似茗，狭长，茎圆，两叶相当。三月生白花，青萼。五月结实，青圆。三子为房。生山谷间，高者不过三四尺。

311　青葙子

味苦，微寒，无毒。**主邪气，皮肤中热，风瘙身痒，杀三虫。**恶疮、疥虱、痔蚀，下部䘌疮。**其子名草决明，疗唇口青。一名草蒿，一名萋蒿。**生平谷道旁。三月采茎叶，阴干。五月、六月采子。

［陶隐居云］处处有。似麦栅花，其子甚细。后又有草蒿，别本亦作草藁。今主疗殊相类，形名又相似极多，足为疑，而实两种也。

［唐本注云］此草，苗高尺许，叶细软，花紫白色，实作角，子黑而扁光，似苋实而大，生下湿地，四月、五月采。荆襄人名为昆仑草，捣汁单服，大疗温疠、甘䘌。

312　牙子

味苦、酸，**寒，**有毒。**主邪气热气，疥瘙恶疡疮痔，去白虫。一名狼牙，**一名狼齿，一名狼子，一名犬牙。**生**淮南**川谷**及宛朐。八月采根，曝干。中湿腐烂生衣者，杀人。　芜荑为之使，恶地榆、枣肌。

［陶隐居云］近道处处有，其根牙亦似兽之牙齿也。

313　白蔹

味苦、甘，**平、微寒，**无毒。**主痈肿疽疮，散结气，止痛，除热，目中赤，小儿惊痫，温疟，女子阴中肿痛，**下赤白，杀火毒。**一名兔核，一名白草，**一名白根，一名昆仑。**生**衡山**山谷**。二月、八月采根，曝干。　代赭为之使，反乌头。

［陶隐居云］近道处处有之，作藤生，根如白芷，破片以竹穿之，日干。生取根捣，敷痈肿亦效。

［唐本注云］此根，似天门冬，一株下有十许根，皮赤黑，肉白，如芍药，殊不似白芷。

314　白及

味苦、辛，**平、**微寒，无毒。**主痈肿，恶疮，败疽，伤阴，死肌，胃中邪气，**

贼风鬼击，痱缓不收。除白癣、疥虫。**一名甘根，一名连及草。生**北山**川谷**，又宛朐及越山。 紫石英为之使，恶理石，畏李核、杏仁。

[陶隐居云] 近道处处有之。叶似杜若，根形似菱米，节间有毛。方用亦希，可以作糊。

[唐本注云] 此物，山野人患手足皲折，嚼以涂之有效。

315 蛇全

味苦，微寒，无毒。**主惊痫，寒热，邪气，金疮，疽痔，鼠瘘，恶疮，头疡。**疗心腹邪气，腹痛，湿痹，养胎，利小儿。**一名蛇衔。生**益州**山谷**。八月采，阴干。

[陶隐居云] 即是蛇衔。蛇衔有两种，并生石上。当用细叶黄花者，处处有之。亦生黄土地，不必皆生石上也。

[唐本注云] 全字乃是合字，陶见误本，宜改为含。含、衔义同，见古本草也。

[今按] 陈藏器本草云：蛇衔，主蛇咬，种之亦令无蛇。今以草内蛇口中，纵伤人，亦不能有毒矣。

316 草蒿

味苦，寒，无毒。**主疥瘙痂痒恶疮，杀虱，留热在骨节间，明目。一名青蒿，一名方溃。生**华阴**川泽**。

[陶隐居云] 处处有之，即今青蒿，人亦取杂香菜食之。

[唐本注云] 此蒿，生挼敷金疮，大止血、生肉，止疼痛良。

[今按] 陈藏器本草云：草蒿主鬼气尸疰伏连，妇人血气腹内满，及冷热久痢。秋冬用子，春夏用苗，并捣绞汁服，亦曝干为末，小便冲服。如觉冷，用酒煮。又烧为灰，纸八九重，淋取汁，和石灰。去息肉黡子。

317 藋菌

味咸、甘，**平、**微温，有小毒。**主心痛，温中，去长虫、白癣、蛲虫，蛇螫毒，癥瘕诸虫，**疽蜗，去蛔虫、寸白，恶疮。**一名藋芦。生**东海**池泽**及渤海章武。八月采，阴干。 得酒良，畏鸡子。

[陶隐居云] 出北来，此亦无有，形状似菌。云鹳屎所化生，一名鹳菌。单末之、猪肉臛和食，可以遣蛔虫。

[唐本注云] 雚菌，今出渤海芦苇泽中，咸卤地自然有此菌尔，亦非是鹳屎所化生也。其菌色白轻虚，表里相似，与众菌不同，疗蛔虫有效。

草部下品之下　卷第十一

318　连翘

味苦，平，无毒。**主寒热，鼠瘘，瘰疬，痈肿，恶疮，瘿瘤，结热，蛊毒。**去白虫。**一名异翘，一名兰华，一名折根，一名轵，一名三廉。生**太山**山谷**。八月采，阴干。

［陶隐居云］处处有，今用茎连花实也。

［唐本注云］此物有两种：大翘，小翘。大翘叶狭长如水苏，花黄可爱，生下湿地，著子似椿实之未开者，作房，翘出众草。其小翘生岗原之上，叶花实皆似大翘而小细，山南人并用之。今京下惟用大翘子，不用茎花也。

319　白头翁

味苦，温，无毒、有毒。**主温疟狂易寒热，癥瘕积聚，瘿气，逐血，止痛，疗金疮，**鼻衄。**一名野丈人，一名胡王使者，**一名奈何草。**生**嵩山**山谷**及田野。四月采。

［陶隐居云］处处有。近根处有白茸，状似人白头，故以为名。方用亦疗毒痢。

［唐本注云］其叶似芍药而大，抽一茎。茎头一花，紫色，似木堇花。实，大者如鸡子，白毛寸余，皆披下似纛头，正似白头老翁，故名焉。今言近根有白茸，陶似不识。太常所贮蔓生者，乃是女萎。其白头翁根，甚疗毒痢，似续断而扁。

［今按］别本注云：今处处有。其苗有风则静，无风而摇，与赤箭、独活同也。又今验此草丛生，状如白薇而柔细稍长，叶生茎头如杏叶，上有细白毛，近根者有白茸。旧《经》陶注则未述其茎叶，唐注又云叶似芍药，实大如鸡子，白毛

寸余，此皆误矣。

320 䕡茹

味辛、酸，**寒**、微寒，有小毒。**主蚀恶肉败疮死肌，杀疥虫，排脓恶血，除大风热气，善忘不乐。**去热痹，破癥瘕，除息肉。一名屈据，一名离娄。**生**代郡**川谷**。五月采根，阴干。黑头者良。　甘草为之使，恶麦门冬。

［陶隐居云］今第一出高丽，色黄。初断时汁出凝黑如漆，故云漆头。次出近道，名草䕡茹，色白，皆烧铁烁头令黑，以当漆头，非真也。叶似大戟，花黄，二月便生。根亦疗疮。

321 苦芙

微寒。主面目通身漆疮。

［陶隐居云］处处有之，伧人取茎生食之。五月五日采，曝干，烧作灰，以疗金疮，甚验。

［唐本注云］今人以为漏芦，非也。

322 羊桃

味苦，寒，有毒。**主熛热，身暴赤色，风水积聚，恶疡，除小儿热。**去五脏五水，大腹，利小便，益气，可作浴汤。**一名鬼桃，一名羊肠**，一名苌楚，一名御弋，一名铫弋。**生**山林**川谷**及生田野。二月采，阴干。

［陶隐居云］山野多有，甚似家桃，又非山桃。子小细，苦不堪啖，花甚赤。《诗》云隰有苌楚者，即此也。方药亦不复用。

［唐本注云］此物，多生沟渠隍堑之间，人取煮以洗风痒及诸疮肿，极效。剑南人名细子根也。

323 羊蹄

味苦，寒，无毒。**主头秃疥瘙，除热，女子阴蚀。**浸淫，疽痔，杀虫。**一名东方宿，一名连虫陆，一名鬼目**，一名蓄。**生**陈留**川泽**。

［陶隐居云］今人呼名秃菜，即是蓄音之讹。《诗》云：言采其蓄。又一种极相似而味酸，呼为酸模，根亦疗疥也。

［唐本注云］实，味苦、涩，平，无毒。主赤白杂痢。根，味辛、苦，有小毒。《万毕方》云：疗虫毒，今山野平泽处处有之。

324 鹿藿

味苦，平，无毒。**主蛊毒，女子腰腹痛不乐，肠痈，瘰疬，疡气。生**汶山**山谷**。

［陶隐居云］药方不复用，人亦罕识。葛根之苗，又一名鹿藿。

［唐本注云］此草，所在有之，苗似豌豆，有蔓而长大，人取以为菜，亦微有豆气，名为鹿豆也。

325 牛扁

味苦，微寒，无毒。**主身皮疮热气，可作浴汤。杀牛虱小虫，又疗牛病。生**桂阳**川谷**。

［陶隐居云］今人不复识此，牛疫代代不无用之。既要牛医家应用，而亦无知者。

［唐本注云］此药，似三堇、石龙芮等，根如秦艽而细。生平泽下湿地，田野人名为牛扁。疗牛虱甚效。太常贮名扁特，或名扁毒。

326 陆英

味苦，寒，无毒。**主骨间诸痹，四肢拘挛疼酸，膝寒痛，阴痿，短气不足，脚肿。生**熊耳**川谷**及冤句。立秋采。

［唐本注云］此即蒴藋是也。后人不识，浪出蒴藋条。此叶似芹及接骨花，亦一类。故芹名水英，此名陆英，接骨树名木英，此三英也，花叶并相似。

327 蒴藋

味酸，温，有毒。主风瘙瘾疹，身痒，湿痹，可作浴汤。一名堇草，一名芨。生田野。春夏采叶，秋冬采茎、根。

［陶隐居云］田野墟村中甚多，绝疗风痹痒痛，多用薄洗，不堪入服，亦有酒渍根，稍饮之者。

［唐本注云］此陆英也，剩出此条。《尔雅》云：芨，堇草。郭注云：乌头苗也。检三堇别名，又无此者。蜀人谓乌头苗为堇草。陶引此条，不知所出处。《药

对》及古方无蒴藋，惟言陆英也。

[今注] 蒴藋条，唐本编在狼跋子之后，而与陆英条注解，并云剩出一条。今详陆英味苦，寒，无毒。蒴藋味酸，温，有毒。既此不同，难谓一种，盖其类尔。今但移附陆英之下。

328 荩草

味苦，平，无毒。**主久咳上气喘逆，久寒惊悸，痂疥白秃疡气，杀皮肤小虫。**可以染黄作金色。**生**青衣**川谷**。九月、十月采。 畏鼠妇。

[**陶隐居云**] 青衣在益州西。

[**唐本注云**] 此草叶似竹而细薄，茎亦圆小。生平泽溪涧之侧，荆襄人煮以染黄，色极鲜好。洗疮有效。俗名绿蓐草。《尔雅》云所谓王刍者也。

329 夏枯草

味苦、辛，寒，无毒。**主寒热，瘰疬，鼠瘘，头疮，破癥，散瘿结气，脚肿湿痹，轻身。一名夕句，一名乃东，**一名燕面。**生**蜀郡**川谷**。四月采。 土瓜为之使。

[**唐本注云**] 此草，生平泽，叶似旋覆，首春即生，四月穗出，其花紫白似丹参花，五月便枯。处处有之。

330 乌韭

味甘，寒，无毒。**主皮肤往来寒热，利小肠膀胱气。**疗黄疸，金疮内塞，补中益气，好颜色。**生山谷**石上。

[**陶隐居云**] 垣衣亦名乌韭，而为疗异，非是此种类也。

[**唐本注云**] 此物，即石衣也，亦曰石苔，又名石发，生岩石阴不见日处，与卷柏相类也。

[**今按**] 陈藏器本草云：乌韭烧灰沐发令黑。生大石及木间阴处，青翠茸茸者，似苔而非苔也。

331 蚤休

味苦，微寒，有毒。**主惊痫，摇头弄舌，热气在腹中，癫疾，痈疮阴蚀，下三虫，去蛇毒。一名蚩休。生**山阳**川谷**及宛朐。

［唐本注云］今谓重楼者是也。一名重台，南人名草甘遂。苗似王孙、鬼臼等，有二三层。根如肥大菖蒲，细肌脆白，醋摩疗痈肿，敷蛇毒，有效。

332 虎杖根

微温。主通利月水，破留血癥结。

［陶隐居云］田野甚多此，状如大马蓼，茎斑而叶圆。极主暴瘕，酒渍根服之也。

［今按］陈藏器本草云：虎杖，主风在骨节间及血瘀，煮汁作酒服之。叶捣傅蛇咬。一名苦杖，茎上有赤点者是。

333 石长生

味咸、苦，**微寒**，有毒。**主寒热恶疮大热，辟鬼气不祥。**下三虫。**一名丹草。生**咸阳**山谷**。

［陶隐居云］俗中虽时有采者，方药亦不复用。近道亦有，是细细草叶，花紫色尔。南中多生石岩下，叶似蕨，而细如龙须草大，黑如光漆，高尺余，不与余草杂也。

［唐本注云］今市人用鲶筋草为之，叶似青葙，茎细劲、紫色，今太常用者是也。

334 鼠尾草

味苦，微寒，无毒。主鼠瘘寒热，下痢脓血不止，白花者主白下，赤花者主赤下。一名葝，一名陵翘。生平泽中。四月采叶，七月采花，阴干。

［陶隐居云］田野甚多，人采作滋染皂。又用疗下瘘，当浓煮取汁，令可丸服之。今人亦用作饮。

335 马鞭草

主下部䘌疮。

［陶隐居云］村墟陌甚多。茎似细辛，花紫色，叶微似蓬蒿也。

［唐本注云］苗似狼牙及茺蔚，抽三四穗，紫花，似车前，穗类鞭鞘，故名马鞭，都不似蓬蒿也。

［今按］陈藏器本草云：马鞭草，主癥癖血瘕，久疟，破血，作煎如糖酒服。若云似马鞭鞘，亦未近之。其节生紫花如马鞭节。

336 马勃

味辛，平，无毒。主恶疮马疥。一名马疕。生园中久腐处。

［陶隐居云］俗人呼为马屁勃，紫色虚软，状如狗肺，弹之粉出，敷诸疮用之，甚良也。

337 蛇莓汁

大寒。主胸腹大热不止。

［陶隐居云］园野亦多。子赤色，极似莓，而不堪啖，人亦无服此为药者。疗溪毒、射工、伤寒大热，甚良。

338 苎根

寒。主小儿赤丹。其渍苎汁，疗渴。

［陶隐居云］即今绩苎尔。又有山苎，亦相似，可入用也。

［唐本注云］《别录》云：根安胎，贴热丹毒肿，有效。沤苎汁，主消渴也。

［今按］陈藏器本草云：苎，破血。渍苎与产妇温服之。将苎麻与产妇枕之，止血晕。产后腹痛，以苎安腹上则止。蚕咬人，毒入肉，取苎汁饮之。今以苎近蚕种，则蚕不生也。

339 菰根

大寒。主肠胃痼热，消渴，止小便利。

［陶隐居云］菰根亦如芦根，冷利复甚也。

［今按］别本注云：菰，蒋草也。江南人呼为茭草，秣马甚肥，味甘，无毒。

340 狼跋子

有小毒。主恶疮、蜗疥，杀虫鱼。

［陶隐居云］出交广，形扁扁耳。捣以杂米，投水中，鱼无大小，皆浮出而死。人用苦酒摩，疗疥亦效。

［唐本注云］此今京下呼黄环子为之，亦谓度谷，一名就葛。陶云出交广，今交广送入太常正是黄环子，非余物尔。

［今按］别本注云：味苦，寒，藤生，花紫色。

341 弓弩弦

主难产，胞衣不出。

［陶隐居云］产难取弓弩弦以缚腰，及烧弩牙，令赤，内酒中饮之，皆取发放快速之义也。

342 败蒲席

平，主筋溢，恶疮。

［陶隐居云］烧之蒲席，惟舡家用，状如蒲帆尔。人家所用席，皆是莞草，而荐多是蒲。方家有用也。

［唐本注云］席、荐一也，皆人卧之，以得人气为佳也。青、齐间人，谓蒲荐为蒲席，亦曰蒲盖，谓藁作者为荐尔。山南、江左机上织者为席，席下重厚者为荐。如《经》所说，当以人卧久者为佳，不论荐、席也。

343 败船茹

平。主妇人崩中，吐痢血不止。

［陶隐居云］此是大艑（步典切）艄（他盍切），刮竹茹以捏（直萌切）漏处者，取干煮之，亦烧作屑服之。

344 败天公

平。主鬼疰精魅。

［陶隐居云］此是人所戴竹笠之败者也，取上竹烧，酒服之。

345 屋游

味甘，寒。主浮热在皮肤，往来寒热，利小肠膀胱气。生屋上阴处。八月、九月采。

［陶隐居云］此瓦屋上青苔衣，剥取煮服之。

[今按] 别本注云：无毒。主小儿痫热，时气烦闷，止渴。

346　赤地利

味苦，平，无毒。主赤白冷热诸痢，断血破血，带下赤白，生肌肉。所在山谷有之。

[唐本注云] 叶似萝摩，蔓生，根皮赤黑，肉黄赤。二月、八月采根，日干。　唐附

347　赤车使者

味辛、苦，温，有毒。主风冷，邪疰，蛊毒，癥瘕，五脏积气。

[唐本注云] 苗似香葇、兰香，叶、茎赤，根紫赤色。生溪谷之阴，出襄州。八月、九月采根，日干。　唐附

348　刘寄奴草

味苦，温。主破血，下胀。多服令人痢。生江南。

[唐本注云] 茎叶似蒿，长三四尺，叶似兰草，尖长，子似稗而细，一茎上有数穗，叶互生。

[今按] 别本注云：昔人将此草疗金疮止血为要药，产后余疾下血止痛极效。　唐附

349　三白草

味甘、辛，寒，有小毒。主水肿脚气，利大小便，消痰，破癖，除积聚，消丁肿。生池泽畔。

[唐本注云] 叶如水荭，亦似蕺，又似菝葜，叶上有三黑点，非白也，古人秘之，隐黑为白尔。高尺许，根如芹根，黄白色而粗大。

[今按] 陈藏器本草云：三白草捣绞汁服，令人吐逆，除胸膈热痰，亦主疟及小儿痞满。按，此草初生无白，入夏，叶端半白如粉，农人候之莳田，三叶白草便秀，故谓之三白。若云三黑点，古人秘之。据此即为未识，妄为之注尔。其叶如薯蓣，亦不似水荭。　唐附

350 牵牛子

味苦，寒，有毒。主下气，疗脚满水肿，除风毒，利小便。

［陶隐居云］作藤生，花状如扁豆，黄色。子作小房，实黑色，形如球子核。比来服之，以疗脚满气急，得小便利，无不差。此药始出田野，人牵牛易药，故以名之。又有一种草，叶上有三白点，俗因以名三白草，其根以疗脚下气，亦甚有验。

［唐本注云］此药似旋葍花，作碧色，又不黄，不似扁豆，其三白草有三黑点，非白也，古人秘之，隐黑为白尔。陶不见，但闻而传之，谓实白点。

［今注］此药蔓生，花如鼓子花而稍大，作碧色。子有黄壳作小房，实黑稍类荞麦。比来服之，以疗脚肿满气急，利水道无不差者。

351 猪膏莓

味辛、苦，平，无毒。主金疮，止痛，断血，生肉，除诸恶疮，消浮肿。捣封之，汤渍散敷并良。

［唐本注云］叶似苍耳，茎圆有毛，生下湿地，所在皆有。一名虎膏，一名狗膏。生平泽。

［今按］别本注云：又疗虎及狗咬疮至良。　唐附

352 紫葛

味甘、苦，寒，无毒。主痈肿恶疮。取根皮捣为末，醋和封之。生山谷中。不入方用。

［唐本注云］苗似葡萄，根紫色，大者径二三寸，苗长丈许。　唐附

353 蓖麻子

味甘、辛，平，有小毒。主水癥，水研二十枚服之，吐恶沫，加至三十枚，三日一服，差则止。又主风虚寒热，身体疮痒浮肿，尸疰恶气，榨取油涂之。叶主脚气，风肿不仁，捣蒸敷之。

［唐本注云］此人间所种者，叶似大麻叶而甚大，其子如蜱，又名萆麻。今胡中来者，茎赤，树高丈余，子大如皂荚核，用之益良。油涂叶炙热熨囟上，止衄尤

验也。 唐附

354 葎草

味甘、苦，寒，无毒。主五淋，利小便，止水痢，除疟虚热渴。煮汁及生汁服之。生故墟道旁。

[**唐本注云**] 叶似䓍麻而小薄，蔓生，有细刺。俗名葛葎蔓。古方亦时用之。

[**今按**] 别本注云：又名来莓草，四月、五月采茎叶，曝干。 唐附

355 格注草

味辛、苦，温，有大毒。主蛊疰诸毒疼痛等。生齐鲁山泽。

[**唐本注云**] 叶似蕨。根紫色，若紫草根，一株有二十许。二月、八月采根，五月、六月采苗，日干。 唐附

356 独行根

味辛、苦，冷，有毒。主鬼疰积聚，诸毒热肿，蛇毒。水摩为泥封之，日三四立差。水煮一二两，取汁服，吐蛊毒。

[**唐本注云**] 蔓生，叶似萝摩，其子如桃李，枯则头四开，悬草木上。其根扁长尺许，作葛根气，亦似汉防己。生古堤城旁，山南名为土青木香，疗丁肿大效。一名兜零根。

[**今按**] 别本注云：不可多服，吐痢不止。 唐附

357 狗舌草

味苦，寒，有小毒。主蛊疥瘙疮，杀小虫。

[**唐本注云**] 叶似车前，无文理，抽茎，花黄白细，丛生渠堑湿地。

[**今按**] 别本注云：疥瘙风疮，并皆有虫，为末和涂之，即差。四月、五月采茎叶，曝干。 唐附

358 乌蔹莓

味酸、甘，寒，无毒。主风毒热肿，游丹，蛇伤。捣敷并饮汁。

[**唐本注云**] 蔓生，叶似白蔹，生平泽。

［今按］别本注云：四月、五六采，阴干。 唐附

359 豨莶

味苦，寒，有小毒。主热䘌烦满，不能食。生捣汁，服三四合，多则令人吐。

［唐本注云］叶似酸浆而狭长，花黄白色，一名火莶，田野皆识之。

［今按］别本注云：三月、四月采苗叶，曝干。 唐附

360 狼毒

味辛，平，有大毒。**主咳逆上气，破积聚饮食，寒热水气，**胁下积癖，**恶疮，鼠瘘，疽蚀，鬼精，蛊毒，杀飞鸟走兽。一名续毒。生**秦亭**山谷**及奉高。二月、八月采根，阴干。陈而沉水者良。 大豆为之使，恶麦句姜。

［陶隐居云］秦亭在陇西，亦出宕昌。乃言止有数亩地生，蝮蛇食其根，故为难得。亦出太山者，今用出汉中及建平。云与防葵同根类，但置水中沉者，便是狼毒，浮者则是防葵。俗用希，亦难得，是疗腹内要药尔。

［唐本注云］此物与防葵，都不同类，生处又别。狼毒今出秦州、成州，秦亭故在二州之界，其太山、汉中亦不闻有。且秦陇寒地，原无蝮蛇，复云数亩地生，蝮蛇食其根，谬矣。

［今按］别本注云：与麻黄、橘皮、吴茱萸、半夏、枳实为六陈也。又按，狼毒叶似商陆及大黄，茎叶上有毛，根皮黄肉白，以实重者为良，轻者为劣。秦亭在陇西，奉高乃太山下县，亦出宕昌及汉中、建平。旧《经》陶云：与防葵同根，以置水中，浮者即是防葵，沉者即是狼毒，此不足为信。假使防葵秋冬采者坚实，得水皆沉；狼毒春夏采者轻虚，得水乃浮尔。按，此与防葵全别，生处不同，故不可将为比类。

361 鬼臼

味辛，温、微温，有毒。**主杀蛊毒鬼疰精物，辟恶气不祥，逐邪，解百毒。**疗咳嗽喉结，风邪烦惑，失魄妄见，去目中肤翳，杀大毒，不入汤。**一名爵犀，一名马目毒公，一名九臼，**一名天臼，一名解毒。**生**九真**山谷**及宛朐。二月、八月采根。 畏垣衣。

［陶隐居云］鬼臼如射干，白而味甘，温，有毒。疗风邪鬼疰蛊毒。九臼相

连，有毛者良，一名九臼。生山谷，八月采，阴干。又似钩吻。今马目毒公如黄精，根臼处似马眼而柔润；鬼臼似射干、术辈，有两种：出钱塘近道者，味甘，上有丛毛，最胜；出会稽、吴兴者，乃大，味苦，无丛毛，不如，略乃相似而乖异毒公。今方家多用鬼臼，少用毒公。不知此那复顿尔乖越也。

[唐本注云] 此药生深山岩石之阴。叶如蓖麻、重楼辈。生一茎，茎端一叶，亦有两歧者。年长一茎，茎枯为一臼。假令生来二十年，则有二十臼，岂惟九臼耶？根肉皮须并似射干。今俗用皆是射干，乃江南别送一物，非真者。今荆州当阳县、硖州远安县、襄州荆山县中并有之，极难得也。

362 芦根

味甘，寒。主消渴，客热，止小便利。

[陶隐居云] 当掘取甘、辛者，其露出及浮水中者，并不堪用也。

[唐本注云] 此草，根疗呕逆不下食，胃中热，伤寒患者弥良。其花名蓬茙，水煮汁服，主霍乱大善，用有验也。

363 甘蕉根

大寒。主痈肿结热。

[陶隐居云] 本出广州，今都下、东间并有。根叶无异，惟子不堪食尔。根捣傅热肿，甚良。又有五叶莓，生人篱援间，作藤，俗人呼为笼草。取其根捣敷痈疖，亦效。

[唐本注云] 五叶，即乌蔹草也。其甘蕉根，味甘，寒，无毒。捣汁服，主产后血胀闷，敷肿，去热毒，亦效。岭南者，子大，味甘，冷，不益人。北间但有花汁无实。

[今按] 此药本出广州，然有数种，其子性冷，不益人，故不备载。按，此花、叶与芭蕉相似而极大，子形圆长及生青熟黄。南人皆食之，而多动气疾。其根捣敷热肿尤良。

364 萹蓄

味苦，平，无毒。**主浸淫疥瘙疽痔，杀三虫。**疗女子阴蚀。**生东莱山谷。**五月采，阴干。

［**陶隐居云**］处处有，布地生，花节间白，叶细绿，人亦呼为萹竹。煮汁与小儿饮，疗蛔虫有验。

365 酢浆草

味酸，寒，无毒。主恶疮㾓瘘，捣敷之，杀诸小虫。生道旁。

［**唐本注云**］叶如细萍，丛生，茎头有三叶。一名醋母草，一名鸠酸草。

［**今按**］别本注云：生阴湿处，俗为小酸茅，食之解热渴。四月、五月采，阴干。　唐附

366 苘实

味苦，平，无毒。主赤白冷热痢。散服饮之，吞一枚破痈肿。

［**唐本注云**］一作𦼮字，人取皮为索者。

［**今注**］别本注云：今人作布及索,𦼮麻也。实似大麻子。热结痈肿无头，吞之则为头易穴。九月、十月采实，阴干。　唐附

367 蒲公草

味甘，平，无毒。主妇人乳痈肿，水煮汁饮之，及封之，立消。一名构耨草。

［**唐本注云**］叶似苦苣，花黄，断有白汁，人皆啖之。　唐附

368 商陆

味辛、酸，**平**，有毒。**主水胀疝瘕痹，熨除痈肿，杀鬼精物。**疗胸中邪气，水肿，痿痹，腹满洪直，疏五脏，散水气。如人形者，有神。**一名募根，一名夜呼。生**咸阳**川谷**。

［**陶隐居云**］近道处处有，方家不甚干用，疗水肿，切生根杂生鲤鱼煮作汤。道家乃散用及煎酿，皆能去尸虫，见鬼神。其实亦入神药。花名募花，尤良。

［**唐本注云**］此有赤白二种：白者入药用，赤者见鬼神，甚有毒，但贴肿外用。若服之伤人，乃至痢血不已而死也。

［**今注**］商陆，一名白昌，一名当陆。

369 女青

味辛，平，有毒。**主蛊毒，逐邪恶气，杀鬼温疟，辟不祥。一名雀瓢。**蛇衔根也，生朱崖。八月采，阴干。

［**陶隐居云**］若是蛇衔根，不应独生朱崖。俗用是草叶，别是一物，未详孰是。术云带此屑一两，则疫疠不犯，弥宜识真者。

［**唐本注云**］此草，即雀瓢也，叶似萝摩，两叶相对。子似瓢形，大如枣许，故名雀瓢。根似白薇。生平泽。茎、叶并臭。其蛇衔根，都非真类。又《别录》云：叶嫩时，似萝摩，圆端大茎，实黑，茎、叶汁黄白，亦与前说相似。若是蛇衔根，何得苗生益州，根在朱崖，相去万里余也？《别录》云：雀瓢白汁，主虫蛇毒，即女青苗汁也。

370 水蓼

主蛇毒，捣敷之。绞汁服，止蛇毒入内心闷。水煮渍捋脚，消气肿。

［**唐本注云**］叶似蓼，茎赤，味辛，生下湿水旁。

［**今按**］别本注云：生于浅水泽中，故名水蓼，其叶大于家蓼，水挼食之，胜于蓼子。　唐附

371 角蒿

味辛、甘，平，有小毒。主甘湿䘌，诸恶疮有虫者。

［**唐本注云**］叶似白蒿，花如瞿麦，红赤可爱，子似王不留行，墨色作角。七月、八月采。　唐附

372 昨叶何草

味酸，平，无毒。主口中干痛，水谷血痢，止血。生上党屋上，如蓬初生。一名瓦松。夏采，日干。

［**唐本注云**］叶似蓬，高尺余，远望如松栽，生年久瓦屋上。

［**今按**］别本注云：今处处有，皆入药用，生眉发膏为要药。　唐附

373　白附子

主心痛血痹，面上百病，行药势。生蜀郡。三月采。

［陶隐居云］此物乃言出芮芮，久绝，俗无复真者，今人乃作之献用。

［唐本注云］此物，本出高丽，今出凉州已西，形似天雄。《本经》出蜀郡，今不复有。凉州者，生沙中，独茎，似鼠尾草，叶生穗间。

374　鹤虱

味苦，平，有小毒。主蛔、蛲虫，用之为散，以肥肉臛汁，服方寸匕。亦丸散中用。生西戎。

［唐本注云］子似蓬蒿子而细，合叶、茎用之，胡名鹄虱。

［今按］别本注云：心痛，以淡醋和半匕服之，立差。出波斯者为胜。今上党亦有，力势薄于波斯者。　唐附

375　甑带灰

主腹胀痛，脱肛。煮汁服，主胃反，小便失禁不通及淋，中恶，尸疰，金创刃不出。

［今按］别本注云：江南以蒲为甑带，取久用者烧灰入药。味辛，温，无毒。甑带久被蒸气，故能散气通气。以灰封金疮，止血止痛，出刃。　唐附

376　屐屟鼻绳灰

水服，主噎哽，心痛，胸满。

［今按］别本注云：屐屟，江南有之，北人不识。以桐木为屐及屟也，用蒲为荚，用麻穿其鼻也。久著脚者堪入药用。　唐附

377　故麻鞋底

水煮汁服之，解紫石英发毒，又主霍乱吐下不止，及解食牛马肉毒、腹胀、吐痢不止者。

［今按］陈藏器本草云：故麻鞋底，主消渴，煮汁服之。鞋网绳如枣大，妇人内衣有血者手大，钩头棘针二七枚，三物并烧作灰，以猪脂调，傅狐刺疮出虫。

唐附

378 雀麦

味甘，平，无毒。主女人产不出，煮汁饮之。一名蘥，一名燕麦。生故墟野林下，叶似麦。

[今按] 苗似小麦而弱，实似穬麦而细。生岭南，在处亦有。 唐附

379 骨碎补

味苦，温，无毒。主破血，止血，补伤折。生江南。根著树石上，有毛，叶如菴䕡，江西人呼为胡孙姜。一名石菴䕡，一名骨碎布。 今附

380 马兜铃

味苦，寒，无毒。主肺热咳嗽，痰结喘促，血痔瘘疮。生关中。藤绕树而生，子状如铃，作四五瓣。 今附

381 仙茅

味辛，温，有毒。主心腹冷气不能食，腰脚风冷，挛痹不能行，丈夫虚劳，老人失溺，无子，益阳道。久服通神，强记，助筋骨，益肌肤，长精神，明目。一名独茅根，一名茅瓜子，一名婆罗门参。《仙茅传》云：十斤乳石，不及一斤仙茅，表其功力尔。生西域。又大庾岭亦云：忌铁及牛乳。二月、八月采根。 今附

382 灯心草

味甘，寒，无毒。根及苗主五淋，生煮服之。生江南泽地，从生，茎圆细而长直，人将为席。败席煮服更良。 今附

383 谷精草

味辛，温，无毒。主疗喉痹，齿风痛，及诸疮疥。饲马，主虫颡毛焦等病。二月、三月于谷田中采之。一名戴星草，花白而小圆似星，故有此名尔。 今附

384　草三棱根

味甘，平、温，无毒。疗产后恶血，通月水血结，堕胎，破积聚癥瘕，止痛利气。一名鸡爪三棱。生蜀地。二月、八月采。　今附

385　天南星

味苦、辛，有毒。主中风，除痰，麻痹，下气，破坚积，消痈肿，利胸膈，散血堕胎。生平泽，处处有之。叶似蒻叶，根如芋。二月、八月采之。　今附

386　蒻头

味辛，寒，有毒。主痈肿风毒，摩傅肿上。捣碎以灰汁煮成饼，五味调和为茹食。性冷，主消渴，生戟人喉出血。生吴蜀。叶似由跋、半夏，根大如碗。生阴地雨滴。叶下生子，一名蒟蒻。又有斑杖苗相似，至秋有花，直出生赤子。其根傅痈肿毒甚好。根如蒻头，毒猛不堪食。　今附

387　山豆根

味甘，寒，无毒。主解诸药毒，止痛，消疮肿毒，人及马急黄发热咳嗽，杀小虫。生剑南山谷，蔓如豆。　今附

388　威灵仙

味苦，温，无毒。主诸风，宣通五脏，去腹内冷滞，心膈痰水，久积癥瘕，痃癖气块，膀胱宿脓恶水，腰膝冷疼，及疗折伤。一名能消。久服之，无温疫疟。出商州上洛山及华山并平泽，不闻水声者良。生先于众草，茎方，数叶相对，花浅紫，根生稠密，岁久益繁。冬月丙丁戊己日采。忌茗。　今附

389　何首乌

味苦、涩，微温，无毒。主瘰疬，消痈肿，疗头面风疮、五痔，止心痛，益血气，黑髭鬓，悦颜色。久服长筋骨，益精髓，延年不老。亦治妇人产后及带下诸疾。本出顺州南河县，今岭外江南诸州皆有。蔓紫，花黄白，叶如薯蓣而不光，生

必相对，根大如拳，有赤白二种：赤者雄，白者雌。一名野苗，一名交藤，一名夜合，一名地精，一名陈知白。春夏采。临用之，以苦竹刀切，米泔浸经宿，曝干，木杵臼捣之。忌铁。　今附

390　五倍子

味苦、酸，平，无毒。疗齿宣疳䘌，肺脏风毒流溢皮肤，作风湿癣疮瘙痒脓水，五痔下血不止，小儿面鼻疳疮。一名文蛤。在处有。其子色青，大者如拳，内多虫。一名百虫仓。　今附

391　金樱子

味酸、涩，平、温，无毒。疗脾泄下痢，止小便利，涩精气。久服令人耐寒，轻身，方术多用。云是今之刺梨子，形似榅桲而小，色黄有刺，花白，在处有之。今附

392　续随子

味辛，温，有毒。主妇人血结，月闭，癥瘕，痃癖，瘀血，蛊毒鬼疰，心腹痛，冷气胀满，利大小肠，除痰饮积聚，下恶滞物。茎中白汁，剥人面皮，去䵟䵴。生蜀郡，及处处有之。苗如大戟。一名拒冬，一名千金子。　今附

393　预知子

味苦，寒，无毒。杀虫，疗蛊，治诸毒。传云：取二枚缀衣领上，遇蛊毒物，则闻其有声，当便知之。有皮壳，其实如皂荚子，去皮研服之，有效。　今附

394　列当

味甘，温，无毒。主男子五劳七伤，补腰肾，令人有子，去风血，煮及浸酒服之。生山南岩石上，如藕根。初生掘取阴干。一名栗当，一名草苁蓉。　今附

395　质汗

味甘，温，无毒。主金疮伤折，瘀血内损，补筋肉，消恶血，下血气，妇人产

后诸血结，腹痛内冷，不下食，并酒消服之，亦傅病处。出西蕃，如凝血。蕃人煎甘草、松泪、柽乳、地黄并热血成之。 今附

396 地菘

味咸。主金疮，止血，解恶虫蛇螫毒，挼以傅之。生人家及路旁阴处，所在有之。高二三寸，叶似松叶而小。 今附

397 鹿药

味甘，温，无毒。主风血，去诸冷，益老起阳，浸酒服之。生姑藏已西。苗根并似黄精。根，鹿好食。 今附

398 葛粉

味甘，大寒，无毒。主压丹石，去烦热，利大小便，止渴。小儿热疮，以葛根浸，捣汁饮之，良。 今附

木部上品　卷第十二

399　茯苓

味甘，平，无毒。**主胸胁逆气，忧恚、惊邪，恐悸，心下结痛，寒热，烦满，咳逆，止口焦舌干，利小便。**止消渴，好唾，大腹淋沥，膈中痰水，水肿淋结，开胸腑，调脏气，伐肾邪，长阴，益气力，保神守中。**久服安魂魄，养神，不饥，延年。一名茯菟。**其有抱根者，名茯神。茯神，味甘、平。主辟不详，疗风眩、风虚，五劳七伤，口干，止惊悸，多恚怒，善忘，开心益智，安魂魄，养精神。**生**太山**山谷**大松下。二月、八月采，阴干。　马间为之使。得甘草、防风、芍药、紫石英、麦门冬共疗五脏。恶白蔹，畏牡蒙、地榆、雄黄、秦艽、龟甲。

［**陶隐居云**］按，药名无马间，或是马茎，声相近故也。今出郁州，彼土人乃故斫松作之，形多小，虚赤不佳。自然成者，大如三四升器，外皮黑细皱，内坚白，形如鸟兽龟鳖者，良。又复时燥则不水。作丸散者，皆先煮之两三沸，乃切，曝干。白色者补，赤色者利，俗用甚多。《仙经》服食，亦为至要。云其通神而至灵，和魂而练魄，明窍而益肌，厚肠而开心，调营而理胃，上品仙药也。善能断谷不饥。为药无朽蛀。吾尝掘地得昔人所埋一块，计应三十许年，而色理无异，明其贞全不朽矣。其有衔松根对度者，为茯神，是其次茯苓后结一块也。仙方唯云茯苓，而无茯神。为疗既同，用之应无嫌。

［**唐本注云**］《季氏本草》云：马刀为茯苓使，无名马间者，间字草书似刀字，写人不识，讹为间耳。陶不悟，云是马茎，谬矣。今大山亦有茯苓，白实而块小，不复采用。今第一出华山，形极粗大。雍州南山亦有，不如华山者。

［**今注**］马间，当是马阑，二注皆恐非也。

400　虎魄

味甘，平，无毒。主安五脏，定魂魄，杀精魅邪鬼，消瘀血，通五淋。生永昌。

[陶隐居云] 旧说云是松脂沦入地，千年所化，今烧之亦作松气。俗有虎魄中有一蜂，形色如生。《博物志》又云烧蜂巢所作，恐非实。此或当蜂为松脂所粘，因堕地沦没耳。有煮毈鸡子及青鱼枕作者，并非真，唯以拾芥为验。俗中多带之辟恶。刮屑服，疗瘀血至验。《仙经》无正用，惟曲晨丹所须，以赤者为胜。今并从外国来，而出茯苓处永无有。不知出虎魄处复有茯苓以否？

[唐本注云] 瑿，味甘，平，无毒。古来相传云：松脂千年为茯苓，又千年为虎魄，又千年为瑿。然二物烧之，皆有松气，为用与虎魄同，补心安神，破血尤善。状似玄玉而轻，出西戎来，而有茯苓处，见无此物。今西州南三百余里，碛中得者，大则方尺，黑润而轻，烧作腥臭，高昌人名为木瑿，谓玄玉为石瑿。洪州土石间得者，烧作松气，破血生肌，与虎魄同，见风拆破，不堪为器量。此二种及虎魄，或非松脂所为也。有此差舛，今略论之。

[今按] 陈藏器本草云：琥珀止血生肌，合金疮。和大黄、鳖甲作散子，酒下方寸匕，下恶血，妇人腹内血尽即止。宋高祖时宁州贡琥珀枕碎以赐军士，傅金疮。《汉书》云：出罽宾国，初如桃胶，凝乃成焉。

401　松脂

味苦、甘，**温**，无毒。**主痈疽恶疮，头疡、白秃，疥瘙、风气，安五脏，除热**，胃中伏热，咽干，消渴，及风痹死肌。炼之令白。其赤者主恶风痹。**久服轻身，不老，延年。一名松膏，一名松肪。生**太山**山谷**。六月采。松实，味苦，无毒，温。主风痹，寒气，虚羸，少气，补不足。九月采，阴干。松叶，味苦，温。主风湿痹疮气，生毛发，安五脏，守中，不饥，延年。松节，温。主百节久风、风虚，脚痹、疼痛。松根白皮，主辟谷不饥。

[陶隐居云] 采炼松脂法，并在服食方中，以桑灰汁或酒煮辄，内寒水中数十过，白滑则可用。其有自流出者，乃胜于凿树及煮膏也。其实不可多得，唯叶止是断谷所宜尔。细切如粟，以水及面饮服之。亦有阴干捣为屑，丸服者。人患恶病，服此无不差。比来苦脚弱人，酿松节酒，亦皆愈。松柏皆有脂润，又凌冬不凋，理

为佳物，但人多轻忽近易之耳。

［**唐本注云**］松花，名松黄，拂取似蒲黄，正尔酒服轻身，疗病云胜皮、叶及脂。其子味甚甘，《经》直云味苦，非也。松取枝烧其上，下承取汁名𣵀，主牛马疮疥为佳。树皮绿衣名艾纳，合和诸香烧之，其烟团聚，青白可爱也。

402　柏实

味甘，平，无毒。**主惊悸，安五脏，益气，除风湿痹，**疗恍惚、虚损，吸吸历节，腰中重痛，益血，止汗。**久服令人润泽，美色，耳目聪明，不饥，不老，轻身延年。生**太山**山谷**。柏叶尤良。柏叶，味苦，微温，无毒。主吐血，衄血，痢血，崩中，赤白，轻身益气，令人耐风寒，去湿痹，止饥。四时各依方面采，阴干。柏白皮，主火灼，烂疮，长毛发。　牡蛎、桂、瓜子为之使，恶菊花、羊蹄、诸石及曲。

［**陶隐居云**］柏叶、实亦为服食所重，炼饵别有法。柏处处有，当以太山为佳，并忌取冢墓上也。虽四时俱有，而秋夏为好，其脂亦入用。此云恶曲，人有以酿酒无妨，恐酒米相和，异单用也。

［**唐本注云**］柏枝节，煮以酿酒，主风痹、历节风。烧取𣵀，疗㾓疥及癞疮尤良。今子仁唯出陕州、宜州为胜。太山无复采者也。

403　箘桂

味辛，温，无毒。**主百疾，养精神，和颜色，为诸药先聘通使。久服轻身，不老，面生光华媚好，常如童子。**生交趾、桂林山谷岩崖间。无骨，正圆如竹，立秋采。

［**陶隐居云**］交趾属交州，桂林属广州，而《蜀都赋》云：箘桂临崖。今俗中不见正圆如竹者，唯嫩枝破卷成圆，犹依桂用，恐非真箘桂也。《仙经》乃有用箘桂，云三重者良，则判非今桂矣，必当别是一物，应更研访。

［**唐本注云**］箘者，竹名；古方用筒桂者是，故云三重者良。其筒桂亦有二三重卷者，叶似柿叶，中三道文，肌理紧薄如竹，大枝小枝皮俱是箘桂。然大枝皮不能重卷，味极淡薄，不入药用，今惟出韶州。

404　牡桂

味辛，温，无毒。**主上气咳逆，结气，喉痹，吐吸。**心痛，胁风，胁痛，温筋通脉，止烦出汗，**利关节，补中益气。久服通神**，轻身，不老。**生**南海**山谷**。

［陶隐居云］ 南海郡即是广州。今俗用牡桂，状似桂而扁广殊薄，皮色黄，脂肉甚少，气如木兰，味亦类桂，不知当是别树，为复犹是桂生，有老宿者耳，亦所未究。

［唐本注云］《尔雅》云：梫，木桂。古方亦用木桂，或云牡桂，即今木桂，及单名桂者，是也。此桂花子与菌桂同，唯叶倍长，大小枝皮俱名牡桂。然大枝皮肌理粗虚如木兰，肉少味薄，不及小枝皮也。小枝皮肉多，半卷，中必皱起，味辛美。一名肉桂，一名桂枝，一名桂心。出融州、柳州、交州甚良。

405 桂

味甘、辛，大热，有毒。主温中，利肝肺气，心腹寒热，冷疾，霍乱，转筋，头痛、腰痛，出汗，止烦，止唾，咳嗽，鼻齆，能堕胎，坚骨节，通血脉，理疏不足，宣导百药，无所畏。久服神仙，不老。生桂阳。二月、七、八月、十月采皮，阴干。 得人参、麦门冬、甘草、大黄、黄芩调中益气，得柴胡、紫石英、干地黄疗吐逆。

［陶隐居云］ 按，《本经》唯有菌桂、牡桂，而无此桂，用体大同小异。今俗用便有三种：以半卷多脂者单名桂，入药最多，所用悉与前说相应。《仙经》乃并有三种桂，常服食，以葱涕合和云母蒸化为水者，正是此种耳。今出广州湛、惠为好，湘州、始兴、桂阳县即是小桂，亦有，而不如广州者。交州、桂州者形段小，多脂肉，亦好。《经》云桂叶如柏叶，泽黑，皮黄心赤。齐武帝时，湘州送桂树，以植芳林苑中，今东山有山桂皮，气粗相类，而叶乖异，亦能凌冬，恐或是牡桂，时人多呼丹桂，正谓皮赤耳。北方今重此，每食辄须之。盖《礼》所云姜桂，以为芬芳也。

［唐本注云］ 菌桂，叶似柿叶，中有纵文三道，表里无毛而光泽。牡桂叶长尺许，陶云小桂，或言其叶小者。陶引《经》云：叶似柏叶，验之殊不相类，不知此言从何所出。今按，桂有二种，唯皮稍不同。若菌桂老皮坚板无肉，全不堪用；其小枝皮薄卷，乃二三重者，或名菌桂，或名筒桂。其牡桂嫩枝皮，名为肉桂，亦名桂枝。其老者，名牡桂，亦名木桂，得人参等良。本是菌桂，剩出单桂条，陶为深误矣。

［今按］ 陈藏器本草云：菌桂、牡桂、桂心，已上三种，并同是一物。按，桂林、桂岭，因桂为名，今之所生，不离此郡。从岭以南际海尽，有桂树，惟柳、象州最多。味既辛烈，皮又厚坚，土人所采，厚者必嫩，薄者必老，以老薄者为一

种，以厚嫩者为一种。嫩既辛香，兼又筒卷。老必味淡，自然板薄。板薄者即牡桂也，以老大而名焉。筒卷者即菌桂也，以嫩而易卷。古方有筒桂，字似箘字，后人误而书之，习而成俗。至于书传，亦复因循。桂心即是削除皮上甲错，取其近里辛而有味。

406　杜仲

味辛、甘，**平**、温，无毒。**主腰脊痛，补中，益精气，坚筋骨，强志，除阴下痒湿，小便余沥。**脚中酸疼，不欲践地。**久服轻身，耐老。一名思仙**，一名思仲，一名木绵。**生上虞山谷**，又上党及汉中。二月、五月、九月采皮，阴干。　畏蛇蜕皮、玄参。

［**陶隐居云**］上虞在豫州虞、虢之虞，非会稽上虞县也。今用出建平、宜都者，状如厚朴，折之多白丝为佳。用之薄削去上甲皮，横理切，令丝断也。

407　枫香脂

味辛、苦，平，无毒。主瘾疹风痒，浮肿，齿痛。一名白胶香。其树皮，味辛，平，有小毒。主水肿，下水气，煮汁用之。所在大山皆有。

［**唐本注云**］树高大，叶三角，商、洛之间多有。五月斫树为坎，十一月采脂。　唐附

408　干漆

味辛，温，无毒、有毒。**主绝伤，补中，续筋骨，填髓脑，安五脏，五缓六急，风寒湿痹**，疗咳嗽，消瘀血，痞结，腰痛，女子疝瘕，利小肠，去蛔虫，**生漆，去长虫。久服轻身，耐老。生**汉中**川谷**。夏至后采，干之。　半夏为之使，畏鸡子，今又忌油脂。

［**陶隐居云**］今梁州漆最胜，益州亦有，广州漆性急易燥。其诸处漆桶上盖里，自然有干者，状如蜂房，孔孔隔者为佳。生漆毒烈，人以鸡子白和服之，去虫。犹有啮肠胃者，畏漆人乃致死。外气亦能使身肉疮肿，自别有疗法。仙方用蟹消之为水，炼服长生。

409　蔓荆实

味苦、辛，**微寒**、平、温，无毒。**主筋骨间寒热，湿痹，拘挛，明目，坚齿，**

利九窍，去白虫、长虫。主风头痛，脑鸣，目泪出，益气。**久服轻身，能老**，令人光泽，脂致，长须发。**小荆实亦等。**生益州。　恶乌头、石膏。

［**陶隐居云**］小荆即应是牡荆。牡荆子大于蔓荆子而反呼为小荆，恐或以树形为言。复不知蔓荆树若高大耳。

［**唐本注云**］此荆子，今人呼为牡荆子者是也。其蔓荆子大，故呼牡荆子为小荆；实亦等者，言其功与蔓荆同也。蔓荆苗蔓生，故名蔓荆。生水滨，叶似杏叶而细，茎长丈余，花红白色。今人误以小荆为蔓荆，遂将蔓荆子为牡荆子也。

410 牡荆实

味苦，温，无毒。主除骨间寒热，通利胃气，止咳逆，下气。生河间南阳宛朐山谷，或平寿、都乡高堤岸上。牡荆生田野。八月、九月采实，阴干。　得术、柏实、青葙共疗头风，防风为之使，恶石膏。

［**陶隐居云**］河间、宛朐、平寿并在北，南阳在西。论蔓荆，即应是今作杖棰之荆，而复非见。其子殊细，正如小麻子，色青黄。荆子实小大如此也。牡荆子乃出北方，如乌豆大，正圆黑，仙术多用牡荆，今人都无识之者。李当之《药录》乃注溲疏下云：溲疏一名阳栌，一名牡荆，一名空疏。皮白，中空，时有节。子似枸杞子，赤色，味甘、苦，冬月熟，俗乃无识者。当此实是真，非人篱域阳栌也。按，如此说，溲疏主疗与牡荆都不同，其形类乖异，恐乖实理。而仙方用牡荆，云能通神见鬼，非唯其实，乃枝叶并好。又云有荆树，必枝枝相对，此是牡荆，有不对者，即非牡荆。既为父，则不应有子。如此，并莫详虚实，须更博访，乃详之耳。

［**唐本注云**］此即作棰杖荆是也。实细，黄黑色，茎劲作树，不为蔓生，故称之为牡，非无实之谓也。按，《汉书·郊祀志》，以牡荆茎为幡竿，此明则蔓不堪为竿。今所在皆有，此荆非《本经》所载。按，今生出乃是蔓荆，将以附此条后，陶为误矣。《别录》云：荆叶，味苦，平，无毒。主久痢，霍乱，转筋，血淋，下部疮湿䘌。薄脚，主脚气肿满。其根，味甘、苦，平，无毒。水煮服，主心风，头风，肢体诸风，解肌发汗。有青、赤二种，赤者为佳。出《类聚方》，今医相承，多以牡荆为蔓荆，此极误也。

［**今按**］陈藏器本草云：荆木取茎截，于火上烧，以物承取沥饮之，去心闷烦热，头风旋目眩，心头漭漭欲吐，卒失音，小儿心热惊痫，止消渴，除痰唾，令人不睡。

411　女贞实

味苦、甘，**平**，无毒。**主补中，安五脏，养精神，除百疾，久服肥健，轻身，不老。生**武陵**川谷**。立冬采。

[**陶隐居云**] 叶茂盛，凌冬不凋，皮青肉白，与秦皮为表里，其树以冬生而可爱，诸处时有。《仙经》亦服食之，俗方不复用，市人亦无识之者。

[**唐本注云**] 女贞叶，似枸骨及冬青树等，其实九月熟黑，似牛李子。陶云与秦皮为表里，误矣。然秦皮叶细冬枯，女青叶大冬茂，殊非类也。

412　桑上寄生

味苦、甘，**平**，无毒。**主腰痛，小儿背强，痈肿，安胎，充肌肤，坚发齿，长须眉。**主金创，去痹，女子崩中，内伤不足，产后余疾，下乳汁。**其实明目，轻身通神。一名寄屑，一名寓木，一名宛童**，一名茑，**生**弘农**川谷**桑树上。三月三日采茎、叶，阴干。

[**陶隐居云**] 桑上者，名桑上寄生耳。诗人云：施于松上。方家亦有用杨上、枫上者，则各随其树名之，形类犹是一般，但根津所因处为异。法生树枝间，寄根在枝节之内，叶圆青赤，厚泽易折，旁自生枝节。冬夏生，四月华白，五月实赤，大如小豆。今处处皆有，以出彭城为胜。俗人皆呼为续断用之。按，《本经》续断别在上品药，所主疗不同，岂只是一物，市人使混乱无复能甄识之者。服食方云是桑檽，与此说又为不同耳。

[**唐本注云**] 寄生槲、榉、柳、水杨、枫等树上，子黄，大如小枣子，唯虢州有桑上者。子汁甚粘，核大如小豆，叶无阴阳，如细柳叶而厚，茎粗短，江南人相承用为续断，殊不相关。且寄生实，九月始熟而黄，今称五月实赤，大如小豆，此是陶未见之。

413　蕤核

味甘，温、微寒，无毒。**主心腹邪结气，明目，目赤痛伤泪出。**疗目肿眦烂，齆鼻，破心下结痰痞气。**久服轻身，益气不饥。生**函谷**川谷**及巴西。七月采实。

[**陶隐居云**] 今从北方来，云出彭城间，形如乌豆大，圆而扁，有文理，状似胡桃桃核，今人皆合壳用为分两，此乃应破取仁秤之。医方唯以疗眼，《仙经》以

合守中丸也。

[唐本注云] 捺字如此作也。（疑底本有脱文）

414　五加皮

味辛、苦，**温**、微寒，无毒。**主心腹疝气，腹痛，益气，疗躄，小儿不能行，疽疮，阴蚀，**男子阴痿，囊下湿，小便余沥，女人阴痒及腰脊痛，两脚疼痹风弱，五缓虚羸。补中益精，坚筋骨，强志意。久服轻身，耐老。**一名豺漆，**一名豺节。五叶者良。生汉中及宛朐。五月、七月采茎，十月采根，阴干。　远志为之使，畏蛇蜕皮、玄参。

[陶隐居云] 今近道处处有，东间弥多，四叶者亦好，煮根茎酿酒，至益人，道家用此作灰，亦以煮石与地榆，并有秘法。加字或作家字者也。

415　沉香、薰陆香、鸡舌香、藿香、詹糖香、枫香

并微温。悉疗风水毒肿，去恶气。薰陆、詹糖去伏尸。鸡舌、藿香疗霍乱、心痛。枫香疗风瘾疹痒毒。

[陶隐居云] 此六种香皆合香家要用，不正复入药，唯疗恶核毒肿，道方颇有用处。詹糖出晋安岑州，上真淳泽者难得，多以其皮及柘虫屎杂之，唯轻者为佳，其余无甚真伪，而有精粗耳。外国用波津香明目，白檀消风肿。其青木香别在上品。

[唐本注云] 沉香、青桂、鸡骨、马蹄、笺香等，同是一树，叶似橘叶，花白，子似槟榔，大如桑椹，紫色而味辛。树皮青色，木似榉柳。薰陆香，形似白胶，出天竺、单于国。鸡舌香，树叶及皮并似栗，花如梅花，子似枣核，此雌树也，不入香用。其雄树著花不实，采花酿之，以成香，出昆仑及交、爱以南。詹糖树似橘，煎叶汁为香，似沙糖而黑，出交、广以南。又有丁香根，味辛，温，主风毒诸肿。此别一种树，叶似栎，高数丈，凌冬不凋，唯根堪疗风热毒肿，不入心腹之用，非鸡舌也。詹糖香，疗恶疮，去恶气，生晋安。

416　檗木

味苦，寒，无毒。**主五脏肠胃中结气热，黄疸，肠痔，止泄痢，女子漏下、赤白，阴阳蚀疮。**疗惊气在皮间，肌肤热赤起，目热赤痛，口疮。久服通神。**一名檀**

桓。根，名檀桓，主心腹百病，安魂魄，不饥渴。久服轻身延年，通神。**生**汉中**山谷**，及永昌。　恶干漆。

［**陶隐居云**］今出邵陵者，轻薄、色深为胜。出东山者，厚重而色浅。其根于道家入木芝品，今人不知取服之。又有一种小树，状如石榴。其皮黄而苦，俗呼为子檗，亦主口疮。又一种小树，至多刺，皮亦黄，亦主口疮。

［**唐本注云**］子檗，一名山石榴，子似女贞，皮白不黄，亦名小檗，所在皆有。今云皮黄，恐谬矣。按，今俗用子檗，皆多刺小树，名刺檗，非小檗也。

［**今按**］陈藏器本草云：檗皮，主热疮疱起，虫疮，痢下血，杀蛀虫，煎服主消渴。

417　辛夷

味辛，温，无毒。**主五脏身体寒风，风头，脑痛，面䵟。**温中解肌，利九窍，通鼻塞涕出。疗面肿引齿痛，眩冒，身洋洋如在车船之上者。生须发，去白虫。**久服下气，轻身，明目，增年，耐老。**可作膏药，用之去中心及外毛，毛射人肺，令人咳。**一名辛矧，一名喉桃，一名房木。生**汉中**川谷**。九月采实，曝干。　芎䓖为之使，恶五石脂，畏菖蒲、蒲黄、黄连、石膏、黄环。

［**陶隐居云**］今出丹阳近道，形如桃子，小时气辛香，即《离骚》所呼辛夷者也。

［**唐本注云**］此是树花未开时收之，正月、二月好采。今见用者，是言九月采实者，恐误。其树大，连合抱高数仞，叶大于柿叶，所在皆有。实臭，不任药也。方云去毛，用其心，然难得，而滋人面。此用花开者易得，而且香。

［**今按**］陈藏器本草云：辛夷，今时所用者，是未发花时如小桃子，有毛，未折时取之。所云用花开者及在二月，此殊误尔。此花，江南地暖，正月开；北地寒，二月开。初发如笔，北人呼为木笔。其花最早，南人呼为迎春。

418　木兰

味苦，寒，无毒。**主身有大热在皮肤中，去面热赤疱、酒皻，恶风，癫疾，阴下痒湿，明目。**疗中风伤寒，及痈疽水肿，去臭气。**一名林兰，**一名杜兰。皮似桂而香。**生**零陵**山谷，**生太山。十二月采皮，阴干。

［**陶隐居云**］零陵诸处皆有，状如楠树，皮甚薄而味辛香。今益州有，皮厚，状如厚朴，而气味为胜。故《蜀都赋》云：木兰梫桂也。今东人皆以山桂皮当之，

亦相类，道家用合香，亦好也。

［**唐本注云**］木兰叶似箘桂叶，其叶气味辛香，不及桂也。

419　榆皮

味甘，平，无毒。**主大小便不通，利水道，除邪气。**肠胃邪热气，消肿，性滑利。**久服轻身，不饥，其实尤良。**疗小儿头疮痂疕。花，主小儿痫，小便不利，伤热。**一名零榆。生**颍川**山谷。**二月采皮，取白曝干；八月采实，并勿令中湿，湿则伤人。

［**陶隐居云**］此即今榆树耳，剥取其皮，刮除上赤皮，亦可临时用之。性至滑利，初生叶，人以作糜羹辈，令人睡眠。嵇公所谓：榆，令人瞑也。断谷乃屑其皮，并檀皮服之，即所谓不饥者也。

［**唐本注云**］榆三月实熟，寻即落矣；今称八月采实，恐《本经》误也。

［**今按**］陈藏器本草云：榆荚，主妇人带下，和牛肉作羹食之。四月收实作酱，似芜荑杀虫，以陈者良。嫩叶作羹食之，压丹石，消水肿。江东有刺榆，无大榆。皮入用不滑。刺榆秋实，故陶错误也。

420　酸枣

味酸，平，无毒。**主心腹寒热，邪结气聚，四肢酸疼湿痹。**烦心不得眠，脐上下痛，血转，久泄，虚汗，烦渴。补中益肝气，坚筋大骨，助阴气，令人肥健。**久服安五脏，轻身延年。生**河东**川泽。**八月采实，阴干，三十日成。　恶防己。

［**陶隐居云**］今出东山间，云即是山枣树子，子似武昌枣，而味极酸，东人乃啖之以醒睡，与此疗不得眠正反矣。

［**唐本注云**］此即樲枣实也，树大如大枣，实无常形，但大枣中味酸者是。《本经》唯用实，疗不得眠，不言用仁。今方用其仁，补中益气。自补中益肝已下，此为酸枣仁之功能。又于下品白棘条中，复云用其实。今医以棘实为酸枣，大误矣。

［**今注**］陶云醒睡，而《经》云疗不得眠。盖其子肉味酸，食之使不思睡；核中仁服之，疗不得眠。正如麻黄发汗，根节止汗也。此乃棘实，更非他物。若谓是大枣味酸者，全非也。酸枣小而圆，其核中仁微扁，大枣仁大而长，不类也。

421　槐实

味苦、酸、咸，**寒**，无毒。**主五内邪气热，止涎唾，补绝伤，疗五痔，火疮，妇人乳瘕，子脏急痛。**以七月七日取之，捣取汁，铜器盛之，日煎，令可作丸，大如鼠矢，内窍中，三易乃愈。又堕胎。久服明目，益气，头不白，延年。枝主洗疮及阴囊下湿痒。皮主烂疮。根主喉痹寒热。**生**河南**平泽**。可作神烛。　景天为之使。

［陶隐居云］槐子以相连多者为好。十月上巳日采之，新盆盛，合泥百日，皮烂为水，核如大豆。服之令人脑满，发不白而长生。今处处有，此云七月取其子未坚，故捣绞取汁。

［唐本注云］《别录》云：八月断槐大枝，使生嫩蘖，煮汁酿酒，疗大风痿痹甚效。槐耳味苦、辛，平，无毒。主五痔心痛，女人阴中痒痛。槐树菌也，当取坚如桑耳者。

422　楮实

味甘，寒，无毒。主阴痿水肿，益气，充肌肤，明目。久服不饥，不老，轻身。生少室山，一名谷实，所在有之。八月、九月采实，日干，四十日成。叶，味甘，无毒。主小儿身热，食不生肌，可作浴汤。又主恶疮生肉。树皮，主逐水，利小便。茎，主瘾疹痒，单煮洗浴。其皮间白汁疗癣。

［陶隐居云］此即今谷树子也，仙方采捣取汁和丹用，亦干服，使人通神见鬼。南人呼谷纸亦为楮纸，作褚音。武陵人作谷皮衣，又甚坚好耳也。

423　枸杞

味苦，寒，根大寒，子微寒，无毒。**主五内邪气，热中，消渴，周痹，**风湿，下胸胁气，客热，头痛，补内伤，大劳、嘘吸，坚筋骨，强阴，利大小肠。**久服坚筋骨，轻身，不老**，耐寒暑。**一名杞根，一名地骨，一名枸忌，一名地辅，**一名羊乳，一名却暑，一名仙人杖，一名西王母杖。**生**常山**平泽**，及诸丘陵阪岸上。冬采根，春、夏采叶，秋采茎、实，阴干。

［陶隐居云］今出堂邑，而石头烽火楼下最多。其叶可作羹，味小苦。俗谚云：去家千里，勿食萝摩、枸杞，此言其补益精气，强盛阴道也。萝摩一名苦丸，叶厚大作藤生，摘有白乳汁，人家多种之，可生啖，亦蒸煮食也。枸杞根、实，为

服食家用，其说乃甚美，仙人之杖，远自有旨乎也。

424 苏合

味甘，温，无毒。主辟恶，杀鬼精物，温疟，蛊毒，痫痓，去三虫，除邪，不梦，忤魇脒，通神明。久服轻身长年。生中台川谷。

［**陶隐居云**］俗传云是狮子屎，外国说不尔。今皆从西域来，真者难别，亦不复入药，唯供合好香耳。

［**唐本注云**］此香从西域及昆仑来，紫赤色，与紫真檀相似，坚实，极芬香，惟重如石，烧之灰白者好。云是狮子屎，此是胡人诳言，陶不悟之，犹以为疑也。

425 丁香

味辛，温，无毒。主温脾胃，止霍乱壅胀，风毒诸肿，齿疳䘌，能发诸香。其根疗风热毒肿。生交、广南蕃。二月、八月采。

［**今注**］按，广州送丁香图，树高丈余，叶似栎叶，花圆细黄色，凌冬不凋。医家所用，惟用根。子如钉，长三四分，紫色，中有粗大如山茱萸者，俗呼为母丁香，可入心腹之药尔。以旧本丁香根注中有不入心腹之用六字，恐其根必是有毒，故云不入心腹也。又按，陈藏器本草云：丁香于其母丁香，主变白，以生姜汁研，拔去白发，涂孔中，即异常黑也。 今附

木部中品 卷第十三

426　龙眼

味甘，平，无毒。**主疗五脏邪气，安志厌食，**除虫去毒。**久服强魂魄，聪察，轻身，不老，通神明。一名益智。**其大者似槟榔。**生**南海**山谷**。

［**陶隐居云**］广州别有龙眼，似荔枝而小，非益智，恐彼人别名，今者为益智耳，食之并利人。

［**唐本注云**］益智，似连翘子。头未开者，味甘、辛，殊不似槟榔。其苗，叶、花、根与豆蔻无别，唯子小耳。龙眼一名益智，而益智非龙眼也。其龙眼树，似荔枝，叶若林檎，花白色，子如槟榔，有鳞甲，大如雉卵，味甘、酸。

［**今注**］按，此树高二丈余，枝叶凌冬不凋。花白色，七月始熟，一名亚荔枝。大者形似槟榔而小，有鳞甲，其肉薄于荔枝而甘美，堪食。《本经》云一名益智者，盖甘味归脾而能益智，非今益智子尔。

427　厚朴

味苦，温、大温，无毒。**主中风，伤寒，头痛，寒热，惊悸，气血痹，死肌，去三虫。**温中益气，消痰下气，疗霍乱及腹痛，胀满，胃中冷逆，胸中呕逆不止，泄痢，淋露，除惊，去留热，止烦满，厚肠胃。一名厚皮，一名赤朴。其树名榛，其子名逐杨，疗鼠瘘，明目，益气。生交趾、宛朐。三月、九月、十月采皮，阴干。　干姜为之使，恶泽泻、寒水石、消石。

［**陶隐居云**］今出建平、宜都，极厚、肉紫色为好，壳薄而白者不如。用之削去上甲错皮。俗方多用，道家不须也。

［**今注**］出梓州、龙州者最佳。

428 猪苓

味甘、苦，**平**，无毒。**主痎疟，解毒，辟蛊疰不祥，利水道。久服轻身，耐老。一名猳猪矢。生**衡山**山谷**，及济阴、宛朐。二月、八月采，阴干。

［**陶隐居云**］今湘州、衡山无有，此道不通，皆从宁州来。旧云是枫树苓，其皮至黑，作块似猪矢，故以名之。肉白而实者佳。用之削去黑皮乃称之，比年殊难得耳。

429 竹叶、篁竹叶

味苦，平、大寒，无毒。**主咳逆上气，溢筋急，恶疡，杀小虫。**除烦热，风痉，喉痹，呕逆。**根，作汤，益气止渴，补虚下气**，消毒。**汁，主风痓痹。实，通神明，轻身益气。**生益州。淡竹叶，味辛，平、大寒。主胸中痰热、咳逆上气。其沥，大寒，疗暴中风，风痹，胸中大热，止烦闷。其皮筎，微寒，疗呕啘，温气，寒热，吐血，崩中，溢筋。苦竹叶及沥，疗口疮，目痛，明目，通利九窍。竹笋，味甘，无毒，主消渴，利水道，益气，可久食。干笋烧服，疗五痔血。

［**陶隐居云**］竹类甚多，此前一条云是篁竹，次用淡、苦尔。又一种薄壳者，名甘竹叶，最胜。又有实中竹、笙竹，并以笋为佳，于药无用。凡取竹沥，惟用淡竹耳。竹实出蓝田，江东乃有花而无实，故凤鸟不至。而顷来斑斑有实，实状如小麦，堪可为饭。

［**今按**］陈藏器本草云：苦竹笋，主不睡，去面目并舌上热黄，消渴，明目，解酒毒，除热气，健人。诸笋皆发冷血及气。淡竹根煮取汁，主丹石发热渴，除烦热。

430 枳实

味苦、酸，**寒**、微寒，无毒。**主大风在皮肤中如麻豆苦痒，除寒热热结，止痢。长肌肉，利五脏，益气，轻身。**除胸胁痰癖，逐停水，破结实，消胀满、心下急、痞痛、逆气、胁风痛，安胃气，止溏泄，明目。**生**河内**川泽**。九月、十月采，阴干。

［**陶隐居云**］今处处有，采破令干。用之除中核，微炙令香，亦如橘皮，以陈者为良。枳树枝茎及皮，疗水胀、暴风、骨节疼急。枳实俗方多用，道家不须也。

［**唐本注云**］枳实，日干乃得，阴便湿烂也。用当去核及中瓤乃佳。今云用枳壳乃尔。若称枳实，须合核瓤用者，殊不然也。

［**今按**］陈藏器本草云：枳实根皮主痔，末服方寸匕。《本经》采实用。九月、十月不如七月、八月既厚且辛。旧云江南为橘，江北为枳。今江南俱有枳、橘，江北有枳无橘，此自是种别，非关变也。

431 枳壳

味苦、酸，微寒，无毒。主风痒麻痹，通利关节，劳气咳嗽，背膊闷倦，散留结胸膈痰滞，逐水，消胀满大肠风，安胃，止风痛。生商州川谷。九月、十月采，阴干。 用当去瓤核乃佳，此与枳实主疗稍别，故特出此条。 今附

432 山茱萸

味酸，平、微温，无毒。**主心下邪气，寒热，温中，逐寒湿痹，去三虫。**肠胃风邪，寒热，疝瘕，头脑风，风气去来，鼻塞，目黄，耳聋，面疱，温中，下气，出汗，强阴，益精，安五脏，通九窍，止小便利。**久服轻身，**明目，强力，长年。**一名蜀枣，**一名鸡足，一名思益，一名鬾实。**生**汉中**山谷**及琅琊、宛朐、东海承县。九月、十月采实，阴干。 蓼实为之使，恶桔梗、防风、防己。

［**陶隐居云**］今出近道诸山中大树，子初熟未干，赤色，如胡颓子，亦可啖。既干后，皮甚薄，当合核为用尔。

433 吴茱萸

味辛，温、大热，有小毒。**主温中下气，止痛咳逆，寒热，除湿血痹，逐风邪，开腠理。**去痰冷，腹内绞痛，诸冷、实不消，中恶，心腹痛，逆气，利五脏。**根杀三虫。**根白皮杀蛲虫，疗喉痹咳逆，止泄注，食不消，女子经产余血，疗白癣。**一名藙。生**上谷**川谷**及宛朐。九月九日采，阴干。 蓼实为之使，恶丹参、消石、白垩，畏紫石英。

［**陶隐居云**］此即今食茱萸。《礼记》亦名藙，而俗中呼为薮子，当是不识藙字，藙字似薮字，仍以相传。其根南行、东行者为胜。道家去三尸方亦用之。

［**唐本注云**］《尔雅·释木》云：椒椴，丑梂。陆氏《草木疏》云：椒椴属亦有椴名，陶误也。

434　秦皮

味苦，微寒、大寒，无毒。**主风寒湿痹，洗洗寒气，除热，目中青翳白膜**。疗男子少精，妇人带下，小儿痫，身热。可作洗目汤。**久服头不白，轻身**，皮肤光泽，肥大有子。一名岑皮，一名石檀。**生**庐江**川谷**及宛朐。二月、八月采皮，阴干。　大戟为之使，恶吴茱萸。

［陶隐居云］俗云是樊槻皮，而水渍以和墨，书青色不脱，彻青，且亦殊薄，恐不必尔。俗方惟以疗目。道术家亦有用处。

［唐本注云］此树似檀。叶细，皮有白点而不粗错。取皮水渍便碧色，书纸看皆青色者是。俗见味苦，名为苦树，亦用皮，疗眼有效。以叶似檀，故名石檀也。

435　枝子

味苦，寒、大寒，无毒。**主五内邪气，胃中热气，面赤，酒疱皶鼻，白癞、赤癞，疮疡**。疗目热赤痛，胸中心大小肠大热，心中烦闷，胃中热气。**一名木丹**，一名越桃。生南阳川谷。九月采实，曝干。

［陶隐居云］解玉枝毒。处处有，亦两三种小异，以七道者为良。经霜乃取之。今皆入染用，于药甚希。玉枝即羊踯躅也。

436　槟榔

味辛，温，无毒。主消谷，逐水，除痰澼，杀三虫，去伏尸，疗寸白。生南海。

［陶隐居云］此有三四种：出交州，形小而味甘；广州已南者，形大而味涩，核亦大；尤大者，名楮槟榔，作药皆用之；又小者，南人名纳子，俗人呼为槟榔孙，亦可食。

［唐本注云］槟榔，生者极大，停数日便烂。今入北来者，皆先灰汁煮熟，仍火熏干，始堪停久。其中仁，主腹胀；生捣末服，利水谷道；敷疮生肌肉，止痛；烧为灰，主口吻白疮。生交州、爱州及昆仑。

437　大腹

微温，无毒。主冷热气攻心腹，大肠壅毒，痰膈醋心，并以姜盐同煎，入疏气

药良。所出与槟榔相似，茎、叶、根干小异。生南海诸国。 今附

438　合欢

味甘，平，无毒。**主安五脏，和心志，令人欢乐无忧。久服轻身，明目，得所欲。生**益州**川谷**。

［陶隐居云］按，嵇康《养生论》云：合欢蠲忿，萱草忘忧。诗人又有萱草，皆云即是今鹿葱，而不入药用。至于合欢，举俗无识之者。当以其非疗病之功，稍见轻略，遂致永谢。犹如长生之法，人罕敦尚，亦为遗弃也。洛阳华林苑中，犹云合欢如丁林，唯不来江左耳。

［唐本注云］此树，生叶似皂荚槐等，极细，五月花发，红白色，所在山涧中有之。今东西京第宅山池间亦有种者，名曰合欢，或曰合昏。秋实作荚，子极薄细。

［今按］陈藏器本草云：合欢皮杀虫，捣为末，和铛下墨，生油调，涂蜘蛛咬疮；及叶并去垢。叶至暮即合，故云合昏也。

439　秦椒

味辛，温、生温熟寒，有毒。**主风邪气，温中，除寒痹，坚齿，长发，明目。**疗喉痹，吐逆，疝瘕，去老血，产后余疾，腹痛，出汗，利五脏。**久服轻身，好颜色，耐老，增年，通神。生**太山**川谷**及秦岭上，或琅玡。八月、九月采实。 恶栝楼、防葵，畏雌黄。

［陶隐居云］今从西来，形似椒而大，色黄黑，味亦颇有椒气，或呼为大椒。又云：即今樛树子，而樛子是猪椒，恐谬。

［唐本注云］秦椒树，叶及茎、子都似蜀椒，但味短，实细。蓝田南、秦岭间大有也。

440　卫矛

味苦，寒，无毒。**主女子崩中，下血，腹满，汗出，除邪，杀鬼毒蛊疰，**中恶，腹痛，去白虫，消皮肤风毒肿，令阴中解。**一名鬼箭。生**霍山**山谷**。八月采，阴干。

［陶隐居云］山野处处有。其茎有三羽，状如箭羽，俗皆呼为鬼箭。而为用甚

希，用之削取皮及羽也。

[今注] 医家用鬼箭疗妇人血气，大效。

441 紫葳

味酸，微寒，无毒，**主妇人产乳余疾，崩中，癥瘕，血闭，寒热，羸瘦，养胎。**茎、叶味苦，无毒，主痿蹶，益气。一名陵苕，一名芙华。**生**西海**川谷**及山阳。

[陶隐居云] 李云是瞿麦根，今方用至少。《博物志》云：郝晦行华草于太行山北得紫葳华，必当奇异。今瞿麦华乃可爱，而处处有，不应乃在太行山。且有树，其茎、叶，恐亦非瞿麦根。《诗》云有苕之华；郭云陵霄藤，亦恐非也。

[唐本注云] 此即陵霄也，花及茎、叶俱用。按，《尔雅·释草》云：苕，一名陵苕，黄华蔈，白华茇。郭云：一名陵时，又名陵霄。《本经》云：一名陵苕，一名芙华，即用花，不用根也。山中亦有白花者。按，瞿麦花红，无黄、白者。且紫葳、瞿麦皆《本经》所载，若用瞿麦根为紫葳，何得复用茎、叶，体性既与瞿麦乖异，生处亦不相关。郭云陵霄，此为真说也。

442 芜荑

味辛，平，无毒。**主五内邪气，散皮肤、骨节中淫淫温行毒，去三虫，化食，**逐寸白，散腹中温温喘息。**一名无姑，一名蕨蕼。生**晋山**川谷**。三月采实，阴干。

[陶隐居云] 今唯出高丽，状如榆荚，气臭如犱音信，彼人皆以作酱食之。性杀虫，以置物中，亦辟蛀，但患其臭耳。

[唐本注云]《尔雅》云芜荑一名蔱藙，今名蕨蕼，字之误也。今出延州、同州者最好。

[今注] 芜荑，河东河西处处有之。况《经》云生晋山川谷，而陶以为惟出高丽，盖是不知其元也。

443 食茱萸

味辛、苦，大热，无毒。功用与吴茱萸同，少为劣耳，疗水气用之，乃佳。

[唐本注云] 皮薄开口者是，虽名为食茱萸，而不堪多啖之也。

[今注] 颗粒大，经久色黄黑，乃是食茱萸；颗粒紧小，经久色青绿，即是吴茱萸。

［今按］陈藏器本草云：食茱萸杀鬼魅及恶虫毒，起阳，杀牙齿虫痛。　唐附

444　椋子木

味甘、咸，平，无毒。主折伤，破血养血，安胎，止痛，生肉。

［唐本注云］叶似柿，两叶相当，子细圆，如牛李子，生青熟黑。其木坚重，煮汁赤色。《尔雅》云椋，即来是也。郭注云：椋，材中车辋。八月、九月采木，日干。　唐附

445　每始王木

味苦，平，无毒。主伤折，跌筋骨，生肌破血，止痛，酒水煮浓汁饮之。生资州山谷。

［唐本注云］藤生，绕树木上生，叶似萝摩叶。二月、八月采。　唐附

446　折伤木

味甘、咸，平，无毒。主伤折，筋骨疼痛，散血，补血，产后血闷，心痛，酒水煮浓汁饮之。生资州山谷。

［唐本注云］藤生，绕树上，叶似莽草叶而光厚。八月、九月采茎，日干。唐附

447　茗、苦荼

茗，味甘、苦，微寒，无毒。主瘘疮，利小便，去痰、热渴，令人少睡，秋采之。苦荼，主下气，消宿食，作饮加茱萸、葱、姜等，良。

［唐本注云］《尔雅·释木》云：槚，苦荼。注：树小如栀子，冬生叶，可煮作羹饮。今呼早采者为荼，晚取者为茗。一名荈，蜀人名之苦荼，生山南汉中山谷。

［今按］陈藏器本草云：茗、苦荼，寒，破热气，除瘴气，利大小肠，食之宜热，冷即聚痰。搽是茗嫩叶，捣成饼，并得火良。久食令人瘦，去人脂，使不睡。唐附

448　桑根白皮

味甘，寒，无毒，**主伤中五劳六极，羸瘦，崩中，脉绝，补虚，益气。**去肺中

水气，止唾血，热渴，水肿，腹满胪胀，利水道，去寸白，可以缝金创。采无时，出土上者杀人。续断、桂心、麻子为之使。**叶，主除寒热，出汗。**汁，解蜈蚣毒。**桑耳**，味甘，有毒。**黑者，主女子漏下赤白汁，血病，癥瘕积聚，腹痛，阴阳寒热无子**，疗月水不调。其黄熟陈白者，止久泄，益气不饥。其金色者，疗澼痹饮，积聚，腹痛，金创。一名桑菌，一名木麦。**五木耳名檽，益气不饥，轻身强志。生**犍为**山谷**。六月多雨时采木耳，即曝干。

[陶隐居云] 东行桑根乃易得，而江边多出土，不可轻信。桑耳，《断谷方》云：木檽又呼为桑上寄生，此云五木耳，而不显四者是何木？按，老桑树生燥耳，有黄、赤、白者，又多雨时亦生软湿者，人采以作菹，皆无复药用。

[唐本注云] 楮耳人常食，槐耳用疗痔，榆、柳、桑耳，此为五耳，软者并堪啖。桑椹，味甘，寒，无毒。单食，主消渴。叶，味苦、甘，寒，有小毒。水煎取浓汁，除脚气水肿，利大小肠。灰，味辛，寒，有小毒。蒸淋取汁为煎，与冬灰等同灭痣疵黑子，蚀恶肉。煮小豆，大下水胀。傅金创止血生肌也。

[今按] 陈藏器本草云：桑叶汁，主霍乱腹痛吐下，冬月用干者，浓煮服之。研取白汁合金疮，又主小儿吻疮。细剉，大釜中煎取如赤糖，去老风及宿血。叶桠者名鸡桑，最堪入用。椹，利五脏关节，通血气，久服不饥，多收曝干，捣末，蜜和为丸，每日服六十丸，变白不老。取黑椹一升，和蝌蚪子一升，瓶盛封闭，悬屋东头，一百日尽化为黑泥，染白鬓如漆。又取二七枚，和胡桃脂研如泥，拔去白发，点孔中，即生黑者。

449　松萝

味苦、甘，**平**，无毒。**主瞋怒邪气，止虚汗，出风头，女子阴寒肿痛。**疗痰热，温疟，可为吐汤，利水道。**一名女萝。生**熊耳山**川谷**松树上。五月采，阴干。

[陶隐居云] 东山甚多，生杂树上，而以松上者为真。《毛诗》云：茑与女萝，施于松上。茑是寄生，今以桑上者为真，不用松上者，此互有异同耳。

[今按]《经》云松萝，当用松上者。

450　白棘

味辛，寒，无毒。**主心腹痛，痈肿，溃脓，止痛。**决刺结，疗丈夫虚损，阴痿，精自出，补肾气，益精髓。**一名棘针**，一名棘刺。**生**雍州**川谷**。

［陶隐居云］李云此是酸枣树针，今人用天门冬苗代之，非真也。

［唐本注云］白棘，茎白如粉翌子，叶与赤棘同，棘林中时复有之，亦为难得也。

451 棘刺花

味苦，平，无毒。主金疮、内漏，明目。冬至后百二十日采之。实，主明目，心腹痿痹，除热，利小便。生道旁。四月采。一名菥蓂，一名马朐，一名棘原。又有枣针，疗腰痛、喉痹不通。

［陶隐居云］此一条又相违越，恐俚所言多是，然复道其花一名菥蓂，此恐别是一物，不关棘刺也。今俗人皆用天门冬苗，吾亦不许。门冬苗乃是好作饮，益人，正不可当棘刺耳。

［唐本注云］棘有白赤二种，亦犹诸枣，色类非一。后条用花，斯不足怪。以江南无棘，李云用枣针。天门冬苗一名颠棘，南人取以代棘针，陶亦不许。今用棘刺，当取白者为胜。花即棘花，定无别物。然刺有两种，有钩、有直，补益用直者，疗肿宜取钩者。又云枣针宜在枣部。南人昧于枣、棘之别，所以同在棘条中也。

452 安息香

味辛、苦，平，无毒。主心腹恶气鬼疰。出西戎，似松脂，黄黑色为块，新者亦柔韧。 唐附

453 龙脑香及膏香

味辛、苦，微寒，一云温、平，无毒。主心腹邪气，风湿积聚，耳聋，明目，去目赤肤翳。出婆律国，形似白松脂，作杉木气，明净者善；久经风日，或如雀屎者不佳。云合粳米炭、相思子贮之，则不耗。膏主耳聋。

［唐本注云］树形似杉木，言婆律膏是树根下清脂，龙脑是树根中干脂。子似豆蔻。皮有甲错。香似龙脑，味辛，尤下恶气，消食，散胀满，香人口。旧云出婆律国，药以国为名也。亦言即杉脂也。江南有杉木，未经试造，或方土无脂，犹甘蕉比闻花而无实耳。 唐附

454 庵摩勒

味苦、甘，寒，无毒。主风虚热气。一名余甘。生岭南交、广、爱等州。

[唐本注云] 树叶细，似合欢，花黄，子似李、柰，青黄色，核圆作六七棱，其中仁亦入药用。

[今按] 陈藏器本草云：庵摩勒，主补益，强气力。合铁粉用一斤，变白不老。取子压取汁和油，涂头生发去风痒，初涂发脱，后生如漆。人食其子，先苦后甘，故曰余甘。 唐附

455 毗梨勒

味苦，寒，无毒。功用与庵摩勒同。出西域及岭南交、爱等州，戎人谓之三果。

[陶隐居云] 树似胡桃，子形亦似胡桃，核似诃梨勒而圆短无棱，用之亦同法。 唐附

456 胡桐泪

味咸、苦，大寒，无毒。主大毒热，心腹烦满，水和服之，取吐。又主牛马急黄，马黑汗，水研二三两，灌之，立差。又为金银焊药。出肃州川西平泽及山谷中，形似黄矾而坚实。有夹烂木者，云是胡桐树滋，沦入土、石碱卤地作之。其树高大，皮叶似白杨、青桐、桑蜚，故名胡桐。木堪器用，一名胡桐律。律，泪声讹也。西域传云：胡桐似桑而曲。

[今注] 草部今移。 唐附

457 紫矿、麒麟竭

味甘、咸，平，有小毒。主五脏邪气，带下，止痛，破积血，金创，生肉。与麒麟竭二物大同小异。

[唐本注云] 紫色如胶，作赤麖皮及宝钿用为假色，亦以胶宝物。云蚁于海畔树藤皮中为之。紫矿树名渴廪，麒麟竭树名渴留，喻如蜂造蜜，斫取用之。《吴录》谓之赤胶者。

[今按] 别本注云：紫矿、麒麟竭，二物同条，功效全别。紫矿色赤而黑，其

叶大如盘，矿从叶上出。麒麟竭色黄而赤，味咸，平，无毒。主心腹卒痛，止金疮血，生肌肉，除邪气。叶如樱桃，三角成竭，从木中出，如松脂。又今注：玉石部今移。　唐附

458　天竺黄

味甘，寒，无毒。主小儿惊风天弔，镇心，明目，去诸风热。疗金疮止血，滋养五脏。一名竹膏。人多烧诸骨及葛粉等杂之。按，《临海志》云：生天竺国。今诸竹内往往得之。　今附

459　天竺桂

味辛，温，无毒。主腹内诸冷，血气胀。功用似桂，皮薄不过烈。生西胡国。　今附

460　乌药

味辛，温，无毒。主中恶心腹痛，蛊毒疰忤鬼气，宿食不消，天行疫瘴，膀胱肾间冷气攻冲背膂，妇人血气，小儿腹中诸虫。其叶及根，嫩时采作茶片，炙碾煎服，能补中益气，偏止小便滑数。生岭南、邕、容州及江南。树生似茶，高丈余。一叶三椏，叶青阴白。根色黑褐，作车毂形，状似山芍药根，又似乌樟根。自余直根者不堪用。一名旁其。八月采根。　今附

461　没药

味苦，平，无毒。主破血止痛，疗金疮杖疮，诸恶疮痔漏，卒下血，目中翳晕痛肤赤。生波斯国，似安息香，其块大小不定，黑色。　今附

462　墨

味辛，无毒。止血，生肌肤，合金疮，主产后血运，崩中，卒下血，醋磨服之。亦主眯目，物芒入目，磨点瞳子上。又止血痢，及小儿客忤，捣筛，和水温服之。好墨入药，粗者不堪。　今附

463　郁金香

味苦，温，无毒。主野蛊诸毒，心气鬼疰，鸦鹘等臭。陈氏云：其香十二叶，为百草之英。按，《魏略》云：生秦国。二月、三月有花，状如红蓝，四月、五月采花，即香也。　今附

464　海桐皮

味苦，平，无毒。主霍乱中恶，赤白久痢，除甘䘌疥癣，牙齿虫痛，并煮服及含之。水浸洗目，除肤赤。堪作绳索，入水不烂。出南海已南山谷，似梓一作桐白皮。　今附

465　紫藤

味甘，微温，有小毒。作煎如糖，下水良。花挼碎，拭酒醋白腐坏。子作角，其中人，熬令香，著酒中，令不败。酒败者用之，亦正。四月生紫花可爱，人亦种之。江东呼为招豆藤。皮著树，从心重重有皮。　今附

木部下品　卷第十四

466　黄环

味苦，平，有毒。**主蛊毒，鬼疰，鬼魅，邪气在脏中，除咳逆寒热。一名陵泉，一名大就。生**蜀郡**山谷**。三月采根，阴干。　鸢尾为之使，恶茯苓、防己。

［陶隐居云］似防己。亦作车辐理解。《蜀都赋》所云青珠黄环者，或云是大戟花，定非也。俗用甚希，市人尠有识者。

［唐本注云］此物，襄阳巴西人谓之就葛，作藤生。根亦葛类。所云似防己，作车辐理解者，近之。人取葛根，误得食之，吐利不止，用土浆解乃差，此真黄环也。余处亦希，唯襄阳大有。《本经》用根，今云大戟花，非也。其子作角，生似皂荚，花实与葛同时矣。今园庭种之。大者茎径六七寸，所在有之。谓其子名狼跋子。今太常科剑南来者，乃鸡屎葛根，非也。

467　石南

味辛、苦，**平，**有毒。**主养肾气，内伤阴衰，利筋骨皮毛。**疗脚弱，五脏邪气，除热。女子不可久服，令思男。**实，杀蛊毒，破积聚，逐风痹。一名鬼目。生**华阴**山谷**。二月、四月采叶，八月采实，阴干。　五加皮为之使。

［陶隐居云］今庐江及东间皆有，叶状如枇杷叶，方用亦希。

［唐本注云］此草叶似莽草，凌冬不凋，以叶细者为良。关中者好，为疗风邪丸散之要。其江山以南者，长大如枇杷叶，无气味，殊不任用，今医家不复用实也。

468 巴豆

味辛，温，生温熟寒，有大毒。**主伤寒，温疟，寒热，破癥瘕、结坚积聚，留饮痰癖，大腹水胀，荡练五脏六腑，开通闭塞，利水谷道，去恶肉，除鬼蛊毒疰、邪物，杀虫鱼。**疗女子月闭，烂胎，金创，脓血，不利丈夫阴，杀斑猫毒。可炼饵之，益血脉，令人色好，变化与鬼神通。**一名巴椒。生**巴郡**川谷**。八月采实，阴干，用之去心皮。　芫花为之使，恶蘘草，畏大黄、黄连、藜芦。

[陶隐居云] 出巴郡，似大豆，最能利人，新者佳。用之皆去心皮乃秤，又熬令黄黑，别捣如膏，乃合和丸散耳。道方亦有炼饵法，服之乃言神仙。人吞一枚，便欲死，而鼠食之，三年重三十斤，物性乃有相耐如此耳。

[唐本注云] 树高丈余，叶似樱桃叶，头微尖，十二月叶渐凋，至四月落尽，五月叶渐生，七月花，八月结实，九月成，十月采其子，三枚共蒂，各有壳裹。出眉州、嘉州者良。

[今按] 陈藏器本草云：巴豆，主癥癖痃气痞满，腹内积聚，冷气血块，宿食不消，痰饮吐水。取青黑大者，每日空腹服一枚，去壳，勿令白膜破，乃作两片，并四边不得有损缺，吞之，以饮压令下，少间，腹内热如火，痢出恶物，虽痢不虚。若久服，亦不痢。白膜破者弃之。生南方，树大如围，极高，不啻一丈也。

469 蜀椒

味辛，温、大热，有毒。**主邪气咳逆，温中，逐骨节、皮肤死肌，寒湿痹痛，下气。**除五脏六腑寒冷，伤寒，温疟，大风，汗不出，心腹留饮宿食，止肠澼下利，泄精，女子字乳余疾，散风邪瘕结，水肿，黄疸，鬼疰，蛊毒，杀虫鱼毒。**久服之头不白，轻身，增年。**开腠理，通血脉，坚齿发，调关节，耐寒暑，可作膏药。多食令人乏气，口闭者杀人。一名巴椒，一名蓎藙。**生**武都**川谷**及巴郡。八月采实，阴干。　杏仁为之使，畏款冬。

[陶隐居云] 出蜀郡北部，人家种之，皮肉厚，腹里白，气味浓。江阳晋原及建平间亦有而细赤，辛而不香，力势不如巴郡。巴椒，有毒不可服，而此为一名，恐不尔。又有秦椒，黑色，在上品中。凡用椒皆火微熬之，令汗出，谓之汗椒，令有力势。椒目冷利去水，则入药不得相杂耳。

[唐本注云] 椒目，味苦，寒，无毒。主水腹胀满，利小便。今椒出金州西城

者，最善。

470　莽草

味辛、苦，**温**，有毒。**主风头痈肿，乳痈，疝瘕，除结气疥瘙、虫疽疮，杀虫鱼。**疗喉痹不通，乳难，头风痒，可用沐，勿近目。一名葞，一名春草。**生上谷山谷**及宛朐。五月采叶，阴干。

[陶隐居云] 上谷远在幽州，今东间诸山处处皆有。叶青新烈者良。人用捣以和米内水中，鱼吞即死浮出，人取食之无妨。莽草，字亦有作茵字，今俗呼为茵草也。

471　郁李仁

味酸，平，无毒。**主大腹水肿，面目四肢浮肿，利小便水道。根，主齿龂肿、龋齿，坚齿，**去白虫。**一名爵李，**一名车下李，一名棣。**生**高山**山谷**及丘陵上。五月、六月采根。

[陶隐居云] 山野处处有，其子熟赤色，亦可啖之。

472　鼠李

主寒热瘰疬疮。皮，味苦，微寒，无毒。主除身皮热毒。一名牛李，一名鼠梓，一名椑。**生田野，**采无时。

[陶隐居云] 此条又附见，今亦在副品限也。

[唐本注云] 此药一名赵李，一名皂李，一名乌槎树。皮主诸疮寒热毒痹。子主牛马六畜疮中虫，或生捣傅之，或和脂涂皆效。子味苦，采取日干，九蒸，酒渍，服三合，日二，能下血及碎肉，除疝瘕积冷气，大良。皮、子俱有小毒。

473　栾花

味苦，寒，无毒。**主目痛泣出，伤眦，消目肿。生**汉中**川谷**。五月采。　决明为之使。

[唐本注云] 此树，叶似木槿而薄细，花黄似槐少长大，子壳似酸浆，其中有实，如熟豌豆，圆黑坚硬，堪为数珠者是也。五月、六月花可收，南人取合黄连作煎，疗目赤烂大效。花以染黄色，甚鲜好也。

474　杉材

微温，无毒。主疗漆疮。

［陶隐居云］削作柿音费，煮以洗漆疮，无不即差。又有鼠查，生去地高尺余许，煮以洗漆多差。又有漆姑，叶细细，多生石旁，亦疗漆疮。其鸡子及蟹，并是旧方。

［唐本注云］杉材木，水煮汁。浸捋脚气肿满，服之疗心腹胀痛，去恶气。其鼠查、漆姑有别功，别出下品。

475　楠材

微温。主霍乱吐不下止。

［陶隐居云］削作柿，煮服之，穷无他药用此。

476　榧实

味甘，无毒。主五痔，去三虫，蛊毒，鬼疰。生永昌。

［陶隐居云］今出东阳诸郡，食其子，乃言疗寸白虫。不复有余用，不入药方，疑此与前虫品彼子疗说符同。

［唐本注云］此物是虫部中彼子也。《尔雅》云：被，杉也。其树大连抱，高数仞，叶似杉，其树如柏，作松理，肌细软，堪为器用也。

［今按］彼子与此殊类，既未知所用，退入有名无用。

477　**蔓椒**

味苦，温，无毒。**主风寒湿痹，历节疼痛，除四肢厥气，膝痛。一名豕椒，**一名猪椒，一名彘椒，一名狗椒。**生**云中山**川谷**及丘冢间。采茎、根，煮酿酒。

［陶隐居云］山野处处有，俗呼为樛，似椒榄，小不香尔，一名豨椒，可以蒸病出汗也。

478　钓樟根皮

主金创，止血。

［陶隐居云］出桂阳、邵陵诸处，亦呼作乌樟，方家乃不用，而俗人多识此。

刮根皮屑，以疗金创，断血易合甚验。又有一草似狼牙，气辛臭，名地菘，人呼为刘憧草，五月五日采，干作屑，亦主疗金疮，言刘憧昔采用之耳。

[唐本注云] 钓樟，生柳州山谷，树高丈余，叶似楠叶而尖长，背有赤毛，若枇杷叶。八月、九月采根皮，日干之。

479　雷丸

味苦、咸，**寒**、微寒，有小毒。**主杀三虫，逐毒气，胃中热，利丈夫，不利女子，作膏摩除小儿百病。**逐邪气，恶风，汗出，除皮中热结，积聚，蛊毒，白虫，寸白自出不止。久服令人阴痿。一名雷矢，一名雷实，赤者杀人。**生石城山谷**，生汉中土中。八月采根，曝干。　荔实、厚朴为之使，恶葛根。

[陶隐居云] 今出建平、宜都间，累累相连如丸。《本经》云：利丈夫。《别录》云：久服阴痿，于事相反。

[唐本注云] 雷丸是竹之苓也，无有苗蔓，皆零出，无相连者。今出房州、金州。

[今注] 此物性寒。《本经》云：利丈夫，不利女子。《别录》云：久服令阴痿者，于事相反。按，此则疏利男子元气，不疏利女子脏气，其义显矣。

480　溲疏

味辛、苦，**寒**、微寒，无毒。**主身皮肤中热，除邪气，止遗溺。**通利水道，除胃中热，下气，**可作浴汤。**一名巨骨。**生掘耳川谷**，及田野故丘墟地。四月采。

漏芦为之使。

[陶隐居云] 李云溲疏一名杨栌，一名牡荆，一名空疏。皮白，中空，时时有节。子似枸杞子，冬月熟，色赤，味甘、苦，末代乃无识者，此实真也，非人篱援之杨栌也。李当之此说，于论牡荆，乃不为大乖，而滥引溲疏，恐斯误矣。又云：溲疏与空疏亦不同。掘耳疑应作熊耳，熊耳山名，而都无掘耳之号也。

[唐本注云] 溲疏，形似空疏，树高丈许，白皮，其子八月、九月熟，色赤，似枸杞子，味苦，必两两相并，与空疏不同。空疏一名杨栌，子为荚，不似溲疏。

[今注] 溲疏、枸杞虽则相似，然溲疏有刺，枸杞无刺，以此为别尔。

481　榉树皮

大寒。主时行头痛，热结在肠胃。

[陶隐居云] 山中处处有，皮似檀、槐，叶如栎、槲，人亦多识用之。削取里皮，去上甲，煎服之，夏日作饮去热。

[唐本注云] 此树，所在皆有，多生溪涧水侧。叶似樗而狭长，树大者连抱，高数仞，皮极粗厚，殊不似檀。俗人取煮汁，以疗水气断下利，取嫩叶，挼贴火烂疮有效也。

482 白杨树皮

味苦，无毒。主毒风，脚气肿，四肢缓弱不随，毒气游易在皮肤中，痰癖等。酒渍服之。

[唐本注云] 取叶圆大、蒂小、无风自动者良。

[今按] 陈藏器本草云：白杨去风痹宿血，折伤，血沥在骨肉间，痛不可忍，皮肤风瘙肿，杂五木为汤，捋浸损处。北土极多，人种墟墓间，树大皮白。或云叶无风自动，此是移杨，非白杨也。 唐附

483 水杨叶、嫩枝

味苦，平，无毒。主久利赤白。捣和水绞取汁，服一升，日二，大效。

[唐本注云] 此陶注柳者是。

[今注] 水杨叶圆阔而赤，枝条短硬，多生水岸傍。树与杨柳相似，既生水岸，故名水杨也。 唐附

484 栾荆

味辛、苦，温，有小毒。主大风，头面手足诸风，癫痫，狂痓，湿痹寒冷疼痛。俗方大用之，而本草不载，亦无别名，但有栾花，功用又别，非此花也。

[唐本注云] 按，其茎、叶都似石南，干亦反卷，经冬不死，叶上有细黑点者，真也。今雍州所用者是，而洛州乃用石荆当之，非也。 唐附

485 紫荆木

味苦，平，无毒。主破宿血，下五淋，浓煮服之。今人多于庭院间种者，花艳可爱。 今附

486 小檗

味苦，大寒，无毒。主口疮，疳䘌，杀诸虫，去心腹中热气。一名山石榴。

[唐本注云] 其树枝叶与石榴无别，但花异，子细黑圆如牛李子耳。生山石间，所在皆有，襄阳岘山东者为良。陶于檗木附见二种，其一是此。陶云皮黄，其树乃皮白，今太常所贮乃叶多刺者，白刺檗，非小檗也。

[今按] 陈藏器本草云：凡是檗木皆皮黄，今既不黄，而自然非檗。小檗如石榴皮黄，子赤如枸杞子，两头尖。人剉枝以染黄。若云子黑而圆，恐是别物，非小檗也。 唐附

487 荚蒾

味甘、苦，平，无毒。主三虫，下气，消谷。

[唐本注云] 叶似木槿，及似榆，作小树，其子如溲疏，两两为并，四四相对，而色赤味甘。煮树枝汁和作粥，甘美。以饲小儿，杀蛔虫，不入方用。陆机《草木疏》名击迷，一名羿先，盖檀、榆之类也。所在山谷有之。

[今按] 陈藏器本草云：荚蒾主六畜疮中蛆，煮汁作粥灌之，蛆立出。皮堪为索。生北土山林间。 唐附

488 钓藤

微寒，无毒。主小儿寒热，十二惊痫。

[陶隐居云] 出建平，亦作吊藤字，惟疗小儿，不入余方。

[唐本注云] 出梁州，叶细长，茎间有刺，形若钓钩者是。

489 南藤

味辛，温，无毒。主风血，补衰老，起阳，强腰脚，除痹，变白，逐冷气，排风邪。亦煮汁服，亦浸酒。冬月用之。生依南树，故号南藤。茎如马鞭，有节紫褐色。一名丁公藤。生南山山谷。

[今按]《南史》：解叔谦，雁门人。母有疾，夜于庭中稽颡祈告，闻空中云：得丁公藤治即差。访医及本草皆无。至宜都山中，见一翁伐木，云是丁公藤，疗风。乃拜泣求得之及渍酒法。受毕，失翁所在。母疾遂愈。 今附

490 榼藤子

味涩、甘，平，无毒。主蛊毒，五痔，喉痹，及小儿脱肛，血痢，并烧灰服。泻血宜服一枚，以刀剜内瓤，熬，研为散，空腹热酒调二钱。不过三服必效。又宜入澡豆，善除皯䵟。其壳用贮丹药，经载不坏。按，《广州记》云：生广南山林间。树如通草藤也，三年方始熟，紫黑色。一名象豆。 今附

491 千金藤

主一切血毒诸气，霍乱中恶，天行虚劳疟瘴，痰嗽不利，痈肿蛇犬毒，药石发，癫痫，悉主之。生北地者，根大如指，色黑似漆；生南土者，黄赤如细辛。今附

492 药实根

味辛，温，无毒。**主邪气，诸痹，疼酸，续绝伤，补骨髓。一名连木。生**蜀郡**山谷**。采无时。

［**唐本注云**］此药子也，当今盛用，胡名那绽，出通州、渝州。《本经》用根，恐误载根字。子味辛，平，无毒。主破血，止痢，消肿，除蛊疰、蛇毒。树生叶似杏，花红白色，子肉味酸、甘，用其核仁也。

493 黄药根

味苦，平，无毒。主诸恶肿疮瘘，喉痹，蛇犬咬毒。取根研服之，亦含亦涂。藤生，高三四尺。根及茎似小桑。生岭南。 今附

494 皂荚

味辛、咸，温，有小毒。**主风痹，死肌，邪气，风头泪出，下水，利九窍，杀鬼精物。**疗腹胀满，消谷，破咳嗽囊结，妇人胞不落，明目益精，可为沐药，不入汤。**生**雍州**川谷**及鲁邹县，如猪牙者良。九月、十月采荚，阴干。 柏实为之使，恶麦门冬，畏空青、人参、苦参。

［**陶隐居云**］今处处有，长二尺者良。俗人见其皆有虫孔，而未尝见虫形，皆言不可近，令人恶病，殊不尔。其虫状如草、菜上青虫，荚微欲黑便出，所以难见

尔。但取生者看，自知之也。

［唐本注云］此物有三种，猪牙皂荚最下，其形曲戾薄恶，全无滋润，洗垢亦不去。其尺二寸者，粗大长虚而无润，若长六七寸，圆厚节促直者，皮薄多肉，味浓，大好。

495　楝实

味苦，寒，有小毒。**主温疾，伤寒大热烦狂，杀三虫，疥疡，利小便水道。**根，微寒，疗蛔虫，利大肠。**生**荆山**山谷**。

［陶隐居云］处处有，俗人五月五日皆取花叶佩戴之，云辟恶。其根以苦酒磨涂疥，甚良。煮汁作糜，食之去蛔虫。

［唐本注云］此物有两种，有雄有雌。雄者根赤，无子，有毒，服之多使人吐不能止，时有至死者。雌者根白，有子，微毒，用当取雌者。

496　柳华

味苦，寒，无毒。**主风水，黄疸，面热黑。**痂疥，恶疮，金创。**一名柳絮，叶主马疥痂疮。**取煎煮，以洗马疥，立愈。又疗心腹内血，止痛。**实主溃痈，逐脓血。子汁疗渴，生**琅玡**川泽。**

［陶隐居云］柳即今水杨也，花熟随风起，状如飞雪。陈元正方以为譬者，当用其未舒时，子亦随花飞，正应水渍取汁耳。柳花亦宜贴灸疮，皮叶疗漆疮耳。

［唐本注云］柳与水杨全不相似。水杨叶圆阔而赤，枝条短硬；柳叶狭长，青绿，枝条长软。此论用柳，不载水杨。水杨亦有疗能，本草不录。树枝及木中虫屑、枝皮，味苦，寒，无毒。主痰热淋，可为吐汤，煮洗风肿痒。酒煮含，主齿痛。木中虫屑可作浴汤，主风瘙痒瘾疹，大效。此人间柳树是也。陶云水杨非也。本草载花差灸疮。

497　桐叶

味苦，寒，无毒。**主恶蚀疮著阴。皮主五痔，杀三虫。疗奔豚气病。华，傅猪疮，饲猪肥大三倍。生**桐柏**山谷**。

［陶隐居云］桐树有四种。青桐，茎皮青，叶似梧桐而无子。梧桐，色白，叶似青桐有子，子肥亦可食。白桐与岗桐无异，惟有花子耳，花三月舒，黄紫色，

《礼》云桐始花者也。岗桐无子，是作琴瑟者。今此云花，便应是白桐，白桐亦堪作琴瑟，一名椅桐，人家多植之。

[唐本注云] 古本草：桐花饲猪，肥大三倍。今云傅疮，恐误矣。岂有故破伤猪傅桐花者。

498 梓白皮

味苦，寒，无毒。**主热，去三虫，疗目中患，华、叶捣傅猪疮，饲猪肥大易养三倍。生**河内**山谷。**

[陶隐居云] 此即梓树之皮。梓亦有三种，当用拌素不腐者，方药不复用。叶疗手脚水烂。桐叶及此以肥猪之法未见，其事应在商丘子《养猪经》中耳。

[唐本注云] 此三树，花叶取以饲猪，并能肥大，且易养。今见《李氏本草》及《博物志》，但云饲猪使肥。今云傅猪疮，并误讹矣。《别录》云：皮主吐逆胃反，去三虫，小儿热疮，身头热烦蚀疮，汤浴之。并封傅嫩叶，主烂疮也。

499 苏方木

味甘、咸，平，无毒。主破血，产后血胀闷欲死者。水煮，若酒煮五两，取浓汁服之，效。

[唐本注云] 此人用染色者，自南海昆仑来，交州、爱州亦有。树似庵罗，叶若榆叶而无涩，抽条长丈许，花黄，子生青熟黑。

[今按] 陈藏器本草云：苏方，寒，主霍乱呕逆，及人常呕吐，用水煎服之。破血当以酒煮为良。 唐附

500 接骨木

味甘、苦，平，无毒。主折伤，续筋骨，除风痒龋齿。可为浴汤。

[唐本注云] 叶如陆英，花亦相似。但作树高一二丈许，木轻虚无心。斫枝插便生，人家亦种之。一名木蒴藋，所在皆有之。 唐附

501 枳椇

味甘，平，无毒。主头风，少腹拘急。陆机云：一名木蜜。其木皮，温，无毒，主五痔，和五脏。以木为屋，屋中酒则味薄，此亦奇物。

［唐本注云］其树径尺，木名白石，叶如桑柘。其子作房，似珊瑚，核在其端，人皆食之。 唐附

502 木天蓼

味辛，温，有小毒。主癥结、积聚，风劳虚冷。生山谷中。

［唐本注云］作藤蔓，叶似柘，花白，子如枣许，无定形。中瓤似茄子，味辛，啖之以当姜蓼。其苗藤切以酒浸服，或以酿酒，去风冷、癥癖，大效。所在有之，今出安州、申州。

［今按］陈藏器本草云：木天蓼，今时所用出凤州。树高如冬青，不凋，出深山。人云多服损寿，以其逐风损气故也。不当以藤天蓼为注，既云木蓼，岂更藤生？自有藤蓼尔。 唐附

503 小天蓼

味甘，温，无毒。主一切风虚羸冷，手足疼痹，无论老幼轻重，浸酒及煮汁服之。十许日，觉皮肤间风出如虫行。生天目山、四明山，树如枝子，冬不凋，野兽食之。更有木天蓼，出山南，大树，今市人货之。云久服促寿，当是其逐风损气故也。《本经》有木天蓼，即是此也。苏注云藤生，子辛，与木又异，应是复有藤天蓼。江淮南山间，有木天蓼，作藤著树，叶如梨，光而薄。子如枣，辛、甘，大主风血羸痹，腰脚疼冷，取皮酿酒，即是苏引为天蓼注者。夫如是，则有三天蓼，俱能逐风，其中优劣，小者最为胜。 今附

504 乌臼木根皮

味苦，微温，有毒。主暴水，癥结，积聚。生山南平泽。

［唐本注云］树高数仞，叶似梨、杏，花黄白，子黑色。

［今按］陈藏器本草云：乌臼叶好染皂。子，多取压为油，涂头令黑变白，为灯极明。服一合，令人下痢，去阴下水。 唐附

505 赤爪木

味苦，寒，无毒。主水痢，风头，身痒。生平陆，所在有之。实，味酸冷，无毒。汁服主水痢，沐头及洗身上疮痒。一名羊梂，一名鼠查。

［唐本注云］小树生高五六尺，叶似香菜，子似虎掌爪，大如小林檎，赤色。出山南申州、安州、随州。 唐附

506　诃梨勒

味苦，温，无毒。主冷气，心腹胀满，下宿物。生交、爱州。

［唐本注云］树似木梡音患，花白，子形似栀子，青黄色，皮肉相着。水磨或散服之。 唐附

507　枫柳皮

味辛，大热，有毒。主风、龋齿痛。出原州。

［唐本注云］叶似槐，茎赤，根黄，子六月熟，绿色而细。剥取其茎皮用之。 唐附

508　卖子木

味甘、微咸，平，无毒。主折伤，血肉结，续绝，补骨髓，止痛，安胎。生山谷中。

［唐本注云］其叶似柿，出剑南邛州。 唐附

509　大空

味辛、苦，平，有小毒。主三虫，杀虮虱。生山谷中。取根皮作末，油和涂发，虮虱皆死。

［唐本注云］根皮赤，叶似楮，小圆厚。作小树，抽条高六七尺。出襄州山谷，所在亦有，秦陇人名为独空。 唐附

510　紫真檀

味咸，微寒。主恶毒、风毒。

［陶隐居云］俗人磨以涂风毒、诸肿，亦效，然不及青木香。又主金创，止血，亦疗淋用之。

［唐本注云］此物出昆仑盘盘国，惟不生中华，人间遍有之。

511 椿木叶

味苦，有毒。主洗疮疥、风疽，水煮叶汁用之。皮主甘䘌。樗木根叶尤良。

［唐本注云］二树形相似，樗木疏，椿木实，为别也。

［今按］陈藏器本草云：樗木，味苦，有小毒。皮主赤、白久痢，口鼻中疳虫，去疥䘌，主鬼疰传尸，蛊毒下血。根皮去鬼气，取一握细切，以童儿小便二升，豉一合，宿浸，绞取汁，煎一服，三五日一度服。叶似椿，北人呼为山椿，江东人呼为虎目，叶脱处有痕，如白樗散木也。 唐附

512 胡椒

味辛，大温，无毒。主下气，温中，去痰，除脏腑中风冷。生西戎，形如鼠李子。调食用之，味甚辛美，而芳香不及蜀椒。 唐附

513 橡实

味苦，微温，无毒。主下利，厚肠胃，肥健人。其壳为散及煮汁服，亦主痢，并堪染用。一名杼斗，槲栎皆有斗，以栎为胜。所在山谷中皆有。 唐附

514 无食子

味苦，温，无毒。主赤、白痢，肠滑，生肌肉。出西戎。

［唐本注云］云生沙碛间，树似柽。

［今注］一名没石子，出波斯国。主小儿疳䘌，能黑髭发，治阴疮、阴汗，温中和气。 唐附

515 杨栌木

味苦，寒，有毒。主疽瘘、恶疮，水煮叶汁，洗疮立差。生篱垣间。一名空疏，所在皆有。 唐附

516 槲若

味甘、苦，平，无毒。主痔，止血，疗血痢，止渴，取脉炙用之。皮，味苦，

水煎浓汁，除蛊及瘘，俗用甚效。　唐附

517　桄榔子

味苦，平，无毒。主宿血。其木似栟榈坚硬，斫其内有面，大者至数斛，食之不饥。其皮堪作绠。生岭南山谷。　今附

518　无患子皮

有小毒。主浣垢，去面皯。喉痹，研内喉中，立开。又主飞尸。子中仁烧令香，辟恶气。其子如漆珠。生山谷大树。一名噤娄，一名桓。　今附

519　益智子

味辛，温，无毒。主遗精虚漏，小便余沥，益气安神，补不足，安三焦，调诸气。夜多小便者，取二十四枚，碎，入盐同煎服，有奇验。按，《山海经》云：生昆仑国。　今附

520　盐麸子

味酸，微寒，无毒。除痰饮瘴疟，喉中热结喉痹，止渴，解酒毒黄疸，飞尸蛊毒，天行寒热，痰嗽，变白，生毛发。取子干捣为末食之。岭南人将以防瘴。树白皮，主破血止血，蛊毒血痢，杀蛔虫，并煎服之。根白皮，主酒疸，捣碎，米泔浸一宿，平旦空腹，温服一二升。叶如椿，生吴、蜀山谷。子秋熟为穗，粒如小豆，上有盐似雪，食之酸咸止渴。一名叛奴盐。　今附

521　椰子皮

味苦，平，无毒。止血，疗鼻衄，吐逆霍乱，煮汁服之。壳中肉，益气去风。浆，服之主消渴，涂头，益发令黑。生安南。树如棕榈子。壳可为器。《交州记》曰：椰子中有浆，饮之得醉。　今附

522　木鳖子

味甘，温，无毒。主折伤，消结肿恶疮，生肌，止腰痛，除粉刺、皯黯，妇

人乳痈，肛门肿痛。藤生，叶有五花，状如薯蓣叶，青色面光。花黄。其子似栝楼而极大，生青熟红，肉上有刺。其核似鳖，故以为名。出朗州及南中。七、八月采之。 今附

523 桦木皮

味苦，平，无毒。主诸黄疸，浓煮汁饮之良。堪为烛者，木似山桃，取脂烧辟鬼。 今附

524 赤柽木

无毒。主剥驴马血入肉毒，取以火炙用熨之，亦可煮汁浸之。其木中脂，一名柽乳，入合质汗用之。生河西沙地。皮赤色，叶细。 今附

525 南烛枝叶

味苦，平，无毒。止泄除睡，强筋益气力。久服，轻身，长年，令人不饥，变白去老。取茎叶捣碎，渍汁浸粳米，九浸九蒸九曝，米粒紧小正黑如瑿珠，袋盛之，可适远方。日进一合，不饥，益颜色，坚筋骨能行。取汁炊饭名乌饭，亦名乌草，亦名牛筋，言食之健如牛筋也；色赤名文烛。生高山，经冬不凋。 今附

526 突厥白

味苦。主金疮，生肉止血，补腰续筋。出突厥国。色白如灰，乃云石灰共诸药合成之。夷人以合金疮，中国用之。

［今注］今医家见用经效者，潞州出焉。其根黄白色，状似茯苓而虚软。苗高三四尺，春夏叶如薄荷，花似牵牛而紫，上有白棱。二月、八月采根，曝干。
今附

527 婆罗得

味辛，温，无毒。主冷气块，温中，补腰肾，破痃癖，可染髭发令黑。树如柳，子如草麻。生西国。 今附

兽禽部　卷第十五

兽　上

528　龙骨

味甘，平、微寒，无毒。**主心腹鬼疰，精物，老魅，咳逆，泄痢脓血，女子漏下，癥瘕坚结，小儿热气惊痫。**疗心腹烦满，四肢痿枯，汗出，夜卧自惊，恚怒，伏气在心下，不得喘息，肠痈内疽阴蚀，止汗，缩小便，溺血，养精神，定魂魄，安五脏。白龙骨，疗梦寤泄精，小便泄精。**龙齿，主疗小儿大人惊痫，癫疾，狂走，心下结气，不能喘息，诸痉，杀精物。**疗小儿五惊，十二痫，身热不可近人，大人骨间寒热，又杀蛊毒。得人参、牛黄良，畏石膏。角，主惊痫，瘛疭，身热如火，腹中坚及热泄。畏干漆、蜀椒、理石。**久服轻身，通神明，延年。生晋地川谷，**及太山岩水岸土穴石中死龙处。采无时。

［陶隐居云］今多出益州、梁州间，巴中亦有。骨欲得脊脑，作白地锦文，舐之着舌者，良。齿小强，犹有齿形。角强而实。又有龙脑，肥软，亦断痢。云皆是龙蜕，非实死也。比来巴中数得龙胞，吾自亲见形体具存，云疗产难，产后余疾，正当末服之。

［唐本注云］龙骨，今并出晋地，生硬者不好，五色具者良。其青、黄、赤、白、黑，亦应随色与腑脏相会，如五芝、五石英、五石脂等辈。而《本经》不论，莫知所以。

529　牛黄

味苦，平，有小毒。**主惊痫寒热，热盛狂痓，除邪逐鬼。**疗小儿百病，诸痫热，口不开，大人狂癫，又堕胎。久服轻身，增年，令人不忘。生晋地平泽，生于牛，得之即阴干百日，使时燥，无令见日月光。　人参为之使，得牡丹、菖蒲利耳目，恶龙骨、地黄、龙胆、蜚蠊，畏牛膝。

[陶隐居云] 旧云神牛出入鸣吼者有之，伺其出角上，以盆水承而吐之，即堕落水中。今人多皆就胆中得之耳。多出梁、益，一子如鸡子黄大相重叠，药中之贵，莫复过此。一子起二三分，好者直五六千至一万也。俗人多假作，甚相似，唯以磨爪甲舐拭不脱者，是真之。

[唐本注云] 牛黄，今出莱州、密州、淄州、青州、巂州、戎州。牛有黄者，必多吼，唤喝拍而得之，谓之生黄，最佳。黄有三种：散黄粒如麻豆；慢黄若鸡卵中黄糊，在肝胆间；圆黄为块形，有大小，并在肝胆中，多生于犊特牛，其吴牛未闻有黄也。

530　败鼓皮

平。主中蛊毒。

[陶隐居云] 此用穿败者，烧作屑，水和服之。病人即唤蛊主姓名，仍往令其呼取，蛊便差，白蘘荷亦然。

[今注] 自草部今移。

531　麝香

味辛，温，无毒。**主辟恶气，杀鬼精物，温疟，蛊毒，痫痓，去三虫。**疗诸凶邪鬼气，中恶，心腹暴痛胀急，痞满，风毒，妇人产难，堕胎，去面䵟，目中肤翳。**久服除邪，不梦寤魇寐**，通神仙。**生**中台**川谷**及益州、雍州山中。春分取之，生者益良。

[陶隐居云] 麝形似獐，恒食柏叶，又啖蛇，五月得香往往有蛇皮骨，故麝香疗蛇毒。今以蛇蜕皮裹麝香弥香，则是相使也。其香正在麝阴茎前皮内，别有膜裹之。今出随郡、义阳、晋熙诸蛮中者亚之。今出其形貌直如栗。昳人又云是卵，不然也。香多被破杂蛮，犹差于益州。益州香形扁，仍以皮膜裹之。一子真者，分糅作三四子，刮取其血膜，亦杂以余物。大都亦有精粗，破看一片，有毛在裹中者为胜，彼人以为志。若于诸羌夷中得者，多真好。烧当门沸起良久亦好。今唯得活者，自看取之，必当全真耳。生香人云是其精溺凝作之，殊不尔。麝夏月食蛇虫多，至寒香满，入春患急痛，自以脚剔出，著屎溺中覆之，皆有常处。人有遇得，

乃至一斗五升也。用此香乃胜杀取者。带麝非但香，亦辟恶。以真者一子，置头间枕之，辟恶梦及尸疰鬼气。

532 人乳汁

主补五脏，令人肥白悦泽。

［**陶隐居云**］张仓恒服人乳，故年百岁余，肥白如瓠。

［**唐本注云**］《别录》云：首生男乳，疗目赤痛多泪，解独肝牛肉毒，如合豉浓汁服之，神效。又取和雀屎，去目赤努肉。

533 发髲

味苦，温、小寒，无毒。**主五癃关格不得小便，利水道，疗小儿痫、大人痓，仍自还神化。**合鸡子黄煎之，消为水，疗小儿惊热，下痢。

［**陶隐居云**］李云是童男发。神化之事，未见别方。今俗中妪母为小儿作鸡子煎，用发杂熬良久得汁，与儿服去痰热、疗百病。用发，皆用其父梳头乱者耳。不知此发髲审取是何物？且髲字书记所无，或作蒜音，人今呼斑发为蒜发。书家亦呼乱发为鬊，恐髲即是鬊音也。童男之理，未或全明。

［**唐本注云**］此发皮根也，年久者用之神效。即发字误矣，既有乱发及头垢，则阙发明矣。又头垢功劣于发髲，犹去病用陈久者梳及船茹、败天公、蒲席皆此例也。甄立言作鬏鬏，亦髲也，检字书无髲字，但有发鬈。鬈，发美貌，作丘权音，有声无质，则髲为真矣。

534 乱发

微温。主咳嗽，五淋，大小便不通，小儿惊痫，止血，鼻衄，烧之吹内立已。

［**陶隐居云**］此常人头发耳，术家用以乱发及爪烧，山人饮之相亲爱。此与发髲疗体相似。

［**唐本注云**］乱发灰，疗转胞，小便不通，赤白利，哽噎，鼻衄，痈肿，狐尿刺，尸疰，丁肿，骨疽，杂疮，古方用之。陶弘景但知字书无髲字，竟不悟髲误为发也。

535 头垢

主淋闭不通。

［陶隐居云］术云头垢浮针，以肥腻故耳。今用当悦泽人者。其垢可丸，亦主噎，又疗劳复也。

536 人屎

寒。主疗时行大热狂走，解诸毒，宜用绝干者，捣末，沸汤沃服之。人溺，疗寒热，头痛，温气，童男者尤良。溺白垽，疗鼻衄，汤火灼疮。东向圊厕溺坑中青泥，疗喉痹，消痈肿，若已有脓即溃。

［陶隐居云］交广俚人用焦铜为箭镞，射人才伤皮便死，惟饮粪汁即差。而射猪狗不死，以其食粪故也。时行大热，饮粪汁亦愈。今近城寺，别塞空罂口，内粪仓中，积年得汁甚黑而苦，名为黄龙汤，疗温病垂死饮皆差。若人初得头痛，直饮溺数升，亦多愈，合葱豉作汤弥佳。溺白垽及青泥为疗并如所说。又妇人月水亦解毒箭并女劳复，浣裈汁亦善。扶南国旧有奇术，能禁令刀斫人不入，惟以月水涂刀便死，此是污秽坏神气也。又人合药，所以忌触之。此既一种物，故从屎溺之例。又人精和鹰屎，亦灭瘢。

［唐本注云］人屎，主诸毒、卒恶热黄闷欲死者。新者最效，须以水和服之。其干者，烧之烟绝，水渍饮汁，名破棺汤。主伤寒热毒、炙热，水渍饮弥善。破丁肿，开以新者封之一日，根烂。尿，主卒血攻心，被打内有瘀血，煎服之，一服一升；又主癥积满腹，诸药不差者服之，皆下血片肉块，二十日即出也。亦主久嗽上气失声。尿垽白，烧研末，主紧唇疮。尿坑中竹木，主小儿齿不生，正旦刮涂之即生。

537 天灵盖

味咸，平，无毒。主传尸、尸疰，鬼气伏连，久瘴劳疟，寒热无时者。此死人顶骨十字解者，烧令黑，细研，日饮和服。亦合诸药为散用之。方家婉其名尔。

今附

538 马乳

止渴。

［陶隐居云］今人不甚服，当缘难得也。

［唐本注云］马乳与驴乳性同冷利，止渴疗热。马乳作酪，弥应酷冷，江南无

马乳，故陶不委言之。驴乳，疗微热黄，小儿热惊、邪气，服之亦利。胡言马酪性温，饮之消肉。当以物类自相制伏，不拘冷热也。

539 牛乳

微寒。补虚羸，止渴，下气。

［陶隐居云］犊牛为佳，不用新被饮竟者。

［唐本注云］水牛乳，云造石蜜须之，言作酪浓厚，味胜犊牛。犊牛乳，性平，生饮令人痢，熟饮令人口干，微似温也。

540 羊乳

温。补寒冷虚乏。

［陶隐居云］牛乳、羊乳实为补润，故北人皆多肥健。

［唐本注云］北人肥健，不啖咸腥，方土使然，何关饮乳。陶以未达，故屡有此言。

541 酥

微寒。补五脏，利大肠，主口疮。

［陶隐居云］酥出外国，亦从益州来，本是牛、羊乳所为，作之自有法。佛经称乳成酪，酪成酥，酥成醍醐。醍醐色黄白，作饼甚甘肥，亦时至江南。

［唐本注云］酥掐酪作之，其性犹与酪异，今通言功，恐是陶之未达。然酥有牛酥、羊酥，而牛酥胜于羊酥，其牦牛复优于家牛也。

542 熊脂

味甘，微寒、微温，无毒。**主风痹不仁，筋急，五脏腹中积聚，寒热，羸瘦，头疡白秃，面皯皰。**食饮呕吐。**久服强志，不饥，轻身，长年。生**雍州**山谷。**十一月取。

［陶隐居云］此脂即是熊白，是背上膏，寒月则有，夏月则无。其腹中肪及身中膏，煎取可作药，而不中啖。今东西诸山林皆有之，自是非易得物耳。痼病人不可食熊肉，令终身不除愈也。

［唐本注云］熊胆，味苦，寒，无毒。疗时气热盛变为黄疸，暑月久痢，疳䘌，

心痛，疰忤。脑，疗诸聋。血，疗小儿客忤。脂，长发令黑，悦泽人面；酒炼服之，差风痹。凡言膏者，皆脂消已后之名，背上不得言膏。《左传》义云膏肓者，乃是鬲肓文误有此名。陶言背膏，同于旧说也。

543 白胶

味甘，平、温，无毒。**主伤中，劳绝，腰痛，羸瘦，补中益气，妇人血闭无子，止痛，安胎。**疗吐血，下血，崩中不止，四肢酸疼，多汗，淋露，折跌伤损。**久服轻身，延年。一名鹿角胶。**生云中，煮鹿角作之。　得火良，畏大黄。

[陶隐居云] 今人少复煮作，惟合角弓，犹言用此胶尔。方药用亦希，道家时须之。作白胶法，先以米渖汁，渍七日令软，然后煮煎之，如作阿胶法耳。又一法即细剉角，与一片干牛皮，角即消烂矣，不尔相厌，百年无一熟也。

[唐本注云] 麋鹿角胶，但煮取浓汁重煎，即为胶矣，何至使烂也。求烂亦不难，当是未见煮胶，谬为此说耳。

544 阿胶

味甘，平、微温，无毒。**主心腹内崩，劳极洒洒如疟状，腰腹痛，四肢酸疼，女子下血，安胎。**丈夫少腹痛，虚劳羸瘦，阴气不足，脚酸不能久立，养肝气。**久服轻身，益气。一名傅致胶。**生东平郡，煮牛皮作之。出东阿。　畏大黄，得火良。

[陶隐居云] 出东阿，故名阿胶。今都下能作之，用皮亦有老少，胶则有清浊。凡三种：清薄者，书画用；厚而清者，名为盆覆胶，作药用之，用之皆火炙，丸散须极燥，入汤微炙尔；浊黑者，可胶物用，不入药也。用一片鹿角即成胶，不尔不成也。

[今按] 陈藏器本草云：阿井水煎成胶，人间用者，多非真也。凡胶俱能疗风，止泄，补虚。驴皮胶主风为最。

545 醍醐

味甘，平，无毒。主风邪痹气，通润骨髓。可为摩药，性冷利，功优于酥，生酥中。

[唐本注云] 此酥之精液也，好酥一石有三四升醍醐，熟杵炼，贮器中，待凝，穿中至底便津出得之。陶云：黄白为饼，此乃未达之言。　唐附

546 底野迦

味辛、苦，平，无毒。主百病，中恶，客忤邪气，心腹积聚。出西戎。

［**唐本注云**］云用诸胆作之，状似久坏丸药，赤黑色。胡人时将至此，亦甚珍贵，试用有效。 唐附

547 酪

味甘、酸，寒，无毒。主热毒，止渴，解散发利，除胸中虚热，身面上热疮、肌疮。

［**唐本注云**］按，牛、羊、马、水牛乳，并可作酪，水牛乳作者浓厚，味胜犊牛。马乳作酪性冷。驴乳尤冷，不堪作酪。 唐附

548 象牙

无毒。主诸铁及杂物入肉，刮取屑，细研，和水傅疮上及杂物刺等，立出。齿，主痫病，屑为末，炙令黄，饮下。肉，味淡，不堪啖，多食令人体重，主秃疮，作灰，和油涂之。胆①，主目疾，和乳滴目中。胸前小横骨，令人能浮水，作灰，酒服之。身有百兽肉，皆自有分段；惟鼻是其本肉，余并杂肉。 今附

兽 中

549 犀角

味苦、咸、酸，**寒**、微寒，无毒。**主百毒蛊疰，邪鬼，瘴气，杀钩吻、鸩羽、蛇毒，除邪，不迷惑魇寐。**疗伤寒，温疫，头痛，寒热，诸毒气。**久服轻身**，骏健。**生**永昌**山谷**及益州。 松脂为之使，恶藋菌、雷丸。

［**陶隐居云**］今出武陵、交州、宁州诸远山。犀有二角，以额上者为胜，又有通天犀，角上有一白缕，直上至端，此至神验。或云是水犀，角出水中。《汉书》所云骇鸡犀者，以置米边，鸡皆惊骇不敢啄。又置屋中，乌鸟不敢集屋上。昔者有

---

① 胆：《证类本草》卷16“象牙”条作“睛”。按，陈藏器云：“象胆主目疾，和乳滴目中。序云象胆挥粘。”据此可知，《证类本草》所作之“睛”，实为“胆”字之误。

人以犀为纛，死于野中，有行人见有鸢飞翔其上，不敢下往者，疑犀为异，抽取便群鸟竞集。又云通天犀，夜露不濡，以此知之。凡犀见成物皆被蒸煮，不堪入药，惟生者为佳。虽曰屑片，亦是已煮炙，况用屑乎！又有光犀，其角甚长，文理亦似犀，不堪药用耳。

[唐本注云] 犀有两角，鼻上者为良。通天犀者，即水犀，云夜露不濡，尤是前说。有人以犀为纛，死于野中，飞鸟翔而不集，谬矣。此心为剑簪耳。此人冠纛，则是贵人，当有左右，何得野死？从令喻说，足为难信。光犀是雌犀，文理细腻，斑白分明，俗谓斑犀，服用为上，然充药不如雄犀也。

[今按] 陈藏器本草云：犀肉，主诸蛊、蛇、兽咬毒，功用劣于角。《本经》有通天犀。且犀无水、陆二种，并以精粗言之。通天者，脑上角千岁者，长且锐，白星彻端，能出气通天，则能通神，可破水，骇鸡，故曰通天。《抱朴子》曰：通天犀，有白理如线者，以盛米，鸡即骇矣。其真者，刻为鱼，衔之入水，水开三尺。其鼻角，一名奴角，一名食角。

550　羚羊角

味咸、苦，**寒**、微寒，无毒。**主明目，益气，起阴，去恶血注下，辟蛊毒恶鬼不祥，安心气，常不魇寐。**疗伤寒，时气寒热，热在肌肤，温风注毒伏在骨间，除郁，惊梦，狂越，僻谬，及食噎不通。**久服强筋骨，轻身，**起阴，益气，利丈夫。**生**石城**山川**谷及华阴山。采无时。

[陶隐居云] 今出建平、宜都诸蛮中及西域，多两角者，一角者为胜。角甚多节，蹙蹙圆绕。别有山羊角极长，惟一边有节，节亦疏大，不入方用。而《尔雅》云名羱羊，而羌夷云只此即名零羊，甚能陟峻坂；短角者，乃是山羊耳，亦未详其正。

[唐本注云] 《尔雅》云：羚，大羊。羊如牛大，其角堪为鞍桥，一名羱羊，俗名山羊，或名野羊，善斗致死。又有山驴，大如鹿，皮堪靴用，有两角，角大小如山羊角，前言其一边有蹙文又疏慢者，是此也，陶不识谓之山羊误矣。二种并不入药，而俗人亦用山驴角者，今用细如人指，长四五寸，蹙文细者，南山商浙间大有，梁州、龙州、直州、洋州亦贡之，古来相承用此，不用羚羊角，未知孰是也。

[今按] 陈藏器本草云：羚羊角，主溪毒，及惊悸烦闷，卧不安，心胸间恶气，毒瘰疬。肉，主蛇咬恶疮。山羊、山驴、羚羊，三种相似，医工所用，但信市人，遂令汤丸或致乖舛。且羚羊角有神，夜宿以角挂树不著地。但取角弯中深锐紧

小，犹有挂痕者，即是真，慢无痕者非。作此分别，余无他异。真角耳边听之，集集鸣者良。陶云一角者，谬也。

551 羖羊角

味咸、苦，**温**、微寒，无毒。**主青盲，明目，杀疥虫，止寒泄，辟恶鬼、虎狼，止惊悸。**疗百节中结气，风头痛及蛊毒，吐血，妇人产后余痛。烧之杀鬼魅，辟虎狼。**久服安心，益气力，轻身。生**河西**川谷**。取无时，勿使中湿，湿有毒。

菟丝为之使。

［唐本注云］此羊角，以青羝为佳，余不入药。

羊髓，味甘，温，无毒。主男女伤中、阴气不足，利血脉，益经气，以酒服之。青羊胆，主青盲，明目。

［唐本注云］青羊胆，疗疳湿，时行热熛疮，和醋服之良。

羊肺，补肺，主咳嗽。

［唐本注云］羊肺疗渴，止小便数，并小豆叶煮食之良。

羊心，止忧恚膈气。羊肾，补肾气，益精髓。

［唐本注云］羊肾合脂为羹，疗劳痢甚效。蒜齑合食脂一升，疗癥瘕。

羊齿，主小儿羊痫，寒热。三月三日取之。羊肉，味甘，大热，无毒。主缓中，字乳余疾，及头脑大风汗出，虚劳寒冷，补中益气，安心止惊。

［唐本注云］羊肉，热病差后食之，发热杀人也。

羊骨，热，主虚劳，寒中，羸瘦。羊屎，燔之，主小儿泄痢，肠鸣惊痫。

［陶隐居云］羖羊角方药不甚用，余皆入汤煎。羊有三四种，最以青色者为胜，次则乌羊耳。其羖羺羊及虏中无角羊，正可啖食之，为药不及都下者，其乳髓则肥好也。羊肝不可合猪肉及梅子、小豆食之，伤人心，大病人。

［唐本注云］羊屎煮汤下灌，疗大人小儿腹中诸疾、疳湿，大小便不通；烧之熏鼻，主中恶，心腹刺痛；熏疮，疗诸疮中毒痔瘘等，骨蒸弥良。羊肝，性冷，疗肝风虚热，目赤暗无所见，生食子肝七枚神效。羊头，疗风眩，瘦疾，小儿惊痫。骨，与头疗同。羊血，主女人中风，血虚闷，产后血运闷欲绝者，生饮一升即活。

［今按］陈藏器本草云：羊乳补虚，与小儿含之，主口疮，不堪充药，为其膻故。羊五脏补人五脏。肝，主明目，薄切，日干为末，和决明子、蓼子，并炒香，捣筛为丸，每日服之，去盲暗。皮，作臛食之，去风。屎，烧灰，沐发长黑；和雁肪，涂头生发。

552 牛角䚡

下闭血，瘀血，疼痛，女人带下，下血。燔之，味苦，无毒。水牛角，疗时气寒热头痛。**髓，补中，填骨髓，久服增年。**髓，味甘，温，无毒。主安五脏，平三焦，温骨髓，补中，续绝伤，益气，止泄痢，消渴，以酒服之。**胆可丸药。**胆，味苦，大寒。除心腹热渴，利口焦燥，益目精。

［陶隐居云］此朱书牛角䚡、髓，其胆《本经》附出牛黄条中，此以类相从耳，非上品之药。今拔出随例在此，不关件数，犹黑书，别品之限耳。

心，主虚忘。肝，主明目。肾，主补肾气，益精。齿，主小儿牛痫。肉，味甘，平，无毒。主消渴，止啘泄，安中益气，养脾胃，自死者不良。屎，寒，主水肿，恶气，用涂门户著壁者，燔之，主鼠瘘，恶疮。黄犍牛、乌牯牛溺，主水肿腹胀脚满，利小便。

［陶隐居云］此牛亦以榛牛为好，青牛最良，水牛为可充食尔。自死谓疫死，肉多毒。青牛肠不可共犬肉、犬血食之，令人成病也。

［唐本注云］《别录》云：牛鼻中木卷，疗小儿痫，草卷烧灰，疗小儿鼻下疮。耳中垢，疗蛇伤恶载毒。脐中毛，疗小儿久不行。白牛悬蹄，疗妇人崩中漏下赤白。屎，主霍乱。屎中大豆，疗小儿痫，妇人难产。特牛茎，疗妇人漏下赤白，无子。乌牛胆，主明目及疳湿，以酿槐子服之弥佳。脑，主消渴，风眩。齿，主小儿惊痫。尿，主消渴，黄疸，水肿，脚气，小便不通也。

［今按］陈藏器本草云：牛肉，平。消水肿，除湿气，补虚，令人强筋骨壮健。鼻和石燕煮汁服，主消渴。肝和腹内百叶，作生姜醋食之，主热气、水气、丹毒，压丹石发热，解酒劳。五脏，主人五脏。黄牛肉，小温，补益腰脚。独肝者，有大毒，食之痢血至死。北人牛瘦，多以蛇从鼻灌之，则为独肝也。水牛则无之。已前二色牛肉自死者，发痼疾痃癖，令人成疰病。落崖死者良。黄牛乳，生服利人，下热气，冷补，润肌止渴。和蒜煎三五沸食之，主冷气痃癖羸瘦。凡服乳，必煮一二沸，停冷啜之，热食则壅，不欲顿服，欲得渐消。与酸物相反，令人腹中结癥。凡以乳及溺屎去病者，黑牛强于黄牛。酥堪合诸膏，摩风肿，踠跌血瘀。醍醐更佳，性滑，以物盛之皆透，惟鸡子壳及葫芦盛之不出。屎热灰，傅灸疮不差者。水牛、黄牛角䚡，及在粪土中烂白者，烧为黑灰，末服，主赤白痢。口中涎，主反胃。又取老牛涎沫如枣核大，置水中服之，终身不噎。口中龄草，绞取汁服，止哕。《本经》不言黄牛、乌牛、水牛，但言牛。牛有数种，南人以水牛为牛，北人

以黄牛、乌牛为牛，牛种既殊，入用亦别也。

553 白马茎

味咸、甘，平，无毒。**主伤中，脉绝，阴不起，强志益气，长肌肉肥健，生子。**小儿惊痫。阴干百日。**眼主惊痫，腹满，疟疾。**当杀用之。**悬蹄，主惊痫，瘛疭，乳难，辟恶气，鬼毒，蛊注，不祥，**止衄血，内漏，龋齿。**生云中平泽。**白马蹄，疗妇人漏下，白崩。赤马蹄，疗妇人赤崩。齿，主小儿马痫。鬐头膏，主生发。鬐毛，主女子崩中赤白。心，主喜忘。肺，主寒热，小儿茎痿。肉，味辛、苦，冷。主除热下气，长筋，强腰脊，壮健，强意利志，轻身不饥。脯，疗寒热痿痹。屎，名马通，微温。主妇人崩中，止渴，及吐下血，鼻衄金创，止血。头骨，主喜眠，令人不睡。溺，味辛，微寒。主消渴，破癥坚积聚，男子伏梁积疝，妇人瘕疾。铜器承饮之。

［陶隐居云］东行白马蹄下土，作方术用，知女人外情。马色类甚多，以纯白者为良。其口、眼、蹄皆白，俗中时有两三耳，小小用不必尔。马肝及鞍下肉，旧言杀人。食骏马肉，不饮酒亦杀人。白马青蹄亦不可食。《礼》云：马黑脊而斑臂漏脯，亦不复中食。骨，伤人有毒。人体有疮，马汗、马气、马毛亦并能为害人也。

［唐本注云］《别录》云：白马毛，疗小儿惊痫。白马眼，疗小儿魃，母带之。屎中粟，主金创，小儿客忤，寒热，不能食。马衔，主产难，小儿母毒惊痫。绊绳，主小儿痫，并煮汁洗之。

［今按］陈藏器本草云：马肉及血，有小毒。食之当饮美酒即解。妇人怀妊不得食马、驴、骡，为其十二月胎，骡又不产马。头骨于水上流浸之，则无水蜞。又埋安午地令宜蚕。凡收白马茎，当以游牝时力势正强者，生取为良。马牙烧作灰，唾和绯帛，贴丁肿上，根出。屎，绞取汁，主伤寒时疾，服之当吐下。亦主产后诸血气及时行病起，合阴阳垂死者，并温服之。用马屎及溺，当以白者最良。

554 牡狗阴茎

味咸，平，无毒。**主伤中，阴痿不起，令强热，大生子，除女子带下十二疾。一名狗精。**六月上伏取，阴干百日。**胆，主明目，**痂疡，恶疮。心，主忧恚气，除邪。脑，主头风痹痛，疗下部䘌疮，鼻中息肉。齿，主癫痫，寒热，卒风，痱，伏日取之。头骨，疗金创，止血。四脚蹄，煮饮之，下乳汁。白狗血，味咸，无毒。主癫疾发作。肉，味咸、酸，温。主安五脏，补绝伤，轻身益气。屎中骨，主寒热，小儿惊痫。

［陶隐居云］白狗、乌狗入药用。白狗骨烧屑，疗诸疮瘘及妒乳痈肿。黄狗肉，大补虚，牝不及牡，牡者父也。又呼为犬，言脚上别有一悬蹄者是也。白犬血合白鸡肉、白鹅肝、白羊肉、乌鸡肉、蒲子羹等皆病人，不可食。犬春月目赤鼻燥欲狂猘，不宜食。

［唐本注云］《别录》云：狗骨灰，疗下痢，生肌，傅马疮。乌狗血，主产难横生，血上荡心者。下颌骨，主小儿诸痫。阴卵，主妇人十二疾，为灰服之。毛，主产难。白狗屎，主丁疮，水绞汁服，主诸毒不可入口者。

［今按］陈藏器本草云：狗，正黄色者。肉，温补，宜腰肾，起阳道。骨，煎为粥，热补，令妇人有子。乳汁，主青盲，取白犬生子目未开时乳汁注目中，疗十年盲，狗子目开即差。胆，涂恶疮。肾，主妇人产后肾劳如疟者，妇人体热用猪肾，体冷即用犬肾。肝、心，主狂犬咬，以傅疮上。屎，主瘭疽彻骨痒者，当烧作灰涂疮，勿令病者知。又屎和腊月猪脂傅瘘疮，又傅溪毒、丁肿出根。颈下毛，主小儿夜啼，绛袋盛，系著儿两手。狗肝，主脚气攻心，作生姜醋进之，当泄。先泄勿服之。

555 鹿茸

味甘、酸，**温**、微温，无毒。**主漏下恶血，寒热，惊痫，益气，强志，生齿，不老。**疗虚劳洒洒如疟，羸瘦，四肢酸疼，腰脊痛，小便利，泄精溺血，破留血在腹，散石淋，骨中热疽，养骨，安胎下气，杀鬼精物，不可近阴，令痿，久服耐老。四月、五月解角时取，阴干，使时燥。 麻勃为之使。

［唐本注云］鹿茸，夏收阴干，百不收一，纵得一干，臭不任用。破之火干，大好。

角，味咸，无毒。**主恶疮，痈肿，逐邪恶气，留血在阴中，**除少腹血急痛，腰脊痛，折伤恶血，益气。七月取。杜仲为之使。髓，味甘，温。主丈夫、女子伤中脉绝，筋急痛，咳逆。以酒和服之，良。肾，平，主补肾气。肉，温，补中，强五脏，益气力，生者疗口僻，割薄之。

［陶隐居云］野肉之中，唯獐、鹿可食，生则不膻腥，又非辰属，八卦无主而兼能温补于人，即生死无尤，故道家许听为脯过。其余肉，虽牛、羊、鸡、犬补益

充肌肤，于亡魂皆为愆责，并不足唉，凡肉脯炙之不动，及见水而动，及曝之不燥，并杀人。又茅屋漏脯，即名漏脯，藏脯密器中名郁脯，并不可食之。

[唐本注云] 头，主消渴，煎之可作胶，服之弥善。筋，主劳损，续绝。骨，主虚劳，可为酒，主风虚，补骨髓。脂，主痈肿，死肌，温中，四肢不随，风头，通腠理，一云不可近阴。角，主猫鬼中恶，心腹注痛。血，主狂犬伤，鼻衄，折伤，阴痿，补虚，止腰痛。齿，主留血气，鼠瘘，心腹痛，不可近丈夫阴。

556 獐骨

微温。主虚损，泄精。肉，温，补益五脏。髓，益气力，悦泽人面。

[陶隐居云] 俗云白肉，正是獐，不纯于鹿，言其白胆，易惊怖也。又呼为麞。麞肉不可合鹄肉，食之成癥痼也。

[今按] 陈藏器本草云：麞，主人心粗豪，取心、肝曝干为末，酒下一具，便即小胆；若小心人食之，则转怯不知所为。道家名白脯者，麞鹿是也。

557 虎骨

主除邪恶气，杀鬼疰毒，止惊悸，疗恶疮鼠瘘，头骨尤良。膏，疗狗啮疮。爪，辟恶魅。肉，疗恶心欲呕，益气力。

[陶隐居云] 俗云热食虎肉，坏人齿，信自如此。虎头作枕，辟恶魇；置户上，辟鬼。鼻，悬户上，令生男儿。骨，杂朱书符，疗邪。须，疗齿痛。爪，多以系小儿臂，辟恶鬼。

[唐本注云]《别录》云：屎，疗恶疮。其眼睛疗癫。其屎中骨为灰，疗火疮。牙，疗丈夫阴头疮及疽瘘。鼻，主癫疾，小儿痫也。

[今按] 陈藏器本草云：虎威令人有威，带之临官佳，无官为人所憎。虎有骨如乙字，长一寸，在胁两傍，破肉取之，尾端亦有，不如胁者。胆，主小儿惊痫。肉及皮，主疟。骨，煮汁浴小儿，去疮疥、鬼疰、惊痫。屎，主鬼气。眼光，主惊邪，辟恶镇心。凡虎夜视以一目放光，一目看物，猎人候而射之，弩箭才及，目光随堕地，得之者如白石是也。

558 豹肉

味酸，平，无毒。主安五脏，补绝伤，轻身益气，久服利人。

[陶隐居云] 豹至稀有，为用亦鲜，唯尾可贵。

[唐本注云] 阴阳神豹尾，及车驾卤簿豹尾，名可尊敬。真豹尾有何可贵，未识陶据奚理也。

[今按] 陈藏器本草云：豹，主鬼魅神邪，取鼻和狐鼻煮服之，亦主狐魅也。

559 狸骨

味甘，温，无毒。主风疰、尸疰、鬼疰，毒气在皮中淫跃如针刺者，心腹痛，走无常处，及鼠瘘恶疮。头骨尤良。肉亦疗诸疰。阴茎，疗月水不通，男子阴㿗。烧之，以东流水服之。

[陶隐居云] 狸类又甚多，今此用虎狸，无用猫者。猫狸亦好，其骨至难，别自取乃可信。又有𤞤音信，色黄而臭，肉亦主鼠瘘，及狸肉作羹如常法并佳。

[唐本注云] 狸屎灰，主寒热鬼疟发无期度者，极验。家狸亦好，一名猫也。

[今按] 陈藏器本草云：风狸溺，主诸色风。人取养之，食果子以笼之。溺如乳，甚难得。似兔而短，在高树，候风而吹至彼树。出邕州已南。

560 兔头骨

平，无毒。主头眩痛，癫疾。骨，主热中消渴。脑，疗冻疮。肝，主目暗。肉，味辛，平，无毒。主补中益气。

[陶隐居云] 兔肉乃大美，亦益人。妊身不可食，令子唇缺。其肉又不可合白鸡肉食之，令人面发黄；合獭肉食之，令人病遁尸。

[唐本注云] 兔皮毛烧为灰，酒服，疗难产，产后衣不出，及余血抢心胀欲死者，极验。头皮，主鬼疰，毒气在皮中如针刺者，又主鼠瘘。膏，主耳聋。

[今按] 陈藏器本草云：兔，寒、平，主热气湿痹。毛烧灰，主灸疮不差。骨，主久疥，醋摩傅之。肉，久食弱阳，令人色痿；与姜同食，令人心痛。头，主难产，烧灰，末，酒下。兔窍有五六穴，子从口出。今怀妊忌食其肉者，非为缺唇，亦缘口出。

561 笔头灰

年久者，主小便不通，小便数难，阴肿，中恶，脱肛，淋沥，烧灰水服之。

[今注] 自草部今移。　唐附

兽　下

562　六畜毛蹄甲

味咸，平，有毒。**主鬼疰，蛊毒，寒热，惊痫痓，癫疾，狂走。 骆驼毛尤良。**

［陶隐居云］六畜，谓马、牛、羊、猪、狗、鸡也，骡、驴亦其类。骆驼出北国，方家并不复用。且马、牛、羊、鸡、猪、狗毛蹄，亦已各出其身之品类中，所主疗不必皆同此矣。

［唐本注云］骆驼毛蹄甲，主妇人赤白带下，最善。

563　鼺鼠

主堕胎，生乳义同产易。生山都**平谷**。

［陶隐居云］鼺是鼯鼠，一名飞生，状如蝙蝠，大如鸱鸢，毛紫色暗，夜行飞行。生人取其皮毛，以与产妇持之，令儿易出。又有水马，生海中，是鱼虾类，状如马形，亦主易产。此鼺鼠别类而同一条中，当以其是皮毛之物也，今亦在副品限也。

［今按］陈藏器本草云：陶云有水马，生海中，主产。按，水马，妇人临产带之，不尔临时烧末饮服，亦可手持之。出南海，形如马，长五六寸，虾类也。《南州异物志》云：妇人难产，割裂而出者，手握此虫，如羊之产也。生物中，羊产最易。

564　麋脂

味辛，温，无毒。**主痈肿，恶疮，死肌，寒风湿痹，四肢拘缓不收，风头肿气，通腠理，**柔皮肤，不可近阴，令痿。**一名宫脂。**畏大黄。角，味甘，无毒。主痹，止血，益气力。**生**南山**山谷**及淮海边。十月取。

［陶隐居云］今海陵间最多，千百为群，多牝少牡。人言一牡辄交十余牝，交毕即死。其脂堕土中，经年人得之方好，名曰遁脂，酒服至良。寻麋性乃尔淫快，不应萎人阴。一方言不可近阴，令阴不痿，此乃有理。麋肉不可合虾及生菜、梅、李、果实食之，皆病人。其角刮取屑，熬香，酒服之，大益人。事出彭祖传中。

［唐本注云］麋茸，服之功力胜鹿茸。角，煮为胶，亦胜白胶，言游牝毕即死

者，此亦虚传，遍问山泽人，不闻游牝因致死者。

565　豚卵

味甘，温，无毒。**主惊痫，癫疾，鬼疰，蛊毒，除寒热，贲豚，五癃，邪气挛缩。一名豚颠。**阴干藏之，勿令败。**猪悬蹄，主五痔，伏热在肠，肠痈内蚀。**猪四足，小寒。疗伤挞，诸败疮，下乳汁。心，主惊邪，忧恚。肾，冷利，理肾气，通膀胱。胆，疗伤寒热渴。肚，补中益气，止渴利。齿，主小儿惊痫，五月五日取。鬐膏，主生发。肪膏，主煎诸膏药，解斑猫、芫青毒。豭猪肉，味酸，冷，疗狂病。凡猪肉，味苦，主闭血脉，弱筋骨，虚人肌，不可久食，病人金创者尤甚。猪屎，主寒热，黄疸，湿痹。

［陶隐居云］猪为用最多，惟肉不宜人，人有多食，皆能暴肥，此盖虚肌故也。其脂能悦泽皮肤，作手膏不皲裂，脂膏煎药，无不用之。勿令中水，腊月者历年不坏，颈下膏谓之负革脂，入道家用。其屎汁，极疗温毒。食其肉饮酒，不可卧秋稻穰中。又白猪蹄白杂青者不可食，食猪膏，又忌乌梅也。

［唐本注云］《别录》云：猪耳中垢，疗蛇伤。猪脑，主风眩、脑鸣及冻疮。血，主奔豚暴气，中风，头眩，淋沥。乳汁，疗小儿惊痫，病乳。头，亦主小儿惊痫，及鬼毒去来，寒热五癃。五脏，主小儿惊痫汗发。十二月上亥日取肪，内新瓦器中，埋亥地百日，主痈疽，名胒脂，方家用之。又云一升脂，著鸡子白十四枚，更良。

［今按］陈藏器本草云：猪肉，寒，主压丹石，解热宜肥，热人食之，杀药动风。肝，主脚气，空心切作生，以姜、醋进之，当微泄，若先痢，即勿服。胆，主湿䘌病，下脓血不止，干呕，羸瘦多睡面黄者，取胆和生姜汁、酽醋半合，灌下部，手急捻，令醋气上至咽喉，乃放手，当下五色恶物及虫子。又主瘦病咳嗽，取胆和小便、生姜、橘皮，诃梨勒、桃皮煮服。又主大便不通，取猪、羊胆，以苇筒著胆，缚一头，内下部，入三寸灌之，入腹立下。又主小儿头疮，取胆汁傅之。猪胰，主肺痿咳嗽，和枣肉浸酒服之。亦能主痃癖羸瘦。又堪合膏练缯帛。腊月猪脂，杀虫，久留不败。猪黄，主金疮、血痢。野猪脂，酒服，下乳汁，可乳五儿。齿灰，主蛇咬。

566　鼹鼠

味咸，无毒。主痈疽，诸瘘蚀恶疮，阴䘌烂疮。在土中行。五月取令干，燔之。

［陶隐居云］ 俗中一名隐鼠，一名鼹鼠，形如鼠，大而无尾，黑色，长鼻甚强，恒穿耕地中行，讨掘即得。今诸山林中，又有一兽，大如水牛，形似猪，灰赤色，下脚似象，胸前尾上皆白，有力而钝，亦名鼹鼠。人张网取食之，肉亦似牛肉，多以作脯。其膏亦云主瘘，乃云此是鼠王，其精溺一滴落地辄成一鼠。谷有鼠灾年，则多出，恐非虚耳。谷字一作𣪊。此鼠蹄烧末酒服，又以骨擣碎酿酒将服之，并治瘘良验也。

［今按］ 陈藏器本草云：鼹鼠肉，主风。久食，主疮疥痔瘘。膏堪摩恶疮。《本经》所说，即是小于鼠，在地中行者。陶亦云：形如鼠，尾黑，常穿耕地中，讨掘即得，如《经》所言，乃是今之鼢鼠小口尖者。其鼹鼠是兽，非鼠之俦，大如牛，前脚短，皮入鞦辔用。庄子云饮河满腹者。又隐鼠阴穿地而行，见日月光则死。于深山林木下土中有之，主大瘘疮。陶又云此是鼠王，其溺精一滴成一鼠，灾年则多，是处皆有，又能土中行。今博访山人，无精溺成鼠事，亦不能土中行，此是人妄说，陶闻而记尔。既小鼢鼠，亦是鼹鼠，即是有二鼹，物异名同尔。

567 獭肝

味甘，有毒。主鬼疰蛊毒，却鱼鲠，止久嗽，烧服之；肉，疗疫气温病，及牛马时行病。煮屎灌之亦良。

［陶隐居云］ 獭有两种。有猵獭，形大，头如马，身似蝙蝠，不入药用。此当取常所见者，其骨亦疗食鱼骨鲠。有牛马家，可取屎收之。多出溪岸边。其肉不可与兔肉杂食也。

［唐本注云］《别录》云：獭四足，主手足皮皴裂。

［今按］ 陈藏器本草云：獭，主鱼骨鲠不可出者，取足于项下爬之，亦煮汁食。皮毛，主水癞病者，作褥及履屧著之，并煮汁服。屎，主鱼脐疮，研傅之。亦主驴马虫颡，细研灌鼻中。

568 狐阴茎

味甘，有毒。主女子绝产，阴痒，小儿颓卵肿。五脏及肠，味苦，微寒，有毒。主蛊毒寒热，小儿惊痫。雄狐屎，烧之辟恶，在木石上者是。

［陶隐居云］ 江东无狐，皆出北方及益州间，形似狸而黄，亦善能为魅也。

[唐本注云] 狐肉及肠，作臛食之，主疥疮久不差者。肠，主牛疫，烧灰和水灌之，乃胜獭。狐鼻尖似小狗。唯尾大，全不似狸。

569 貒膏、肉、胞

膏，味甘，平，无毒。主上气，乏气，咳逆，酒和三合服之，日二。又主马肺病、虫颡等疾。肉，主久水胀不差垂死者，作羹臛食之，下水大效。胞，干之，汤磨如鸡卵许，空腹服，吐诸蛊毒。

[今按] 陈藏器本草云：猯脂，主传尸鬼气疰忤，消于酒中服之，亦杀马漏脊虫疮。服丹石人食之良。一名獾㹠，极肥也。 唐附

570 野猪黄

味辛、甘，平，无毒。主金疮，止血，生肉，疗癫痫，水研如枣核，日二服，效。 唐附

571 驴屎

熬之，主熨风肿瘘疮。屎汁，主心腹卒痛诸疰忤。尿，主癥癖，胃反，吐不止，牙齿痛，水毒。牝驴尿，主燥水。驳驴尿，主湿水，一服五合良。燥水者画体成字，湿水者不成字。乳，主小儿热惊、急黄等，多服使痢，热毒。尾下轴垢，主疟，水洗取汁和面如弹丸二枚，作烧饼，疟未发前食一枚，至发时啖一枚。疗疟无久新发无期者。

[今按] 陈藏器本草云：驴黑者，溺及乳并主蜘蛛咬，以物盛浸之，疮亦取驴溺处臭泥傅之亦佳。蚰蜒入耳，取驴乳灌耳中，当消成水。 唐附

572 豺皮

性热。主冷痹脚气，熟之，以缠病上，即差。 唐附

573 腽肭脐

味咸，无毒。主鬼气尸疰，梦与鬼交，鬼魅狐魅，心腹痛，中恶邪气，宿血结块，痃癖羸瘦等。骨讷兽似狐而大，长尾，生西戎。 今附

574 麂

味甘，平，无毒。主五痔病，煠（炸）出，以姜醋进之，大有效。又云：多食，能动人痼疾。头骨，为灰饮下，主飞尸。生东南山谷。 今附

575 野驼脂

无毒。主顽痹风瘙，恶疮毒肿死肌，筋皮挛缩，踠损筋骨。火炙摩之，取热气入肉，又以和米粉作煎饼食之，疗痔，勿令病人知。脂在两峰内，生塞北河西。家驼为用亦可。 今附

禽 上

576 丹雄鸡

味甘，微温、微寒，无毒。**主女人崩中漏下，赤白沃，补虚，温中，止血。**不伤之疮，**通神，杀毒，辟不祥。头，主杀鬼。**东门上者弥良。白雄鸡肉，味酸，微温，主下气，疗狂邪，安五脏，伤中，消渴。乌雄鸡肉，微温，主补中，止痛。胆，微寒，主疗目不明，肌疮。心，主五邪。血，主踒折，骨痛及痿痹。**肪，主耳聋。鸡肠**，平，**主遗溺**，小便数不禁。肝及左翅毛，主起阴。冠血，主乳难。**膍胵里黄皮**，微寒，**主泄痢**，小便利，遗溺，除热，止烦。**屎白**，微寒，**主消渴，伤寒，寒热**，破石淋及转筋，利小便，止遗溺，灭瘢痕。黑雌鸡，主风寒湿痹，五缓六急，安胎；其血，无毒，平，疗中恶腹痛，及踒折骨痛，乳难。**翮羽，主下血闭。**黄雌鸡，味酸、甘，平，主伤中，消渴，小便数不禁，肠澼泄痢，补益五脏，续绝伤，疗虚劳，益气力。肋骨，主小儿羸瘦，食不生肌。**鸡子，主除热火疮，疗痫痉，可作虎魄神物。**卵白，微寒，疗目热赤痛，除心下伏热，止烦满，咳逆，小儿下泄，妇人产难，胞衣不出；醯渍之一宿，疗黄疸，破大烦热。卵中白皮，主久咳结气，得麻黄、紫菀和服之立已。**鸡白蠹能肥脂。生**朝鲜**平泽**。

［**陶隐居云**］鸡此例又甚多。云鸡子作虎魄者，用欲假卵黄白，混杂煮作之，亦极相似，惟不拾芥耳。又煮白合银，口含须臾，色如金。鸡子不可合葫、蒜及李子食之。乌鸡肉，不可合犬肝、肾食之。小儿食鸡肉，好生蛔虫。又鸡不可合芥叶蒸食之。朝鲜乃在玄兔乐浪，不应总是鸡所出。今云白蠹，不知是何物，恐此别一

种耳。

[唐本注云] 白鸡距及脑主产难，烧灰酒服之。脑，主小儿惊痫。

[今注] 鸡入药用，盖取朝鲜者良。又按，陈藏器本草云：鸡，主马咬疮及剥驴马伤手，热鸡血及热浸之。黄雌鸡，温补益阳。白鸡，寒，利小便，去丹毒风；屎白，雄鸡三年者，能为鬼神所使。乌雌鸡，杀鬼物；卵白，解热烦；屎，炒服之，主虫咬毒。黄脚鸡，主白虎病，布饭病处，将鸡来食饭，亦可抱鸡来压之。雄鸡胁血，涂白癜风、疬疡风。鸡子，益气，多食令人有声；一枚以浊水搅，煮两沸，合水服之，主产后痢；和蜡作煎饼，与小儿食之，止痢；取二枚，破，著器中，以白粉和如稀粥，顿服之，主妇人胎动腰脐，下血；又取一枚打开，取白，酽醋如白之半，搅调吞之，主产后血闭不下；又取卵三枚，醋半升，酒二升，搅和，煮取二升，分四服，主产后血下不止；又白虎病，取鸡子揩病处，咒愿送粪堆头，不过三度差，白虎是粪神，爱吃鸡子、鸡屎；和黑豆炒浸酒，主贼风，风痹破血。

577　白鹅膏

主耳卒聋，以灌之。毛，主射工，水毒。肉，平，利五脏。

[陶隐居云] 东川多溪毒，养鹅以辟之，毛羽亦佳，中射工毒者，饮血又以涂身。鹅未必食射工，盖以威相制耳，乃言鹅不食生虫，今鹅子亦啖蚯蚓辈。

[唐本注云] 鹅毛，主小儿惊痫、痫者。毛灰，主噎。

[今按] 陈藏器本草云：鹅，主消渴，煮鹅汁饮之。

578　鹜肪

味甘，无毒。主风虚，寒热。白鸭屎，名鸭通。主杀石药毒，解结缚，散蓄热。肉，补虚，除热，和脏腑，利水道。

[陶隐居云] 鹜即是鸭，鸭有家、有野。又《本经》云雁肪，一名鹜肪，其疗小异，此说则专是家鸭耳。黄雌鸭为补最胜。鸭卵不可合鳖肉食之。凡鸟自死口不闭者，皆不可食之，食之杀人。

[唐本注云]《别录》云：鸭肪，主水肿。血，解诸毒。肉，主小儿惊痫。头，主水肿，通利小便，古方疗水用鸭头丸也。

[今按] 陈藏器本草云：尸子云：野鸭为凫；家鸭为鹜，不能飞翔，如庶人守耕稼而已。

579 雁肪

味甘，平，无毒。**主风挛，拘急，偏枯，气不通利。久服**长毛发须眉，**益气，不饥，轻身，耐老。一名鹜肪。生**江南**池泽**。取无时。

［**陶隐居云**］《诗》云：大曰鸿，小曰雁。今雁类亦有大小，皆同一形。又别有野鹅大于雁，犹似家仓鹅，谓之驾鹅。雁肪自不多食，其肉应亦好。鹜作木音，云是野鸭。今此一名鹜肪，则雁、鹜皆相类尔。此前又有鸭事注在前。夫雁乃住江湖，而夏应产伏皆往北，恐雁门北人不食此鸟故也，中原亦重之尔。虽采无时，以冬月为好。

［**唐本注云**］《别录》云：雁喉下白毛，疗小儿痫有效。夫雁为阳鸟，冬则南翔，而夏则北徂，时当春夏，则孳育于北，岂谓北人不食之乎！然雁与燕相反，燕来则雁往，燕往则雁来，故《礼》云：秋候雁来，春去鸟至矣。

580 鹧鸪

味甘，温，无毒。主岭南野葛菌毒、生金毒及温瘴久欲死不可差者，合毛熬酒渍服之。生捣取汁服，最良。生江南，形似母鸡，鸣云钩辀格磔者是也。

［**唐本注云**］有鸟相似，不为此鸣者，则非也。 唐附

禽　中

581 雉肉

味酸，微寒，无毒。主补中，益气力，止泄痢，除蚁瘘。

［**陶隐居云**］雉虽非辰属，而正是离禽。丙午日不可食者，明其王于火也。

［**唐本注云**］雉，味甘，主诸瘘疮也。

582 鹰屎白

主伤挞，灭瘢。

［**陶隐居云**］止单用白，亦不能灭瘢。复应合诸药，僵蚕、衣鱼之属以为膏也。

［**唐本注云**］鹰屎灰，酒服方寸匕，主恶酒，勿使饮人知之。

[今按] 陈藏器本草云：鹰肉，食之，主邪魅，野狐魅。嘴及爪，主五痔狐魅，烧为末服之。

583 雀卵

味酸，温，无毒。主下气，男子阴痿不起，强之令热，多精有子。脑，主耳聋。头血，主雀盲。雄雀屎，疗目痛，决痈疖，女子带下，溺不利，除疝瘕。五月取之良。

[陶隐居云] 雀性利阴阳，故卵亦然。术云：雀卵和天雄丸服之，令茎大不衰。人患黄昏间目无所见，谓之为雀盲，其头血疗之。雄雀屎，两头尖是也，亦疗龋齿。雀肉不可合李食之，亦忌合酱食，妊身尤禁也。

[唐本注云]《别录》云：雀屎和男首子乳如薄泥，点目中胬肉赤脉贯瞳子上者即消，神效。以蜜和为丸，酒饮服，主癥癖久痼冷病；或和少干姜服，悦人。

[今按] 陈藏器本草云：雀肉，起阳道，食之令人有子，冬月者良。腊月收雀屎，俗呼为青丹，主痃癖诸块伏梁，和干姜、桂心、艾等为丸，入腹能烂痃癖。患痈苦不溃，以一枚傅之，立决。又急黄欲死，以两枚细研水温服之。

584 鹳骨

味甘，无毒。主鬼蛊诸疰毒，五尸，心腹疾。

[陶隐居云] 鹳亦有两种，似鹄而巢树者为白鹳，黑色曲颈者为阳乌鹳。今宜用白者。

[今按] 陈藏器本草云：鹳脚骨及嘴，主喉痹飞尸蛇虺咬，及小儿闪癖，大腹痞满，并煮汁服之，亦烧为黑灰饮服。有小毒，杀树木，秃人毛发，沐汤中下少许，发尽脱，亦更不生。人探巢取鹳子，六十里旱，能群飞激云，云散雨歇，其巢中以泥为池，含水满池中，养鱼及蛇，以哺其子。

585 雄鹊肉

味甘，寒，无毒。主石淋，消结热。可烧作灰，以石投中散解者，是雄也。

[陶隐居云] 五月五日鹊脑入术家用，一名飞驳乌。乌之雌雄难别，旧言其翼左覆右是雄，右覆左是雌。又烧毛作屑，内水中，沉者是雄，浮者是雌。今云投石，恐止是鹊耳，余鸟未必尔，并未识之。

[**今按**] 陈藏器本草云：雄鹊子，下石淋，烧作灰，淋取汁饮之，石即下。

586 鸲鹆肉

味甘，平，无毒。主五痔，止血。炙食，或为散饮服之。

[**唐本注云**] 鸟似鵙而有帻者是。

[**今按**] 陈藏器本草云：鸲鹆主吃噫，取炙食之，小儿不过一枚差也。腊月得者，主老嗽。 唐附

禽 下

587 燕屎

味辛，平，有毒。**主蛊毒鬼疰，逐不祥邪气，破五癃，利小便。生高山平谷。**

[**陶隐居云**] 燕有两种，有胡、有越。紫胸轻小者是越燕，不入药用；胸斑黑声大者是胡燕。俗呼胡燕为夏候，其作窠喜长，人言有容一匹绢者，令家富。窠亦入药用，与屎同，多以作汤洗浴，疗小儿惊邪也。窠户有北向及尾倔色白者，皆是数百岁燕，食之延年。凡燕肉不可食，令人入水为蛟龙所吞，亦不宜杀之。

[**唐本注云**]《别录》云：胡燕卵，主水浮肿。肉，出痔虫。越燕屎，亦疗痔，杀虫，去目翳也。

[**今按**] 陈藏器本草云：燕屎，有毒。主疟，取方寸匕，令患者发日平旦和酒一升，搅调，病人两手捧碗，当鼻下承取气，慎勿入口，毒人。又主蛊毒，取屎三合，熬令香，独头蒜十枚，去皮，和捣为丸，服三丸如梧桐子，蛊当随痢下而出。

588 孔雀屎

微寒。主女子带下，小便不利。

[**陶隐居云**] 出广、益诸州，都下亦养之。方家不见用其屎也。

[**唐本注云**] 孔雀屎，交、广有，剑南原无。

589 鸬鹚屎

一名蜀水花。去面黑䵟黡志。头，微寒，主鲠及噎，烧服之。

[**陶隐居云**] 溪谷间甚多见之，当自取其屎，择用白处，市卖不可信。骨，亦

主鱼鲠。此鸟不卵生，口吐其雏，独为一异也。

590 鸱头

味咸，平，无毒。主头风眩，颠倒痫疾。

［陶隐居云］即俗人呼为老鸱者，一名鸢，鸢作绿音。又有雕鹗，并相似而大。虽不限雌雄，恐雄者当胜。今合鸱头酒，用之当微炙，不用蠹虫者。

591 伏翼

味咸，平，无毒。**主目瞑**痒痛，疗淋，利水道，**明目，夜视有精光。久服令人喜乐，媚好，无忧。一名蝙蝠。生**太山**山谷**，及人家屋间。立夏后采，阴干。 苋实、云实为之使。

［陶隐居云］伏翼目及胆，术家用为洞视法，自非白色倒悬者，亦不可服之也。

［唐本注云］伏翼，以其昼伏有翼尔。《李氏本草》云：即天鼠也。又云：西平山中，别有天鼠，十一月、十二月取，主女人生子余疾，带下病，无子。《方言》一名仙鼠，在山孔中，食诸乳石精汁，皆千岁，头上有冠，淳白大如鸠鹊，食之令人肥健，长年。其大如鹑，未白者，皆已百岁，而并倒悬。其石孔中屎，皆白如大鼠屎。下条天鼠屎，当用此也。其屎灰酒服方寸匕，主子死腹中。其脑，主女子面皰，服之令人不忘也。

［今按］陈藏器本草云：伏翼，主蚊子。五月五日取倒悬者，晒干，和桂、薰陆香为末，烧之，蚊子去。取其血滴目中令人不睡，夜中见物。自虫鱼部今移。

592 天鼠屎

味辛，寒，有毒。**主面痈肿，皮肤洗洗时痛，腹中血气，破寒热积聚，除惊悸，**去面黑皯。**一名鼠法，一名石肝。生**合浦**山谷**。十月、十二月取。 恶白蔹、白薇。

［陶隐居云］方家不复用，俗不识也。

［唐本注云］《李氏本草》云：即伏翼屎也，伏翼条中不用屎，是此明矣。《方言》名仙鼠，伏翼条已论也。

［今注］一名夜明砂。

593 五灵脂

味甘，温，无毒。主疗心腹冷气，小儿五疳，辟疫，治肠风，通利气脉，女子月闭。出北地，此是寒号虫粪也。 今附

虫鱼部　卷第十六

虫鱼上

594 石蜜

味甘，平，无毒，微温。**主心腹邪气，诸惊痫痓，安五脏诸不足，益气补中，止痛解毒，除众病，和百药。**养脾气，除心烦，食饮不下，止肠澼，肌中疼痛，口疮，明耳目。**久服强志，轻身，不饥，不老，**延年神仙。**一名石饴。生**武都**山谷**、河源山谷及诸山石中，色白如膏者良。

［陶隐居云］石蜜即崖蜜也。高山岩石间作之，色青、赤，味小碱，食之心烦。其蜂黑色似虻。又木蜜，呼为食蜜，悬树枝作之，色青白，树空及人家养作之者，亦白而浓厚，味美。凡蜂作蜜，皆须人小便以酿诸花，乃得和熟，状似作饴须蘖也。又有土蜜，于土中作之，色青白，味碱。今出晋安檀崖者，多土蜜，云最胜。出东阳临海诸处多木蜜；出于潜、怀安诸县多崖蜜，亦有杂木蜜及人家养者，例皆被添，殆无淳者，必须亲自看取之，乃无杂耳，且又多被煎煮。其江南向西诸蜜，皆是木蜜，添杂最多，不可为药用。道家丸饵，莫不须之。仙方亦单炼服之，致长生不老也。

［唐本注云］土蜜，出氐羌中，并胜前说者，陶以未见，故以南土为证尔。今京下白蜜，如凝酥，甘美耐久，全不用江南者。说者，今自有以水牛乳煎沙糖作者，亦名石蜜。此既蜂作，宜去石字，后条蜜蜡，宜单称尔。

［今按］陈藏器本草云：蜜，主牙齿疳䘌，唇口疮，目肤赤障，杀虫。

595 蜜蜡

味甘，微温，无毒。**主下痢脓血，补中，续绝伤，金疮，益气，不饥，耐老。**

白蜡，疗久泄澼，后重，见白脓，补绝伤，利小儿。久服轻身，不饥。生武都山谷。生于蜜房木石间。　恶芫花、齐蛤。

［陶隐居云］此蜜蜡尔，生于蜜中，故谓蜜蜡。蜂皆先以此为蜜蹠，煎蜜亦得之。初时极香软，人更煮炼，或加少醋酒，便黄赤，以作烛色为好。今药家皆应用白蜡，但取削之，于夏月曝百日许自然白；卒用之，亦可烊内水中十余过亦白。俗方惟以合疗下丸，而《仙经》断谷最为要用，今人但嚼食方寸者，亦一日不饥也。

［唐本注云］除蜜字为佳，蜜已见石蜜条中。

596　蜂子

味甘，平、微寒，无毒。**主风头，除蛊毒，补虚羸，伤中。**疗心腹痛，大人小儿腹中五虫口吐出者，面目黄。**久服令人光泽，好颜色，不老**，轻身，益气。**大黄蜂子，主心腹胀满痛**，干呕，**轻身益气。土蜂子，主痈肿**，嗌痛。**一名蜚零。生武**都**山谷。**　畏黄芩、芍药、牡蛎。

［陶隐居云］前直云蜂子，即应是蜜蜂子也，取其未成头足时炒食之；又酒渍以敷面，令面悦白。黄蜂则人家屋上者及觚𪇔蜂也。

［今按］陈藏器本草云：蜂子，主丹毒风疹，腹内留热，大小便涩，去浮血，妇人带下，下乳汁。此即蜜房中白如蛹者。其穴居者名土蜂，最大螫人至死，其子亦大白，功用同蜜蜂子也。

597　牡蛎

味咸，平、微寒，无毒。**主伤寒，寒热，温疟洒洒，惊恚怒气，除拘缓，鼠瘘，女子带下赤白。**除留热在关节、荣卫虚热去来不定，烦满，止汗，心痛气结，止渴，除老血，涩大小肠，止大小便，疗泄精，喉痹，咳嗽，心胁下痞热。**久服强骨节，杀邪鬼，延年。一名蛎蛤**，一名牡蛤。**生东海池泽。**采无时。　贝母为之使，得甘草、牛膝、远志、蛇床良，恶麻黄、吴茱萸、辛夷。

［陶隐居云］是百岁雕所化，以十一月采为好，去肉，二百日成。今出东海、永嘉、晋安皆好。道家方以左顾者是雄，故名牡蛎；右顾则牝蛎尔。生著石，皆以口在上，举以腹向南视之，口邪向东则是。或云以尖头为左顾者，未详孰是。例以大者为好。又出广州、南海亦如此，但多右顾不用尔。丹方以泥釜，皆除其甲口，止取朏朏如粉处尔。俗用亦如之，彼海人皆以泥煮盐釜，耐水火而不破漏。

［今按］陈藏器本草云：牡蛎，捣为粉粉身，主大人小儿盗汗，和麻黄根、蛇

床子、干姜为粉，去阴汗。肉，煮食，主虚损，妇人血气，调中，解丹毒。肉于姜醋中生食之，主丹毒，酒后烦热止渴。天生万物，皆有牝牡，惟蛎是咸水结成块，然不动阴阳之道何从而生。《经》言牡者，应是雄者。

598　桑螵蛸

味咸、甘，**平**，无毒。**主伤中，疝瘕，阴痿，益精，生子，疗女子血闭，腰痛，通五淋，利小便水道。**又疗男子虚损，五脏气微，梦寐失精，遗溺。久服益气，养神。**一名蚀疣。生桑枝上**，螳螂子也，二月、三月**采蒸之**，当火炙，不尔令人泄。　得龙骨疗泄精，畏旋覆花。

［陶隐居云］俗呼螳螂为蚳蛸，逢树便产，以桑上者为好，是兼得桑皮之津气。市人恐非真，皆令合枝断取之尔，伪者亦以胶著桑枝之上也。

599　海蛤

味苦、咸，**平**，无毒。**主咳逆上气，喘息烦满，胸痛寒热**，疗阴痿。**一名魁蛤**，生东海。　蜀漆为之使，畏狗胆、甘遂、芫花。

［陶隐居云］此物以细如巨胜、润泽光净者，好。

［唐本注云］有粗如半杏仁者，不入药用。粗者亦谓为豚耳蛤，粗恶不堪也。

［今按］别本注云：雁腹中出者极光润。主十二水满急痛，利膀胱大小肠。粗者如半片郁李仁，不任用，亦名狆耳。

600　文蛤

味咸，平，无毒。**主恶疮，蚀五痔。咳**逆胸痹，腰痛胁急，鼠瘘，大孔出血，崩中漏下。生东海，表有文，取无时。

［陶隐居云］海蛤至滑泽，云从雁屎中得之，二三十过方为良，今人多取相摝令磨荡似之尔；文蛤小、大而有紫斑，此既异类而同条，若别之，则数多，今以为附见，而在副品限也。凡有四物如此。

［唐本注云］文蛤，大者圆三寸，小者圆五六分。若今妇人以置燕脂者，殊非海蛤之类也。夫天地间物，无非天地间用，岂限其数为正副耶！

［今按］陈藏器本草云：海蛤，主水痫，取二两先研三日，汉防己、枣肉、杏仁二两，葶苈子六两，熬，研成脂为丸，一服十丸，利下水。

601　魁蛤

味甘，平，无毒。主痿痹，泄痢，便脓血。一名魁陆，一名活东。生东海，正圆两头空，表有文，取无时。

［陶隐居云］形似纺軖，小狭长，外有纵横纹理，云是老蝙蝠化为，用之至少。而《本经》海蛤，一名魁蛤，与此为异也。

602　石决明

味咸，平，无毒。主目障翳痛，青盲。久服益精，轻身。生南海。

［陶隐居云］俗云是紫贝，定小异，亦难得。又云是鳆鱼甲，附石生，大者如手，明耀五色，内亦含珠。人今皆水渍紫贝，以熨眼，颇能明。此一种，本亦附见在决明条，甲既是异类，今为副品也。

［唐本注云］此物，是鳆鱼甲也，附石生，状如蛤，惟一片无对，七孔者良。今俗用紫贝者全别，非此类也。

［今注］石决明生广州海畔，壳大者如手，小者如三两指。其肉，南人皆啖之，亦取其壳以水渍洗眼。七孔、九孔者良，十孔已上者不佳。谓是紫贝及鳆鱼甲并误矣。

603　真珠

寒，无毒。主手足皮肤逆胪，镇心。绵裹塞耳，主聋。傅面，令人润泽好颜色，粉点目中，主肤翳障膜。　今附

604　秦龟

味苦，无毒。主除湿痹气，身重，四肢关节不可动摇。生山之阴土中。二月、八月取。

［陶隐居云］此即山中龟，不入水者，形大小无定，方药不甚用。龟类虽多，入药止有两种尔，又有鼋龟，小狭长尾，乃言疗蛇毒，以其食蛇故也，用以卜测吉凶正反。带秦龟前臑骨，令人入山不迷。广州有蠵蠵，其血甚疗俚人毒箭伤。

［唐本注云］鼋龟腹折，见蛇则呷而食之，荆楚之间，谓之呷蛇龟也。秦龟，即蠵蠵是，更无别也。

［今按］陈藏器本草云：龟溺，主耳聋，滴耳中差。

605　龟甲

味咸、甘，**平**，有毒。**主漏下赤白，破癥瘕痎疟，五痔，阴蚀，湿痹，四肢重弱，小儿囟不合。**疗头疮难燥，女子阴疮及惊恚气，心腹痛不可久立，骨中寒热，伤寒劳复，或肌体寒热欲死，以作汤良。**久服轻身，不饥**，益气资智，亦使人能食。**一名神屋。生**南海**池泽**及湖水中。采无时，勿令中湿，中湿即有毒。　恶沙参、蜚蠊。

［陶隐居云］此用水中神龟，长一尺二寸者为善，厣腹下板可以供卜，壳可以充药，亦入仙方，用之当炙。生龟溺，甚疗久嗽，亦断疟。肉，作羹臛，大补而多神灵，不可轻杀。书家载之甚多，此不具说也。

［唐本注云］龟取以酿酒，主大风缓急，四肢拘挛，或久瘫缓不收摄，皆差。

606　瑇瑁

寒，无毒。主解岭南百药毒。俚人刺其血饮，以解诸药毒。大如帽，似龟，甲中有文。生岭南海畔山水间。　今附

607　鲤鱼胆

味苦，寒，无毒。**主目热赤痛，青盲，明目。久服强悍，益志气。**肉，味甘，主咳逆上气，黄疸，止渴；生者，主水肿脚满，下气。骨，主女子带下赤白。齿，主石淋。**生**九江**池泽。**取无时。

［陶隐居云］鲤鱼，最为鱼之主，形既可爱，又能神变，乃至飞越山湖，所以琴高乘之。山上水中有鲤不可食。又鲤鲊不可合小豆藿食之。其子合猪肝食之，亦能害人尔。

［唐本注云］鲤鱼骨，主阴蚀，鲠不出。血，主小儿丹肿及疮。皮，主瘾疹。脑，主诸痫。肠，主小儿肌疮。

［今按］陈藏器本草云：鲤鱼肉，主安胎。胎动，怀妊身肿，煮为汤食之。破冷气痃癖气块，横关伏梁，作鲙，以浓蒜齑食之。胆，主耳聋，滴耳中。目为灰，研傅刺疮中风水疼肿，汁出即愈，诸鱼目并得。

608　蠡鱼

味甘，寒，无毒。**主湿痹，面目浮肿，下大水，**疗五痔。有疮者，不可食，令

人瘢白。**一名鮦鱼。生九江池泽**。取无时。

［陶隐居云］今皆作鳢字，旧言是公蛎蛇所变，然亦有相生者。至难死，犹有蛇性。合小豆白煮，以疗肿满甚效。

［唐本注云］《别录》云：肠及肝，主久败疮中虫。诸鱼灰，并主哽噎也。

609　鲍鱼

味辛、臭，温，无毒。主坠堕，腿蹶，踠折，瘀血、血痹在四肢不散者，女子崩中血不止。勿令中咸。

［陶隐居云］所谓鲍鱼之肆，言其臭也。俗人呼为鲍鱼，字似鲍，又言盐鲍之以成故也。作药当用少盐臭者，不知正何种鱼尔？乃言穿贯者亦入药，方家自少用之。今此鲍鱼乃是鳙鱼，长尺许，合完淡干之，而都无臭气，要自疗漏血，不知何者是真？

［唐本注云］此说云味辛，又言勿令中咸，此是鳆鱼，非鲍鱼也。鱼去肠肚，绳穿，淡曝使干，故辛而不咸。《李当之本草》亦言胸中湿者良。鲍鱼肥者，胸中便湿。又云：穿贯绳者，弥更不惑。鲍鱼破开，盐裛不曝，味咸不辛，又完淹令湿，非独胸中。且鳆鱼亦臭，臭与鲍别。鲍、鳆二鱼，杂鱼并用。鲍似尸臭，以无盐也；鳆臭差，微有盐故也。鳆鱼沔州、复州作之，余处皆不识尔。

［今注］今考其实，止血须淡干，勿令中咸。入别方药用，则以盐裛之尔。

610　鮧鱼

味甘，无毒。主百病。

［陶隐居云］此是鳀也，今人皆呼慈音，即是鲇鱼，作臛食之云补；又有鳠鱼相似而大；又有鮠鱼亦相似，黄而美，益人，其合鹿肉及赤目赤须无鳃者，食之并杀人；又有人鱼，似鳀而有四足，声如小儿，食之疗瘕疾，其膏燃之不消耗，始皇骊山冢中用之，谓之人膏也。荆州、临沮、青溪至多此鱼。

［唐本注云］鮧鱼，一名鲇鱼，一名鳀鱼，主水浮肿，利小便也。

611　鳝鱼

味甘，大温，无毒。主补中，益血，疗沉唇。五月五日取头骨烧之，止痢。

［陶隐居云］鳝是荇苓根化作之，又云是人发所化，今其腹中自有子，不必尽

是变化也。性热，作臛食之亦补。而时行病起，食之多复，又喜令人霍乱。凡此水族鱼虾之类甚多，其有名者，已注在前条，虽皆可食，而甚损人，故不入药用。又有食之反能致病者，今条注如后说：凡鱼头有白色如连珠至脊上者，腹中无胆者，头中无鳃者，并杀人。鱼汁不可合鸬鹚肉食之。鲫鱼不可合猴、雉肉食之。鳅鳝不可合白犬血食之。鲤鱼子不可合猪肝食之，鲫鱼亦尔。青鱼鲊不可合生胡荽及生葵并麦酱食之。虾无须及腹下通黑，及煮之反白，皆不可食。生虾鲙不可合鸡肉食之，亦损人。又有鯆魮亦益人，尾有毒，疗齿痛。又有鳠鮀鱼，至能醒酒。鯸鮧鱼有毒，不可食。

［**唐本注云**］《别录》云：干鳝头，主消渴，食不消，去冷气，除痞癥。其穿鱼绳，主竹木屑入目不出；穿鲍鱼绳，亦主眯目、去刺，煮汁洗之大良也。

［**今按**］陈藏器本草云：鳝鱼，主湿痹气，补虚损，妇人产后淋沥，血气不调，羸瘦，止血，除腹中冷气肠鸣也。

612　鲫鱼

主诸疮，烧以酱汁和涂之，或取猪脂煎用，又主肠痈。头灰，主小儿头疮，口疮，重舌，目翳。一名鲋鱼。合莼作羹，主胃弱，不下食。作鲙，主久赤白痢。

唐附

虫　鱼　中

613　猬皮

味苦，平，无毒。**主五痔，阴蚀，下血赤白五色，血汁不止，阴肿痛引腰背，酒煮杀之。**又疗腹痛，疝积，亦烧为灰，酒服之。**生**楚山**川谷**田野。取无时，勿使中湿。　得酒良，畏桔梗、麦门冬。

［**陶隐居云**］田野中时有此兽，人犯近，便藏头足，毛刺人，不可得捉。能跳入虎耳中。而见鹊便自仰腹受啄，物有相制，不可思议尔。其脂烊铁注中，内少水银，则柔如铅锡矣。

［**唐本注云**］猬极狞钝，大者如小豚，小者犹瓜大，或恶鹊声，故反腹令啄，欲掩取之，犹蚌鹬尔。虎耳不受鸡卵，且去地三尺，猬何能跳之而入？野俗鄙说，遂为雅记，深可怪也。

［**今按**］陈藏器本草云：猬脂，主耳聋，可注耳中。皮及肉，主反胃，炙黄食

之。骨，食之令人瘦，诸节渐缩小。肉，食之主瘘。

614 石龙子

味咸，寒，有小毒。**主五癃邪结气，破石淋，下血，利小便水道。一名蜥蜴，**一名山龙子，一名守宫，一名石蜴。**生**平阳川**谷**及荆山石间。五月取，着石上令干。 恶硫黄、斑猫、芜荑。

［陶隐居云］其类有四种：一大形，纯黄色，为蛇医母，亦名蛇舅母，不入药；次似蛇医，小形长尾，见人不动，名龙子；次有小形而五色，尾青碧可爱，名蜥蜴，并不螫人；一种喜缘篱壁，名蝘蜓，形小而黑，乃言螫人必死，而未常闻中人。按，东方朔云：若非守宫，则蜥蜴是，如此蝘蜓名守宫矣。以朱饲之，满三斤，杀，干末以涂女子身，有交接事便脱，不尔如赤志，故谓守宫。今此一名守宫，犹如野葛、鬼臼之义也，殊难分别。

［唐本注云］此言四种者：蛇师、生山谷，头大尾短小，青黄或白斑者是，蝘蜓，似蛇师，不生山谷，在人家屋壁间，荆楚及江淮人名蝘蜓，河济之间名守宫，亦名荣螈，又名蝎虎，以其常在屋壁，故名守宫，亦名壁宫，未必如术饲朱点妇人也，此皆假释尔。其名龙子及五色者，并名蜥蜴，以五色者为雄而良，色不备者为雌，劣尔。形皆细长，尾与身相类，似蛇，著四足，去足便直蛇形也。蛇医则不然。按，《尔雅》亦互言之，并非真说。又云朱饲满三斤，殊为谬矣。

615 露蜂房

味苦、咸，**平，**有毒。**主惊痫瘛疭，寒热邪气，癫疾，鬼精蛊毒，肠痔，火熬之良。**又疗蜂毒，毒肿。**一名蜂肠，**一名百穿，一名蜂窠。生牂牁山谷。七月七日采，阴干。 恶干姜、丹参、黄芩、芍药、牡蛎。

［陶隐居云］此蜂房多在树腹中及地中，今此曰露蜂，当用人家屋间及树枝间包裹者。乃远举牂牁，未解所以。

［唐本注云］此蜂房，用树上悬得风露者。其蜂黄黑色，长寸许，蛩马、牛、人，乃至欲死者，用此皆有效，非人家屋上小小蜂房也。《别录》：乱发、蛇皮三味，合烧灰，酒服方寸匕，日二，主诸恶疽，附骨痈，根在脏腑，历节肿，出丁肿，恶脉诸毒皆差。又水煮露蜂房，一服五合汁，下乳石；热毒壅闷服之，小便中即下石末，大效。灰之酒服，主阴痿。水煮洗狐尿刺疮。服之，疗上气赤白痢，遗

尿失禁也。

616 樗鸡

味苦，平，有小毒。**主心腹邪气阴痿，益精强志，生子，好色，补中轻身。**又疗腰痛，下气，强阴多精，不可近目。**生**河内**川谷**樗树上。七月采，曝干。

［陶隐居云］形似寒螀而小，今出梁州，方用至稀，惟合大麝香丸用之。樗树似漆而臭，今以此树上为好，亦如芫青、亭长，必以芫、葛上为良矣。

［唐本注云］此物有二种，以五色具者为雄，良；青黑质白斑者是雌，不入药用。今出岐州，河内无此物也。

617 蚱蝉

味咸、甘，**寒，**无毒。**主小儿惊痫，夜啼，癫病，寒热，**惊悸，妇人乳难，胞衣不出，又堕胎。**生杨柳上。**五月采，蒸干之，勿令蠹。

［陶隐居云］蚱字音作榨，即是哑蝉。哑，雌蝉也，不能鸣者。蝉类甚多。《庄子》云：蟪蛄不知春秋。则是今四月、五月小紫青色者。而《离骚》云：蟪蛄鸣兮啾啾，岁暮兮不自聊。此乃寒螀尔，九月、十月中鸣甚凄急；又二月中便鸣者名蛁母，似寒螀而小；七月、八月鸣者名蛁蟟，色青。今此云生杨柳树上是。《诗》云：鸣蜩嘒嘒者，形大而黑，伛偻丈夫，止是掇此，昔人啖之。故《礼》有雀鷃蜩范，范有冠，蝉有，亦谓此蜩。此蜩复五月便鸣。俗云：五月不鸣，婴儿多灾，今其疗亦专主小儿也。

［唐本注云］《别录》云：壳名枯蝉，一名伏蛸，主小儿痫，女人生子不出。灰服之，主久痢。又云：蚱者，鸣蝉也，主小儿痫，绝不能言。今云哑蝉，哑蝉则雌蝉也，极乖体用。按，诸虫兽，以雄者为良也。

618 白僵蚕

味咸、辛，平，无毒。**主小儿惊痫，夜啼，去三虫，灭黑䵟，令人面色好，疗男子阴疡病。**女子崩中赤白，产后余痛，灭诸疮瘢痕。**生**颍川**平泽。**四月取自死者，勿令中湿，湿有毒，不可用。

［陶隐居云］人家养蚕时，有合箔皆僵者，即曝燥都不坏。今见小白色，似有盐度者为好。末以涂马齿，即不能食草，以桑叶拭去乃还食，此明蚕即马类也。

［唐本注云］《别录》云：末之，封丁肿，根当自出，极效。此白僵死蚕，皆白色，陶云似有盐度，此误矣。

619　木虻

味苦，平，有毒。**主目赤痛，眦伤泪出，瘀血，血闭，寒热，酸㾦，无子。一名魂常。生**汉中**川泽**。五月取。

［陶隐居云］此虻不啖血，状似虻而小，近道草中不见有，市人亦少有卖者，方家所用，惟是蜚虻也。

［唐本注云］虻有数种，并能啖血，商浙已南，江岭间大有。木虻长大绿色，殆如次蝉，咂牛马，或至顿仆。蜚虻状如蜜蜂，黄黑色，今俗用多以此也。又一种小虻，名鹿虻，大如蝇，啮牛马亦猛，市人采卖之。三种同体，以疗血为本，余疗虽小有异同，用之不为嫌。何有木虻而不啖血。木虻倍大蜚虻。陶云似虻而小者，未识之矣。

620　蜚虻

味苦，微寒，有毒。**主逐瘀血，破下血积，坚痞，癥瘕，寒热，通利血脉及九窍**，女子月水不通，积聚，除贼血在心腹五脏者，及喉痹结塞。**生**江夏**川谷**。五月取，腹有血者良。

［陶隐居云］此即今啖牛马血者，伺其腹满掩取干之，方家皆呼为虻虫矣。

［唐本注云］三虻俱食牛马，非独此也，但得即堪用，何暇血充然始掩取。如以义求，应如养鹰，饥则为用，若伺其饱，何能除疾尔。

621　蜚蠊

味咸，寒，有毒。**主血瘀，癥坚，寒热，破积聚，喉咽闭，内塞无子**，通利血脉。**生**晋阳**川泽**及人家屋间。立秋采。

［陶隐居云］形亦似䗪虫而轻小能飞，本在草中。八月、九月知寒，多入人家屋里逃尔。有两三种，以作廉姜气者为真，南人亦啖之。

［唐本注云］此虫，味辛辣而臭，汉中人食之，言下气，名曰石姜，一名卢蜰，一名负盘。《别录》云：形似蚕蛾，腹下赤，二月、八月采此，即南人谓之滑虫者也。

622 䗪虫

味咸，寒，有毒。**主心腹寒热洗洗，血积癥瘕，破坚，下血闭，生子大良。一名地鳖，**一名土鳖。**生**河东**川泽**及沙中，人家墙壁下土中湿处。十月取，曝干。畏皂荚、菖蒲。

［陶隐居云］形扁扁如鳖，故名土鳖，而有甲，不能飞，小有臭气，今人家亦有之。

［唐本注云］此物好生鼠壤土中及屋壁下，状似鼠妇，而大者寸余，形小似鳖，无甲，但有鳞也。

623 蛴螬

味咸，微温、微寒，有毒。**主恶血，血瘀痹气，破折血在胁下坚满痛，月闭，目中淫肤、青翳白膜。**疗吐血在胸腹不去，及破骨踒折，血结，金疮内塞，产后中寒，下乳汁。**一名蟦蛴，**一名肥齐，一名勃齐。**生**河内**平泽**及人家积粪草中。取无时，反行者良。　蜚蠊为之使，恶附子。

［陶隐居云］大者如足大指，以背滚行，乃驶于脚，杂猪蹄作羹与乳母，不能别之。《诗》云领如蝤蛴。今此别之。名以蛴字在下，恐此云蛴螬倒尔。

［唐本注云］此虫，有在粪聚，或在腐木中。其在腐柳树中者，内外洁白；土粪中者，皮黄内黑黯。形色既异，土木又殊，当以木中者为胜。采虽无时，亦宜取冬月为佳。按，《尔雅》一名蝎，一名蛣蝠，一名蝤蛴。

［今注］陈藏器本草云：蛴螬，主赤白游疹，以物发疹，破碎蛴螬，取汁涂之。

624 蛞蝓

味咸，寒，无毒。**主贼风㖞僻，轶筋及脱肛，惊痫挛缩。一名陵蠡，**一名土蜗，一名附蜗。**生**太山**池泽**及阴地沙石垣下。八月取。

［陶隐居云］蛞蝓无壳，不应有蜗名，其附蜗者，复名蜗牛。生池泽沙石，则应是今山蜗，或当言其头形类犹似蜗牛虫者。俗名蜗牛者，作瓜字，则蜗字亦音瓜，《庄子》所云战于蜗角也。蛞蝓入三十六禽限，又是四种角虫之类。荧室星之精矣，方家殆无复用乎。

[唐本注云] 三十六禽。亥上有三豕，犭俞乃豪猪，亦名蒿猪，毛如猬簪，摇而射人，其肚合屎干烧为灰，主黄疸，猪之类也。陶谓为蝓，误极大矣。又《山海经》云：犭俞，彘身人面，音如婴儿，食人兽。《尔雅》云：猰犭俞，类貙，迅走食人，并非蛞蝓也；蛞蝓乃无壳蜗蠡也。

625 蜗牛

味咸，寒。主贼风㖞僻，踠跌，大肠下脱肛，筋急及惊痫。

[陶隐居云] 蜗牛，字是力戈反，而俗呼为瓜牛。生山中及人家，头形如蛞蝓，但背负壳尔。前以注说之。海边又一种，正相似，火炙壳便走出，食之益颜色，名为寄居。方家既不复用，人无取者，未详何者的是也。

[今注] 蜗牛，唐本编在田中螺之后。今详陶隐居云：形似蛞蝓而背负壳。唐本注云：蛞蝓乃无壳蜗蠡。即二种当近似一物，主疗颇同。今移蛞蝓之下。

626 水蛭

味咸、苦，**平**、微寒，有毒。**主逐恶血，瘀血，月闭，破血瘕，积聚，无子，利水道**，又堕胎。一名蚑，一名至掌。**生**雷泽**池泽**。五月、六月采。曝干。

[陶隐居云] 蚑，今复有数种，此用马蜞，得啮人腹中有血者，仍干为佳。山蚑及诸小者，皆不用。楚王食寒菹，所得而吞之，果能去结积，虽曰阴祐，亦是物性兼然。

[唐本注云] 此物，有草蛭、水蛭。大者长尺，名马蛭，一名马蜞，并能咂牛、马、人血；今俗多取水中小者用之，大效，不必要须食人血满腹者；其草蛭，在深山草上，人行即傅着胫股，不觉，遂于肉中产育，亦大为害，山人自有疗法也。

627 鳖甲

味咸，平，无毒。**主心腹癥瘕，坚积，寒热，去痞，息肉，阴蚀，痔，恶肉。**疗温疟，血瘕，腰痛，小儿胁下坚。肉，味甘，主伤中，益气，补不足。**生**丹阳**池泽。**取无时。 恶矾石。

[陶隐居云] 生取甲，剔去肉为好，不用煮脱者。今看有连厀及干岩便好，若上有甲，两边骨出，已被煮也，用之当炙。夏月剉鳖，以赤苋包置湿地，则变化生

鳖。人有裹鳖甲屑，经五月，皆能变成鳖子。此其肉亦不足食，多作癥瘕。其目陷者，及合鸡子食之，杀人。不可合苋菜食之。其厣下有如王字形者，亦不可食。

［唐本注云］鳖头烧为灰，主小儿诸疾，又主产后阴脱下坠，尸疰，心腹痛。

［今按］陈藏器本草云：鳖，主热气湿痹，腹中激热，细擘，五味煮食之，当微泄。膏，脱人毛发，拔去涂孔中，即不生；若欲重生者，以白犬乳汁涂拔处，当出黑也。颌下有软骨如龟形，食之，令人患水病。

628　鮀鱼甲

味辛，微温，有毒。**主心腹癥瘕，伏坚，积聚，寒热，女子崩中，下血五色，小腹、阴中相引痛，疮疥死肌。**疗五邪涕泣时惊，腰中重痛，小儿气癃眦溃。肉，主少气吸吸，足不立地。**生**南海**池泽**，取无时。　蜀漆为之使，畏狗胆、芫花、甘遂。

［陶隐居云］鮀，即今鼍甲也，用之当炙。皮可以贯鼓，肉至补益。于物难死，沸汤沃口入腹良久乃剥尔。鼋肉亦补，食之如鼍法。此等老者，多能变化为邪魅，自非急勿食之。

［今按］陈藏器本草云：主恶疮，腹内癥瘕。甲，更佳，炙，浸酒服之。口内涎有毒也。

629　乌贼鱼骨

味咸，微温，无毒。**主女子漏下赤白经汁，血闭，阴蚀，肿痛，寒热，癥瘕，无子。**疗惊气入腹，腹痛环脐，阴中寒肿，令人有子，又止疮多脓汁不燥。肉，味酸，平，主益气强志。生东海池泽。取无时。　恶白蔹、白及、附子。

［陶隐居云］此是䴔乌所化作，今其口脚俱存，犹相似尔。用其骨亦炙之。其鱼腹中有墨，今作好墨用之。

［唐本注云］此鱼骨，疗牛马目中障翳，亦疗人目翳，用之良也。

［今按］陈藏器本草云：乌贼鱼骨，主小儿痢下，细研为末，饮下之。亦主妇人血瘕，杀小虫并水中虫，投骨于井中虫死。腹中墨，主血刺心痛，醋摩服之。海人云：昔秦王东游，弃筭袋于海，化为此鱼，其形如筭袋，两带极长，墨犹在腹也。

630　蟹

味咸，寒，有毒。**主胸中邪气热结痛，㖞僻，面肿，败漆烧之致鼠。**解结散血，愈漆疮，养筋益气。爪，主破胞，堕胎。**生**伊洛**池泽**诸水中。取无时。　杀莨菪毒、漆毒。

[陶隐居云] 蟹类甚多，蝤蝶、拥剑、彭蜎皆是，并不入药。惟蟹最多有用，仙方以化漆为水，服之长生。以黑犬血灌之三日烧之，诸鼠毕至。未被霜甚有毒，云食水莨所为，人中之，不即疗多死。目相向者亦杀人，服冬瓜汁、紫苏汁及大黄丸皆得差。海边又有彭蜞、拥剑，似彭蜎而大，似蟹而小，不可食。蔡谟初渡江，不识而啖之，几死，叹曰：读《尔雅》不熟，为劝学者所误。

[今按] 陈藏器本草云：蟹脚中髓及脑并壳中黄，并能续断绝筋骨，取碎之微熬，内疮中，筋即连也。八月腹内有芒，食之无毒。其芒是稻芒，长寸许。向东输海神，开腹中犹有海水。《本经》云：伊洛水中者，石蟹，形段不同。其黄傅久疽疮，无不差者。

631 原蚕蛾

雄者有小毒。主益精气，强阴道，交接不倦，亦止精。屎，温，无毒，主肠鸣，热中消渴，风痹瘾疹。

[陶隐居云] 原蚕是重养者，俗呼为魏蚕。道家用其蛾止精，其翁茧入术用。屎，名蚕沙，多入诸方用，不但熨风而已也。

[今按] 陈藏器本草云：原蚕屎，一名蚕沙，净收取晒干，炒令黄，袋盛浸酒，去风，缓诸节不随，皮肤顽痹，腹内宿冷，冷血瘀血，腰脚疼冷。炒令热袋盛，热熨之，主偏风，筋骨瘫缓，手足不随，及腰脚软，皮肤顽痹。

632 鳗鲡鱼

味甘，有毒。主五痔，疮瘘，杀诸虫。

[陶隐居云] 能缘树食藤花，形似鳝，取作臛食之。炙以熏诸木竹，辟蛀虫。膏，疗诸瘘疮。又有蝤，亦相似而短也。

[唐本注云] 此膏，又疗耳中虫痛者。鲵鱼，有四脚，能缘树，陶云鳗鲡，便是谬证也。

633 鲛鱼皮

主蛊气，蛊疰方用之。即装刀靶鲭鱼皮也。

[唐本注云] 出南海，形似鳖，无脚而有尾。

[今按] 陈藏器本草云：一名沙鱼，一名鳆鱼。皮，主食鱼中毒，烧末服之。唐附

634 白鱼

味甘，平，无毒。主胃气，开胃下食，去水气，令人肥健。大者六七尺，色白头昂。生江湖中。今附

635 鳜鱼

味甘，平，无毒。主腹内恶血，益气力，令人肥健，去腹内小虫，背有黑点，味尤重。昔仙人刘凭常食石桂鱼，今此鱼犹有桂名，恐是此也。生江溪间。今附

636 青鱼

味甘，平，无毒。肉，主脚气湿痹，作鲊，与服石人相反。眼睛，主能夜视。头中枕，蒸取干，代琥珀用之，磨服，主心腹痛。胆，主目暗，滴汁目中，并涂恶疮。生于江湖之间。今附

637 河豚

味甘，温，无毒。主补虚，去湿气，理腰脚，去痔疾，杀虫。江河淮皆有。今附

638 石首鱼

味甘，无毒。头中有石如棋子。主下石淋，磨石服之。亦烧为灰，末服。和莼菜作羹，开胃益气。候干食之，名为鲞音想。炙食之，主消瓜成水，亦主卒腹胀，食不消，暴下痢。初出水能鸣，夜视有光。又野鸭头中有石，云是此鱼所化。生东海。今附

639 嘉鱼

味甘，温，无毒。食之令人肥健悦泽。此乳穴中小鱼，常食乳水，所以益人。

能久食之，力强于乳，有似英鸡，功用同乳。 今附

640 鲻鱼

味甘，平，无毒。主开胃，通利五脏。久食令人肥健。此鱼食泥，与百药无忌。似鲤身圆，头扁骨软。生江海浅水中。 今附

641 紫贝

明目，去热毒。

［唐本注云］形似贝，圆，大二三寸。出东海及南海，上有紫斑而骨白。唐附

虫 鱼 下

642 虾蟆

味辛，寒，有毒。**主邪气，破癥坚血，痈肿，阴疮，服之不患热病。**疗阴蚀疽疠恶疮，猘犬伤疮，能合玉石。一名蟾蜍，一名䶂，一名去甫，一名苦蠪。**生江湖池泽。**五月五日取，阴干，东行者良。

［陶隐居云］此是腹大、皮上多痱磊者，其皮汁甚有毒，犬啮之，口皆肿。人得温病斑出困者，生食一两枚，无不差者。五月五日取东行者五枚，反缚着密室中闭之，明旦视自解者，取为术用，能使人缚亦自解。烧灰傅疮立验。其肪涂玉则刻之如蜡，故云能合玉石，但肪不可多得。取肥者，剉，煎膏，以涂玉，亦软滑易截。古玉器有奇特，非雕琢人功者，多是昆吾刀及虾蟆肪所刻也。

［唐本注云］《别录》云：脑，主明目，疗青盲也。

643 蛙

味甘，寒，无毒。主小儿赤气，肌疮，脐伤，止痛，气不足。一名长股。生水中。取无时。

［陶隐居云］凡蜂、蚁、蛙、蝉，其类最多。大而青脊者，俗名土鸭，其鸣甚壮。又一种黑色，南人名为蛤子，食之至美。又一种小形善鸣唤，名蛙子，此则是也。

644 牡鼠

微温，无毒。疗踒折，续筋骨，捣傅之，三日一易。四足及尾，主妇人堕胎，易出。肉，热，无毒，主小儿哺露大腹，炙食之。粪，微寒，无毒。主小儿痫疾，大腹，时行劳复。

［陶隐居云］ 牡鼠，父鼠也。其屎两头尖，专疗劳复。鼠目，主明目，夜见书，术家用之。腊月鼠，烧之辟恶气；膏煎之，亦疗诸疮。胆，主目暗，但才死胆便消，故不可得之。

645 蚺蛇胆

味甘、苦，寒，有小毒。主心腹䘌痛，下部䘌疮，目肿痛。膏，平，有小毒。主皮肤风毒，妇人产后腹痛余疾。

［陶隐居云］ 此蛇出晋安，大者三二围。在地行往不举头者，是真；举头者，非真。形多相似，彼土人以此别之，膏、胆又相乱也。真膏累累如梨豆子相着，他蛇膏皆大如梅、李子。真胆狭长通黑，皮膜极薄，舐之甜苦，摩以注水即沉而不散；其伪者并不尔。此物最难得真，真膏多所入药用，亦云能疗伯牛疾。

［唐本注云］ 此胆，剔取如米粟，着净水中，浮游水上，回旋行走者为真，多着亦即沉散。其少着径沉者，诸胆血并尔。陶所说真伪正反。今出桂、广已南，高、贺等州。大有将肉为脍，以为珍味。虽死似鼍，稍截食之。其形似鳢鱼，头若鼍头，尾圆无鳞，或言鳢鱼变为之也。

646 蝮蛇胆

味苦，微寒，有毒。主䘌疮。肉，酿作酒，疗癞疾，诸瘘，心腹痛，下结气，除蛊毒。其腹中吞鼠，有小毒，疗鼠瘘。

［陶隐居云］ 蝮蛇黄黑色，黄颔尖口，毒最烈，虺形短而扁，毒不异于蚖，中人不即疗多死。蛇类甚众，惟此二种及青蝰为猛，疗之并别有方。蛇皆有足，五月五日取烧地令热，以酒沃之，置中，足出。术家所用赤练、黄颔，多在人家屋间，吞鼠子雀雏，见腹中大者，破取，干之。

［唐本注云］ 蛇屎，疗痔瘘，器中养取之。皮灰，疗丁肿、恶疮、骨疽。蜕皮，主身痒、病、疥、癣等。蝮蛇作地色，鼻反，口又长，身短，头尾相似，大毒，

一名蚖蛇，无二种也。山南汉、沔间足有之。

647　蛤蚧

味咸，平，有小毒。主久肺劳传尸，杀鬼物邪气，疗咳嗽，下淋沥，通水道。生岭南山谷，及城墙或大树间。身长四五寸，尾与身等。形如大守宫，一雄一雌，常自呼其名曰蛤蚧。最护惜其尾，或见人欲取之，多自啮断其尾，人即不取之。凡采之者，须存其尾，则用之力全故也。《方言》曰：桂林之中，守宫能鸣者，谓蛤蚧，盖相似也。　今附

648　鲮鲤甲

微寒。主五邪惊啼悲伤，烧之作灰，以酒或水和方寸匕，疗蚁瘘。

[**陶隐居云**] 其形似鼍而短小，又似鲤鱼，有四足，能陆能水。出岸开鳞甲，伏如死，令蚁入中，忽闭而入水，开甲，蚁皆浮出，于是食之，故主蚁瘘。方用亦稀，惟疗疮癞及诸疰疾尔。

649　蜘蛛

微寒。主大人小儿㿗。七月七日取其网，疗喜忘。

[**陶隐居云**] 蜘蛛类数十种。《尔雅》止载七八种尔，今此用悬网状如鱼罾者，亦名蚍蜉。蜂及蜈蚣螫人，取置肉上，则能吸毒。又以断疟及干呕霍乱。术家取其网着衣领中辟忘。有赤斑者，俗名络新妇，亦入方术用之。其余杂种，并不入药。《诗》云蟏蛸在户，正谓此也。

[**唐本注云**]《别录》云：疗小儿大腹，丁奚三年不能行者，又主蛇毒、温疟、霍乱，止呕逆。剑南、山东为此虫啮，疮中出丝，屡有死者。其网缠赘疣，七日消烂，有验矣。

650　蜻蛉

微寒。强阴，止精。

[**陶隐居云**] 此有五六种，今用青色大眼者，一名诸乘，俗呼胡蜊，道家用以止精。眼可化为青珠。其余黄细及黑者，不入药用，一名蜻蜓。

651 石蚕

味咸，寒，有毒。**主五癃，破石淋，堕胎。肉，解结气，利水道，除热。一名沙虱。生**江汉**池泽。**

［**陶隐居云**］李云江左无识此者，谓为草根，其实类虫，形如老蚕，生附石。伧人得而食之，味咸而微辛。李之所言有理，但江汉非伧地尔。大都应是生气物，犹如海中蛎蛤辈，附石生不动，亦皆活物也。今俗用草根黑色多角节，亦似蚕，恐未是实。方家不用沙虱，自是东间水中细虫。人入水浴，着人略不可见，痛如针刺，挑亦得之。今此名或同尔，非其所称也。

［**唐本注云**］石蚕，形似蚕，细小有角节，青黑色。生江汉侧石穴中，岐陇间亦有，北人不多用，采者遂绝尔。今陇州采送之。

652 蛇蜕

味咸、甘，平，无毒。**主小儿百二十种惊痫，瘛疭，癫疾，寒热，肠痔，虫毒，蛇痫，**弄舌摇头，大人五邪，言语僻越，恶疮，呕咳，明目。**火熬之良。一名龙子衣，一名蛇符，**一名龙子皮，**一名龙子单衣，一名弓皮。生**荆州川谷及田野。五月五日、十五日取之，良。　畏磁石及酒。

［**陶隐居云**］草中不甚见虺、蝮蜕，惟有长者，多是赤练、黄颔辈，其皮不可复识，今往往得尔，皆须完全。石上者弥佳，烧之甚疗诸恶疮也。

［**今按**］陈藏器本草云：蛇蜕，主疟，取正发日，以蛇蜕皮塞病人两耳，临发，又以手持少许，并服一合盐醋汁令吐也。

653 蛇黄

主心痛，疰忤，石淋，产难，小儿惊痫，以水煮研服汁。出岭南，蛇腹中得之，圆重如锡，黄黑青杂色。

［**今注**］蛇黄多赤色，有吐出者，野人或得之。　唐附

654 白花蛇

味甘、咸，温，有毒。主中风湿痹不仁，筋脉拘急，口面斜，半身不遂，骨节疼痛，大风疥癞，及暴风瘙痒，脚弱不能久立。一名褰鼻蛇。白花者良。生南地，

及蜀郡诸山中。九月、十月采捕之，火干。 今附

655 乌蛇

无毒。主诸风瘙瘾疹，疥癣，皮肤不仁，顽痹诸风。用之，炙，入丸、散、浸酒、合膏皆有。三棱色黑如漆，性善，不噬物。江东有黑梢蛇，能缠物至死，亦如其类。生商洛山。 今附

656 金蛇

无毒。解生金毒，人中金药毒者，取蛇四寸，炙令黄，煮汁饮，频服之，以差为度。大如中指，长尺许，常登木饮露，身作金色，照日有光。亦有银蛇，解银药毒。人中金毒，候之法：合瞑，取银口中含，至晓，银变为金色者，是也。令人肉作鸡脚裂。生宾、澄州。 今附

657 蜈蚣

味辛，温，有毒。**主鬼疰，蛊毒，啖诸蛇虫鱼毒，杀鬼物老精温疟，去三虫。**疗心腹寒热结聚，堕胎，去恶血。生大吴川谷江南。赤头足者良。

［陶隐居云］今赤足者多出京口，长山、高丽山、茅山亦甚有，于腐烂积草处得之，勿令伤，曝干之。黄足者甚多，而不堪用，人多火炙令赤以当之，非真也。一名蝍蛆。庄周云：蝍蛆甘带。《淮南子》云：腾蛇游露，而殆于蝍蛆。其性能制蛇，忽见大蛇，便缘而啖其脑。蜈蚣亦啮人，以桑汁白盐涂之即愈。

［唐本注云］山东人呼蜘蛛一名蝍蛆，亦能制蛇，而蜘蛛条无制蛇语。庄周云蝍蛆甘带，淮南云腾蛇殆于蝍蛆，并言蜈蚣矣。

658 马陆

味辛，温，有毒。**主腹中大坚癥，破积聚，息肉，恶疮，白秃。**疗寒热痞结，胁下满。**一名百足，**一名马轴。**生玄菟川谷。**

［陶隐居云］李云此虫形长五六寸，状如大蛩，夏月登树鸣，冬则蛰，今人呼为飞蛟虫也，恐不必是马陆尔。今有一细黄虫，状如蜈蚣而甚长，俗名土虫，鸡食之醉闷亦至死。书云：百足之虫，至死不僵。此虫足甚多，寸寸断便寸行，或欲相似，方家既不复用，市人亦无取者，未详何者的是。

[**唐本注云**] 此虫大如细笔管，长三四寸，斑色亦如蚰蜒，襄阳人名为马蚿，亦呼马轴，亦名刀环虫，以其死侧卧，状如刀环也。有人自毒服一枚，便死也。

659 蠮螉

味辛，平，无毒。**主久聋咳逆，毒气出刺，出汗。**疗鼻窒。其土房主痈肿，风头。一名土蜂，生熊耳川谷及牂牁，或人屋间。

[**陶隐居云**] 此类甚多，虽名土蜂，不就土中为窟，谓摙土作房尔。今一种黑色，腰甚细，衔泥于人室及器物边作房，如并竹管者是也。其生子如粟米大置中，乃捕取草上青蜘蛛十余枚满中，仍塞口，以拟其子大为粮也。其一种入芦竹管中者，亦取草上青虫，一名蜾蠃。诗人云：螟蛉有子，蜾蠃负之。言细腰物无雌，皆取青虫，教祝便变成己子，斯为谬矣。造诗者乃可不详，未审夫子何为因其僻邪。圣人有阙，多皆类此。

[**唐本注云**] 土蜂土中为窠，大如乌蜂，不伤人，非蠮螉，蠮螉不入土中为窠，虽一名土蜂，非蠮螉也。

[**今按**] 李含光《音义》云：咒变成子，近亦数有见者，非虚言也。

660 雀瓮

味甘，平，无毒。**主小儿惊痫，寒热，结气，蛊毒，鬼疰。一名躁舍。**生汉中，采蒸之，生树枝间，蛅蟖房也。八月取。

[**陶隐居云**] 蛅蟖，蚝虫也。此虫多在石榴树上，俗呼为蚝虫，其背毛亦螫人。生卵，形如鸡子，大如巴豆，今方家亦不用此。蚝，一作蛓尔。

[**唐本注云**] 此物紫白间斑，状似车渠文可爱，大者如雀卵，在树间似螵蛸虫也。

661 鼠妇

味酸，温，微寒，无毒。**主气癃，不得小便，妇人月闭，血瘕，痫痓，寒热，利水道。一名负蟠，一名蛜蝛，**一名蟠蝛。生魏郡平谷及人家地上。五月五日取。

[**陶隐居云**] 一名鼠负，言鼠多在坎中，背则负之，今作妇字，如似乖理。又一名鼠姑。

662 萤火

味辛，微温，无毒。**主明目，小儿火疮，伤热气，蛊毒，鬼疰，通神精。一名夜光，**一名放光，一名熠燿，一名即炤。**生阶地池泽。**七月七日取。阴干。

［陶隐居云］此是腐草及烂竹根所化，初犹未如虫，腹下已有光，数日便变而能飞。方术家捕取内酒中，令死乃干之。俗药用之亦稀。

663 衣鱼

味咸，温，无毒。**主妇人疝瘕，小便不利，小儿中风项强背起，摩之。**又疗淋，堕胎，涂疮灭瘢。**一名白鱼，**一名蟫。**生**咸阳**平泽。**

［陶隐居云］衣中乃有，而不可常得，多在书中。亦可疗小儿淋闭，以摩脐及小腹，即溺通也。

664 白颈蚯蚓

味咸，寒、大寒，无毒。**主蛇瘕，去三虫，伏尸，鬼疰，蛊毒，杀长虫，仍自化作水。**疗伤寒伏热，狂谬，大腹，黄疸。一名土龙。**生平土。**三月取，阴干。

［陶隐居云］白颈是其老者尔，取破去土，盐之，日曝，须臾成水，道术多用之。温病大热狂言，饮其汁皆差，与黄龙汤疗同也。其屎，呼为蚓蝼，食细土无沙石，入合丹泥釜用。若服此干蚓，应熬作屑，去蛔虫甚有验也。

［唐本注云］《别录》云：盐霑为汁。疗耳聋。盐消蛔，功同蚯蚓。其屎，封狂犬伤毒，出犬毛，神效。

665 蝼蛄

味咸，寒，无毒。**主产难，出肉中刺，溃痈肿，下哽噎，解毒，除恶疮。一名蟪蛄，一名天蝼，一名螜。**生东城**平泽，夜出者良。**夏至取，曝干。

［陶隐居云］以自出者，其自腰以前甚涩，主止大小便。从腰以后甚利，主下大小便。若出拔刺，多用其脑。此物颇协神鬼，昔人狱中得其蟪力者。今人夜忽见出，多打杀之，言为鬼所使也。

666 蜣螂

味咸，寒，有毒。**主小儿惊痫，瘛疭，腹胀，寒热，大人癫疾狂易。**手足端寒，肢满贲豚。一名蛣蜣。火熬之良。生长沙池泽。五月五日取，蒸，藏之，临用当炙，勿置水中，令人吐。 畏羊角、石膏。

［陶隐居云］《庄子》云：蛣蜣之智，在于转丸。其喜入人粪中，取屎丸而却推之，俗名推丸。当取大者，其类有三四种，以鼻头扁者为真。

［唐本注云］《别录》云：捣为丸，塞下部，引痔虫出尽，永差。

667 斑猫

味辛，寒，有毒。**主寒热，鬼疰，蛊毒，鼠瘘，**疥癣，**恶疮，疽蚀，死肌，破石癃，**血积，伤人肌，堕胎。**一名龙尾。生**河东**川谷。**八月取，阴干。 马刀为之使，畏巴豆、丹参、空青，恶肤青。

［陶隐居云］豆花时取之，甲上黄黑斑色，如巴豆大者是也。

668 芫青

味辛，微温，有毒。主蛊毒，风疰，鬼疰，堕胎。三月取，曝干。

［陶隐居云］芫花时取之，青黑色，亦疗鼠瘘。

669 葛上亭长

味辛，微温，有毒。主蛊毒，鬼疰，破淋结，积聚，堕胎。七月取，曝干。

［陶隐居云］葛花时取之，身黑而头赤，喻如人着玄衣赤帻，故名亭长。此一虫五变，为疗皆相似，二月、三月在芫花上，即呼芫青；四月、五月在王不留行上，即呼王不留行虫；六月、七月在葛花上，即呼为葛上亭长；八月在豆花上，即呼斑猫；九月、十月欲还地蛰，即呼为地胆，此是伪地胆尔，为疗犹同。其类亭长，腹中有卵，白如米粒，主疗诸淋结也。

［唐本注云］今检本草及古今诸方，未见用王不留行虫者，若尔，则四虫专在一处。今地胆出豳州，芫青出宁州，亭长出雍州，斑猫所在皆有，四虫出四处，其虫可一岁周游四州乎？且芫青、斑猫，形端相似，亭长、地胆，貌状大殊。豳州地胆，三月至十月，草菜上采，非地中取。陶之所言，恐浪证之尔。

670 地胆

味辛，寒，有毒。**主鬼疰，寒热，鼠瘘，恶疮，死肌，破癥瘕，堕胎，**蚀疮中恶肉，鼻中息肉，散结气石淋。去子，服一刀圭即下。**一名蚖青，**一名青蛙。**生**汶山**川谷。**八月取。 恶甘草。

[陶隐居云] 真者出梁州，状如大蚂蚁有翼，伪者即斑猫所化，状如大豆，大都疗体略同，必不能得真尔。此亦可用，故有蚖青之名。蚖字乃异，恐是相承误矣。

[唐本注云] 形如大蚂蚁者，今见出邠州者是。状如大豆者，未见也。

671 马刀

味辛，微寒，有毒。**主漏下赤白，寒热，破石淋，杀禽兽贼鼠。**除五脏间热，肌中鼠鼷，止烦满，补中，去厥痹，利机关。用之当炼，得水烂人肠。又云得水良。一名马蛤。**生**江湖**池泽**及东海。取无时。

[陶隐居云] 李云生江汉中，长六七寸，江汉间人名为单姥，亦食其肉，肉似蚌。今人多不识之，大都似今蝏螆而非，方用至少。凡此类皆不可多食，而不正入药，惟蛤蜊煮之醒酒。蚬壳陈久者止痢。车螯、蚶蛎、蝛蜐之属，亦可为食，无损益，不见所主。雉入大水变为蜃，蜃云是大蛤，乃是蚌尔。煮食诸蜊蜗与菜，皆不利人也。

[唐本注云] 蚬，冷，无毒。主时气开胃，压丹石药，及丁疮，下湿气，下乳，糟煮服良；生浸取汁，洗丁疮。多食发嗽，并冷气，消肾。陈壳，疗阴疮，止痢。蚬肉，寒，去暴热，明目，利小便，下热气，脚气，湿毒，解酒毒，目黄；浸取汁服，主消渴。烂壳，温，烧为白灰饮下，主反胃，吐食，除心胸痰水。壳陈久，疗胃反及失精。

672 贝子

味咸，平，有毒。**主目翳，鬼疰，蛊毒，腹痛下血，五癃，利水道。**除寒热温疰，解肌，散结热。**烧用之良。**一名贝齿。**生**东海**池泽。**

[陶隐居云] 此是今小小贝子，人以饰军容服物者，乃出南海。烧作细屑末，以吹眼中，疗翳良。又真马珂捣末，亦疗盲翳。

673 田中螺汁

大寒。主目热赤痛，止渴。

［陶隐居云］生水田中及湖渎岸侧，形圆大如梨、橘者，人亦煮食之。煮汁，亦疗热，醒酒，止渴。患眼痛，取真珠并黄连内其中，良久汁出，取以注目中，多差。

［唐本注云］《别录》云：壳，疗尸疰，心腹痛；又主失精；水渍饮汁，止泻。

［今按］陈藏器本草云：田中螺，煮食之，利大小便，去腹中结热，目下黄，脚气冲上，小腹急硬，小便赤涩，脚手浮肿。生浸取汁饮之，止消渴。碎其肉，傅热疮。烂壳烧为灰，末服，主反胃。

674 甲香

味咸，平，无毒。主心腹满痛，气急，止痢，下淋。生南海。

［唐本注云］蠡大如小拳，青黄色，长四五寸，取厣烧灰用之。南人煮其肉啖，亦无损益也。 唐附

675 珂

味咸，平，无毒。主目中翳，断血，生肌。贝类也，大如鳆，皮黄黑而骨白，以为马饰。生南海，采无时。 唐附

676 蝎

味甘、辛，有毒。疗诸风瘾疹，及中风半身不遂，口眼㖞斜，语涩，手足抽掣。形紧小者良。出青州者良。 今附

果部　卷第十七

果　上

677　豆蔻

味辛，温，无毒。主温中，心腹痛，呕吐，去口臭气。生南海。

[陶隐居云] 味辛烈者为好，甚香，可恒含之。其五和糁中物皆宜人：廉姜温中下气；益智，热；枸橼，温；甘焦、麂目并小冷耳。

[唐本注云] 豆蔻，苗似山姜，花黄白，苗根及子亦似杜若。枸橼，性冷，陶景云温者，误矣。

[今注] 此草豆蔻也，下气止霍乱。

678　葡萄

味甘，平，无毒。**主筋骨湿痹，益气倍力，强志，令人肥健，耐饥，忍风寒。久服轻身，不老，延年。可作酒，**逐水，利小便。**生**陇西五原敦煌**山谷。**

[陶隐居云] 魏国使人多赍来，状如五味子而甘美，可作酒，云用其藤汁殊美好。北国人多肥健耐寒，盖食斯乎？不植淮南，亦如橘之变于河北矣。人说即是此间蘡，恐如彼之枳类橘耶？

[唐本注云] 蘡与葡萄亦同，然蘡是千岁蔂。葡萄作酒法，总收取子汁酿之自成酒。蘡，山葡萄，亦堪为酒。陶景言用藤汁为酒，谬矣。

679　蓬蔂

味酸、咸，**平，**无毒。**主安五脏，益精气，长阴令坚，强志倍力，有子。**又疗暴中风，身热大惊。**久服轻身，不老。一名覆盆**，一名陵藁，一名阴藁。生荆山平泽及宛朐。

［陶隐居云］李云即是人所食莓尔。

［唐本注云］蓬蘽、覆盆，一物异名，本谓实，而非根，此亦误矣。亦如蜀漆与常山异条，芎与蘼芜各用。今此附入果部者，盖其子是覆盆也。

［今注］是覆盆苗茎也。陶言蓬蘽是根名，乃昌容所服，以易颜者，盖根苗相近尔。李云莓也。按，《切韵》：莓是覆盆草也。又蘽者藤也。今据蓬蘽之名，明其藤蔓也。

680 覆盆子

味甘，平，无毒。主益气轻身，令发不白。五月采实。

［陶隐居云］蓬蘽是根名，方家不用，乃昌容所服，以易颜色者也。覆盆是实名，李云是莓子，乃似覆盆之形，而以津汁为味，其核甚微细。药中所用覆盆子小异，此未详孰是？

［唐本注云］覆盆、蓬蘽，一物异名，本谓实，非根也。李云莓子近之。其根不入药用。然生处不同，沃地则子大而甘，瘠地则子细而酸。此乃子有甘、酸，根无酸味。陶景以根酸子甘，将根入果，重出子条，殊为孟浪。

［今注］蓬蘽乃覆盆之苗也，覆盆乃蓬蘽之子也。陶注、唐注皆非。今用覆盆子补虚续绝，强阴建阳，悦泽肌肤，安和脏腑，温中益力，疗劳损风虚，补肝明目。

681 大枣

味甘，平，无毒。**主心腹邪气，安中养脾，助十二经胃气，通九窍，补少气少津，身中不足，大惊，四肢重，和百药。**补中益气，强力，除烦闷，疗心下悬，肠澼。**久服轻身，长年**，不饥，神仙。一名干枣，一名美枣，一名良枣。八月采，曝干。三岁陈核中仁，燔之，味苦，主腹痛，邪气。生枣，味甘、辛，多食令人多寒热，羸瘦者不可食。**叶覆麻黄，能出汗。生**河东**平泽。**杀乌头毒。

［陶隐居云］旧云河东猗氏县枣特异，今出青州、彭城，枣形小，核细，多膏，甚甜。郁州互市亦得之，而郁州者亦好，小不及尔。江东临沂金城枣，形大而虚少脂，好者亦可用。南枣大恶，殆不堪啖。道家方药以枣为佳饵，其皮利，肉补

虚，所以合汤皆擘用之。

[唐本注云]《别录》云：枣叶散服使人瘦，久即呕吐；揩热痱疮至良。

682 仲思枣

味甘，温，无毒。主补虚益气，润五脏，去痰嗽冷气。久服令人肥健，好颜色，神仙不饥。形如大枣，长一二寸，正紫色，细文小核，味甘，重。北齐时，有仙人仲思得此枣，因以为名。隋大业中，信都郡献数颗。又有千年枣，生波斯国，亦稍温补，非此之俦也。 今附

683 藕实茎

味甘，平、寒，无毒。**主补中养神，益气力，除百疾。久服轻身，耐老，不饥，延年。一名水芝丹**，一名莲。**生**汝南**池泽。**八月采。

[陶隐居云] 即今莲子，八月、九月取坚黑者，干捣破之。花及根并入神仙用。今云茎，恐即是根，不尔不应言甘也。宋帝时，太官作羊血衉，庖人削藕皮误落血中，遂皆散不凝，医乃用藕疗血多效也。

[唐本注云]《别录》云：藕，主热渴，散血，生肌。久服令人心欢。

684 鸡头实

味甘，平，无毒。**主湿痹，腰脊膝痛，补中，除疾，益精气，强志， 令耳目聪明。久服轻身，不饥，耐老，神仙。一名雁喙实**，一名芡。**生**雷泽**池泽。** 八月采。

[陶隐居云] 此即今茀子，子形上花似鸡冠，故名鸡头。仙方取此并莲实合饵，能令小儿不长，自别有方。正尔食之，亦当益人。

[唐本注云] 此实，去皮作粉，与菱粉相似，益人胜菱。

685 芰实

味甘，平，无毒。主安中，补五脏，不饥，轻身。一名菱。

[陶隐居云] 庐江间最多，皆取火燔，以为米充粮，今多蒸曝蜜和饵之，断谷长生。水族中又有菰首，性冷，恐非上品。被霜后食之，令阴不强。又不可杂白蜜食，令生虫。

[唐本注云] 芰作粉，极白润，宜人。

686 栗

味咸，温，无毒。主益气，厚肠胃，补肾气，令人耐饥。生山阴。九月采。

［陶隐居云］今会稽最丰，诸暨栗形大，皮厚不美；剡及始丰，皮薄而甜。相传有人患脚弱，往栗树下食数升，便能起行，此是补肾之义，然应生啖之。今若饵服，故宜蒸曝之。

［唐本注云］栗作粉，胜于菱、芡。嚼生者涂疮上，疗筋骨断碎，疼痛，肿，瘀血有效。其皮名扶，捣为散，蜜和涂肉，令急缩。毛壳，疗火丹疮、毒肿。实饲孩儿，令齿不生。树白皮水煮汁，主溪毒。

687 樱桃

味甘。主调中，益脾气，令人好颜色，美志。

［陶隐居云］此即今朱樱桃，味甘、酸，可食，而所主又与前樱桃相似。恐医家滥载之，未必是今者尔。又胡颓子凌冬不凋，子亦应益人，或云寒热病不可食。

［唐本注云］捣叶封，主蛇毒。绞汁服，防蛇毒内攻。

688 橘柚

味辛，温，无毒。**主胸中瘕热逆气，利水谷，**下气，止呕咳，除膀胱留热，下停水，五淋，利小便。主脾不能消谷，气冲胸中吐逆，霍乱，止泄，去寸白。**久服去臭，下气通神，**轻身长年。**一名橘皮。生**南山**川谷，**生江南。十月采。

［陶隐居云］此是说其皮功耳，以东橘为好，西江亦有而不如。其皮小冷，疗气乃言欲胜东橘，北人亦用之，以陈者为良。其肉味甘、酸，食之多痰，恐非益人也。今此虽用皮，既是果类，所以犹宜相从。柚子皮乃可食，而不复入药用，此亦应下气。

［唐本注云］柚皮厚，味甘，不如橘皮味辛而苦，其肉亦如橘，有甘有酸，酸者名胡甘。今俗人或谓橙为柚，非也。按，《吕氏春秋》云：果之美者。有云梦之柚。郭璞曰：柚似橙而大于橘。孔安国云：小曰橘，大曰柚，皆谓甘也。

［今注］自木部今移。

689 乳柑子

味甘，大寒。主利肠胃中热毒。解丹石，止暴渴，利小便。多食令人脾冷，发癌癖，大肠泄。又有沙柑、青柑、山柑，体性相类。惟山柑皮疗咽喉痛，效；余者，皮不堪用。其树若橘树，其形似橘而圆大，皮色生青熟黄赤，未经霜时尤酸；霜后甚甜，故名柑子。生岭南及江南。 今附

690 橙子皮

味苦、辛，温。作酱醋香美，散肠胃恶气，消食，去胃中浮风气。其瓤，味酸，去恶心，不可多食，伤肝气。又以瓤洗去酸汁，细切，和盐蜜煎成煎，食之，去胃中浮风。其树亦似橘树而叶大，其形圆，大于橘而香，皮厚而皱。八月熟。今附

果　中

691　梅实

味酸，平，无毒。**主下气，除热烦满，安心，肢体痛，偏枯不仁，死肌，去青黑志，恶疾。**止下痢，好唾，口干。**生汉中川谷。**五月采，火干。

［陶隐居云］此亦是今乌梅也，用之去核，微熬之。伤寒烦热，水渍饮汁。生梅子及白梅亦应相似，今人多用白梅和药，以点志蚀恶肉也。服黄精人，云禁食梅实。

［唐本注云］《别录》云：梅根，疗风痹，出土者杀人。梅实，利筋脉，去痹。

692 枇杷叶

味苦，平，无毒。主卒啘不止，下气。

［陶隐居云］其叶不暇煮，但嚼食，亦差。人以作饮，则小冷。

［唐本注云］用枇杷叶，须火炙，布拭去毛。毛射人肺，令咳不已。又主呕逆，不下食。

［今注］实，味甘，寒，无毒。多食发痰热。

693 柿

味甘，寒，无毒。主通鼻耳气，肠澼不足。

［陶隐居云］柿有数种，云今乌柿火熏者，性热，断下，又疗狗啮疮。火熇者

亦好，日干者性冷。鹿心柿尤不可多食，令人腹痛利，生柿弥冷。又有椑，色青，惟堪生啖，其性冷复乃甚于柿，散石热家啖之，亦无嫌，不入药用。

[唐本注云]《别录》云：火柿主杀毒，疗金疮火疮，生肉止痛。软熟柿解酒热毒，止口干，压胃间热。

694 木瓜实

味酸，温，无毒。主湿痹邪气，霍乱，大吐下，转筋不止。其枝亦可煮用。

[陶隐居云] 山阴兰亭尤多，彼人以为良药，最疗转筋。如转筋时，但呼其名及书上作木瓜字皆愈，理亦不可解。俗人拄木瓜杖，云利筋胫。又有榠楂，大而黄，可进酒去痰。又楂子，涩，断利。《礼》云：楂梨曰之。郑公不识楂，乃云是梨之不藏者。然则古亦以楂为果，今则不入例也。凡此属多不益人者也。

695 甘蔗

味甘，平，无毒。主下气，和中，补脾气，利大肠。

[陶隐居云] 今出江东为胜，庐陵亦有好者。广州一种，数年生，皆如大竹，长丈余，取汁以为沙糖，甚益人。又有荻蔗，节疏而细，亦可啖也。

[今按] 别本注云：蔗有两种：赤色名崑崙蔗，白色名荻蔗。出蜀及岭南为胜，并煎为沙糖。今江东甚多，而劣于蜀者，亦甚甘美，时用煎为稀沙糖也。今会稽作乳糖，殆胜于蜀，去烦止渴，解酒毒。

696 石蜜乳糖也

味甘，寒，无毒。主心腹热胀，口干渴，性冷利。出益州及西戎，煎炼沙糖为之，可作饼块，黄白色。

[唐本注云] 用水牛乳、米粉和煎，乃得成块。西戎来者佳。近江左亦有，殆胜蜀者。云用牛乳汁和沙糖煎之，并作饼，坚重。

[今注] 此石蜜，其实乳糖也。前卷已有石蜜之名，故注此条为乳糖。 唐附

697 沙糖

味甘，寒，无毒。功体与石蜜同，而冷利过之。榨甘蔗汁煎作。蜀地、西戎、江东并有。而江东者，先劣今优。 唐附

698 椑柿

味甘，寒，无毒。主压石药发热，利水，解酒热。久食令人寒中，去胃中热。生江淮南，似柿而青黑。《闲居赋》云：梁侯乌椑之柿。是也。 今附

699 芋

味辛，平，有毒。主宽肠胃，充肌肤，滑中。一名土芋。

［陶隐居云］ 钱塘最多，生则有毒莶，不可食，性滑，下石，服饵家所忌。种芋三年不采，成梠芋；又别有野芋，名尤芋，形叶相似如一根，并杀人。人不识而食之，垂死者，他人以土浆及粪汁与饮之，得活矣。

［唐本注云］ 芋有六种，有青芋、紫芋、真芋、白芋、连禅芋、野芋。其青芋细长，毒多，初煮要须灰汁易水煮，熟乃堪食尔。白芋、真芋、连禅芋、紫芋，并毒少，正可蒸煮啖之，又宜冷啖，疗热止渴。其真、白、连禅三芋，兼肉作羹，大佳。蹲鸱之饶，盖谓此也。野芋大毒，不堪啖也。

700 乌芋

味苦、甘，微寒，无毒。主消渴，痹热，温中，益气。一名藉姑，一名水萍。二月生叶，叶如芋。三月三日采根，曝干。

［陶隐居云］ 今藉姑生水田中，叶有桠，状如泽泻，不正似芋。其根黄似芋子而小，煮食之乃可啖，疑其有乌名。今有乌者，根极相似，细而美，叶乖异，状如莞草，呼为凫茨，恐此非也。

［唐本注云］ 此草，一名槎牙，一名茨菰，主百毒，产后血闷攻心欲死，产难衣不出，捣汁服一升。生水中，叶似钾箭镞，泽泻之类也。《千金方》云：下石淋也。

701 荔枝子

味甘，平，无毒。止渴，益人颜色。生岭南及巴中。其树高一二丈，叶青阴，凌冬不凋，形如松子，大壳，朱若红罗纹。肉青白，若水精，甘美如蜜。四、五月熟，百鸟食之皆肥矣。 今附

果　下

702　杏核仁

味甘、苦，**温**，冷利，有毒。**主咳逆上气，雷鸣，喉痹，下气，产乳，金创，寒心，贲豚**，惊痫，心下烦热，风气去来，时行头痛，解肌，消心下急，杀狗毒。一名杏子。五月采，其两仁者杀人，可以毒狗。花，味苦，无毒，主补不足，女子伤中，寒热痹，厥逆。实，味酸，不可多食，伤筋骨。**生**晋山**川谷。** 得火良，恶黄芪、黄芩、葛根，解锡毒，畏蘘草。

［**陶隐居云**］处处有，药中多用之，汤浸去赤皮，熬令黄。

703　桃核仁

味苦、甘，**平**，无毒。**主瘀血，血闭瘕邪气，杀小虫。**止咳逆上气，消心下坚，除卒暴击血，破癥瘕，通月水，止痛。七月采取仁，阴干。**桃花，杀疰恶鬼，令人好颜色**，味苦，平，无毒，主除水气，破石淋，利大小便，下三虫，悦泽人面。三月三日采，阴干。**桃枭，杀百鬼精物**，味苦，**微温**，主中恶腹痛，杀精魅五毒不祥，一名桃奴，一名枭景，是实着树不落，实中者正月采之。**桃毛，主下血瘕，寒热，积聚，无子**，带下诸疾，破坚闭，刮取实毛用之。**桃蠹，杀鬼邪恶，辟不祥**，食桃树虫也。其茎白皮，味苦、辛，无毒，除邪鬼，中恶，腹痛，去胃中热。其叶，味苦、辛，平，无毒，主除尸虫，出疮中虫。胶，炼之，主保中不饥，忍风寒。其实，味酸，多食令人有热。**生**太山**川谷。**

［**陶隐居云**］今处处有，京口者亦好，当取解核种之为佳。又有山龙桃，其仁不堪用，俗用桃仁作酪乃言冷。桃胶入仙家用。三月三日采花，亦供丹方所需。《方言》服三树桃花尽，则面色如桃花，人亦无试之者。服术人云禁食桃也。

［**唐本注云**］桃胶，味甘、苦，平，无毒。主下石淋，破血，中恶，疰忤。花，主下恶气，消肿满，利大小肠。

704　李核仁

味甘、苦，平，无毒。主僵仆跻，瘀血，骨痛。根皮，大寒，主消渴，止心烦，逆奔气。实，味苦，除痼热，调中。

[陶隐居云] 李类又多。京口有麦李，麦秀时熟，小而甜脆，核不入药。今此用姑熟所出南居李，解核如杏子者，为佳。凡李实熟食之皆好，不可合雀肉食，又不可临水上啖之。李皮水煎含之，疗齿痛佳。

[今按] 别本注云：李类甚多，有绿李、黄李、紫李、朱李、水李，并堪食，味极甘美。其中仁不入药用。有野李，味苦，名郁李子，核仁入药用之。

705 猕猴桃

味酸、甘，寒，无毒。止暴渴，解烦热，冷脾胃，动泄澼，压丹石，下石淋。热壅反胃者，取汁和生姜汁服之。一名藤梨，一名木子，一名猕猴梨。生山谷，藤生著树，叶圆有毛，其形似鸡卵大；其皮褐色，经霜始甘美可食。枝叶杀虫，煮汁饲狗，疗㾮也。 今附

706 胡桃

味甘，平，无毒。食之令人肥健，润肌，黑发。取瓤烧令黑，末，断烟，和松脂研，傅瘰疬疮。又和胡粉为泥，拨白须发，以内孔中，其毛皆黑。多食利小便，能脱人眉，动风故也。去五痔。外青皮染髭及帛皆黑。其树皮止水痢，可染褐。仙方取青皮压油，和詹糖香涂毛发，色如漆。生北土，云张骞从西域将来。其木，春斫皮中出水，承取沐头至黑。 今附

707 杨梅

味酸，温，无毒。主去痰，止呕哕，消食下酒。干作屑，临饮酒时，服方寸匕，止吐酒。多食令人发热。其树若荔枝树，而叶细阴青。子形似水杨子，而生青熟红。肉在核上，无皮壳。生江南、岭南山谷。四月、五月采。 今附

708 梨

味甘、微酸，寒。多食令人寒中，金创，乳妇尤不可食。

[陶隐居云] 梨种复殊多，并皆冷利，俗人以为快果，不入药用，食之损人。

[唐本注云] 梨削贴汤火创不烂，止痛，易差。又主热嗽，止渴。叶，主霍乱，吐利不止，煮汁服之。

[今按] 别本注云：梨有数种，其消梨味甘，寒，无毒。主客热，中风不语。

又疗伤寒发热，解石热气，惊邪嗽，消渴，利大小便。又有青梨、茅梨等，并不任用。又有桑梨，惟堪蜜煮食，主口干，生食不益人，冷中不可多食。

709 柰

味苦，寒。多食令人胪胀，病人尤甚。

[陶隐居云] 柰江南乃有，而北国最丰，皆以作脯，不宜人。有林檎相似而小，亦恐非益人者。枇杷叶已出上卷，其实乃宜人。东阳、寻阳最多也。

[今注] 有小毒，主耐饥，益心气。

710 林檎

味酸、甘，温。不可多食，发热涩气，令人好睡，发冷痰，生疮疖，脉闭不行。其树似柰树，其形圆如柰。六月、七月熟，今在处有之。 今附

711 菴萝果

味甘，温。食之止渴，动风气。天行病后及饱食后，俱不可食之。又不可同大蒜辛物食，令人患黄病。树生状若林檎而极大。 今附

712 海松子

味甘，小温，无毒。主骨节风，头眩，去死肌，变白，散水气，润五脏，不饥。生新罗。如小栗三角，其中仁香美，东夷食之当果，与中土松子不同。 今附

713 安石榴

味甘、酸，无毒。主咽燥渴。损人肺，不可多食。其酸实壳，疗下痢，止漏精。其东行根，疗蛔虫、寸白。

[陶隐居云] 石榴以花赤可爱，故人多植之，尤为外国所重。入药唯根、壳而已，其味有甜、酢，药家用酢者。其子为服食所忌也。

714 橄榄

味酸、甘，温，无毒。主消酒，疗鯸鲐毒，人误食此鱼肝迷闷者，可煮汁服之

必解。其木作楫拨，著鱼皆浮出，故知物有相畏如此也。核中仁，研傅唇吻燥痛。其树似木槵子树而高端直，其形似生诃子无棱瓣。生岭南。八月、九月采。又有一种，名波斯橄榄，色类亦相似，其形核作三瓣，可以蜜渍食之，生邕州。 今附

715 榅桲

味酸、甘，微温，无毒。主温中下气，消食，除心间醋水，去臭，辟衣鱼。生北土，似楂子而小。 今附

716 榛子

味甘，平，无毒。主益气力，宽肠胃，令人不饥，健行。生辽东山谷。树高丈许。子如小栗，军行食之当粮。中土亦有。郑注《礼》云：榛似栗而小，关中鄜、坊甚多。 今附

菜部　卷第十八

菜 上

717 白瓜子

味甘，平、寒，无毒。**主令人悦泽，好颜色，益气不饥。久服轻身，耐老。**主除烦满不乐，久服寒中。可作面脂，令悦泽。**一名水芝**，一名白爪侧绞切子。**生**嵩高**平泽。**冬瓜仁也，八月采之。

［唐本注云］《经》云：冬瓜仁也，八月采之。已下为冬瓜仁说。《尔雅》云：水芝，瓜也，非谓冬瓜别名。据《经》及下条瓜蒂，并生嵩高平泽，此即一物，但以甘字似白字，后人误以为白也。若其不是甘瓜，何因一名白瓜？此即是甘瓜不惑。且朱书论甘瓜之效，墨书说冬瓜之功，功异条同，陶为深误矣。按，《广雅》：冬瓜一名地芝，与甘瓜全别，墨书宜附冬瓜科下。瓜蒂与甘瓜共条。《别录》云：甘瓜子主腹内结聚，破溃脓血，最为肠胃脾内痈要药。本草以为冬瓜，但用蒂，不云子也。今肠痈汤中用之。俗人或用冬瓜子，非也。又按，诸本草单云瓜子或云甘瓜子，今此本误作白字，当改从甘也。

［今按］此即冬瓜子也。唐注称是甘瓜子，谓甘字似白字，后人误以为白，此之所言，何孟浪之甚耶？且《本经》云：主令人悦泽。《别录》云：可作面脂，令人悦泽。而又面脂方中多用冬瓜仁，不见用甘瓜子。按，此即是冬瓜子明矣。故陶于后条注中云：取核水洗，燥，乃擂取仁用之。且此物与甘瓜全别。其甘瓜有青、白二种，子色皆黄，主疗与白瓜子有异。而冬瓜皮虽青，经霜亦有白衣，其中子白，白瓜子之号因斯而得。况陶隐居以《别录》白冬瓜附于白瓜子之下，白瓜子更不加注，足明一物而不能显辨尔。《别录》爪字，侧绞切，今以读作瓜字。唐注

谬误，都不可凭。

718 白冬瓜

味甘，微寒。主除小腹水胀，利小便，止渴。

[陶隐居云] 被霜后合取，置经年，破取核，水洗，燥，乃擂取仁用之。冬瓜性冷利，解毒，消渴，止烦闷，直捣绞汁服之。

[今注] 此物经霜后，皮上白如粉涂，故云白冬瓜也。前条即冬瓜子之功，此说皮肉之效尔。陶注为子仁，非也。

719 瓜蒂

味苦，寒，有毒。**主大水，身面四肢浮肿，下水，杀蛊毒，咳逆上气，食诸果不消，病在胸腹中，皆吐下之。**去鼻中息肉，疗黄疸。其花，主心痛，咳逆。**生**嵩高**平泽。**七月七日采，阴干。

[陶隐居云] 瓜蒂多用早青蒂，此云七月七日采，便是甜瓜蒂也。人亦有用熟瓜蒂者，取吐乃无异，此止论其蒂所主耳。今瓜例皆冷利，早青者尤甚。熟瓜乃有数种，除瓤食不害人。若觉食多，入水自渍便消。永嘉有寒瓜甚大，今每取藏经年食之。亦有再熟瓜，又有越瓜，人以作菹者，食之亦冷，并非药用耳。《博物志》云：水浸至项，食瓜无数。又云斑瓜花有毒，分采之，瓜皮杀蛴虫也。

[今注] 甜瓜有青、白二种，入药当用青瓜蒂。前条白瓜子，唐注云甘瓜子，主腹内结聚，破溃脓血，最为肠胃脾内痈要药，正是此甜瓜子之功。前条便以白瓜子为甘瓜子，非也。

720 冬葵子

味甘，寒，无毒。**主五脏六腑寒热，羸瘦，五癃，利小便。**疗妇人乳难内闭。**久服坚骨，长肌肉，轻身延年。**生少室山。十二月采。 黄芩为之使。

721 葵根

味甘，寒，无毒。主恶疮，疗淋，利小便，解蜀椒毒。叶，为百菜主，其心伤人。

[陶隐居云] 以秋种葵，覆养经冬，至春作子，谓之冬葵，多入药用，至滑

利，能下石淋。春葵子亦滑利，不堪余药用。根，故是常葵尔。叶尤冷利，不可多食。术家取此葵子，微炒令烨炨，散着湿地，遍踏之。朝种葵暮生，远不过宿。又云取羊角、马蹄烧作灰，散于湿地，即生罗勒，俗呼为西王母菜，食之益人。生菜中，又有胡荽、芸台、白苣、邪蒿，并不可多食，大都服药通忌生菜耳。佛家斋，忌食薰渠，不的知是何菜？多言今芸台，憎其臭故也。

［唐本注云］ 罗勒，北人谓之兰香，避石勒讳故也。又薰渠者，婆罗门云阿魏是，言此草苗根似白芷，取根汁曝之如胶，或截根日干，并极臭。西国持咒人禁食之。常食中用之，云去臭气。戎人重此，犹俗中贵胡椒、巴人重负蠜等，非芸台也。

722　苋实

味甘，寒、大寒，无毒。**主青盲**，白翳，**明目，除邪，利大小便，去寒热。**杀蛔虫。**久服益气力，不饥，轻身。一名马苋**，一名莫实，细苋亦同。生淮阳川泽及田中，叶如蓝。十一月采。

［陶隐居云］ 李云即苋菜也。今马苋别一种，布地生，实至微细，俗呼为马齿苋，亦可食，小酸，恐非今苋实。其苋实当是白苋，所以云细苋亦同，叶如蓝也。细苋即是糠苋，食之乃胜，而并冷利，被霜乃熟，故云十一月采。又有赤苋，茎纯紫，能疗赤下，而不堪食。药方用苋实甚稀，断谷方中时用之。

［唐本注云］ 赤苋，一名蕢。今苋实亦名莫实，疑莫字误矣。赤苋，味辛，寒，无毒，主赤痢，又主射工、沙虱，此是赤叶苋也。马苋，亦名马齿草，味辛，寒，无毒，主诸肿瘘、疣目，捣揩之饮汁，主反胃，诸淋，金疮，血流、破血，癥癖，小儿尤良。用汁洗紧唇，面皰、马汗、射工毒，涂之差。

［今按］ 陈藏器本草云：忌与鳖同食。今以鳖细剉，和苋于近水湿处置之，则变为生鳖。紫苋杀虫毒。

723　苦菜

味苦，寒，无毒。**主五脏邪气，厌谷胃痹**，肠澼，渴热中疾，恶疮。**久服安心益气，聪察，少卧，轻身，耐老**，耐饥寒，高气不老。**一名荼草，一名选**， 一名游冬。**生益州川谷**，生山陵道旁，凌冬不死。三月三日采，阴干。

［陶隐居云］ 疑此则是今茗。茗，一名荼，又令人不眠，亦凌冬不凋，而嫌其

止生益州。益州乃有苦菜，正是苦蘵耳。上卷上品白英下，已注之。《桐君药录》云：苦菜叶三月生扶疏，六月华从叶出，茎直花黄，八月实黑；实落根复生，冬不枯。今茗极似此，西阳武昌及庐江晋熙茗皆好，东人止作青茗。茗皆有浡，饮之宜人。凡所饮物，有茗及木叶天门冬苗，并菝葜，皆益人，余物并冷利。又巴东间别有真茶，火煏作卷结，为饮亦令人不眠，恐或是此。俗中多煮檀叶及大皂李作茶饮，并冷。又南方有瓜芦木，亦似茗，至苦涩。取其叶作屑，煮饮汁，即通夜不眠。煮盐人唯资此饮尔，交广最所重，客来先设，乃加以香芼辈耳。

［**唐本注云**］苦菜，《诗》云：谁谓荼苦。又云：堇荼如饴。皆苦菜异名也。陶谓之茗，茗乃木类，殊非菜流。茗，春采为苦搽。搽音迟遐反，非途音也。按，《尔雅·释草》云：荼，苦菜。《释木》云：槚，苦搽。二物全别，不得为例。又《颜氏家训》按《易统通卦验玄图》曰：苦菜生于寒秋，经冬历春，得夏乃成。一名游冬。叶似苦苣而细，断之而有白汁，花黄似菊。此则与《桐君》略同，今所在有之也。苦蘵乃龙葵耳，俗亦名苦菜，非荼也。

724 荠

味甘，温，无毒。主利肝气，和中。其实，主明目，目痛。

［**陶隐居云**］荠类又多，此是人可食者，生叶作菹、羹亦佳。《诗》云：谁谓荼苦，其甘如荠。又疑荼是菜类矣。

725 芜菁及芦菔

味苦，温，无毒。主利五脏，轻身益气，可长食之。芜菁子，主明目。

［**陶隐居云**］芦菔是今温菘，其根可食，叶不中啖。芜菁根乃细于温菘，而叶似菘，好食。西川惟种此，而其子与温菘甚相似，小细耳。俗方无用，服食家亦炼饵之，而不云芦菔子，恐不用也。俗人蒸其根及作菹，皆好，但小熏臭耳。又有赤根，细而过辛，不宜服也。

［**唐本注云**］芜菁，北人又名蔓菁，根、叶及子乃是菘类，与芦菔全别，至于体用亦殊。今言芜菁子似芦菔，或谓芦菔叶不堪食，兼言小熏体，是江表不产二物，斟酌注铭，理丧其真耳。其蔓菁子，疗黄疸，利小便。水煮三升，取浓汁服，主癥瘕积聚；少饮汁，主霍乱，心腹胀；末服，主目暗。其芦菔别显后条。

［**今按**］陈藏器本草云：芜菁，主急黄、黄疸及内黄腹结不通，捣为末，水绞

汁服，当得嚏，鼻中出黄水及下痢。《仙经》云：长服，可断谷长生。和油傅蜘蛛咬，恐毒入肉，亦捣为末酒服。蔓菁园中无蜘蛛，是其相畏也。为油入面膏，令人去黑䵟。今并汾河朔间，烧食其根，呼为芜根，犹是芜菁之号。芜菁，南北之通称也。塞北种者名九英。蔓菁根大，并将为军粮。菘菜南土所种多是也。

726　莱菔根

味辛、甘，温，无毒。主散服及炮煮服食，大下气，消谷，去痰澼，肥健人。生捣汁服，主消渴，试，大有验。

[唐本注云] 陶谓温菘是也。其嫩叶为生菜食之。大叶熟啖，消食和中。根效在芜菁之右。

[今注] 俗呼为萝蔔。　唐附

727　龙葵

味苦，寒，微甘，滑，无毒。食之解劳少睡，去虚热肿。其子疗丁疮肿，所在有之。

[唐本注云] 即关河间谓之苦菜者，叶圆花白，子若牛李子，生青熟黑，但堪煮食，不任生啖。　唐附

728　菘

味甘，温，无毒。主通利肠胃，除胸中烦，解酒渴。

[陶隐居云] 菜中有菘，最为恒食，性和利人，无余逆忤，今人多食。如似小冷，而又耐霜雪。其子可作油，敷头长发；涂刀剑，令不锈。其有数种，犹是一类，正论其美与不美耳。服药有甘草而食菘，即令病不除。

[唐本注云] 菘菜不生北土，有人将子北种，初一年半为芜菁，二年菘种都绝；将芜菁子南种，亦二年都变，土地所宜，颇有此例。其子亦随色变，但粗细无异尔。菘子黑，蔓菁子紫赤，大小相似。惟芦菔子黄赤色，大数倍，复不圆也。其菘有三种：有牛肚菘，叶最大厚，味甘；紫菘叶薄细，味小苦；白菘似蔓菁也。

729　芥

味辛，温，无毒。归鼻。主除肾邪气，利九窍，明耳目，久服温中。

［陶隐居云］似菘而有毛，味辣，好作菹，亦生食。其子可藏冬瓜。又有莨，以作菹，甚辣快。

［唐本注云］此芥有三种：叶大粗者，叶堪食，子入药用，熨恶疰至良；叶小子细者，叶不堪食，其子但堪为齑耳；又有白芥子，粗大白色，如白粱米，甚辛美，从戎中来。《别录》云：子主射工及疰气发无恒处，丸服之，或捣为末，醋和涂之，随手验也。

730 白芥

味辛，温，无毒。主冷气。色白，甚辛美，从西戎来。子，主射工及疰气，上气发汗，胸膈痰冷，面黄。生河东。 今附

731 苜蓿

味苦，平，无毒。主安中，利人，可久食。

［陶隐居云］长安中乃有苜蓿园，北人甚重此，江南人不甚食之，以无气味故也。外国复别有苜蓿草，以疗目，非此类也。

［唐本注云］苜蓿茎叶平，根寒。主热病，烦满，目黄赤，小便黄，酒疸。捣取汁，服一升，令人吐利，即愈。

732 荏子

味辛，温，无毒。主咳逆，下气，温中，补体。叶，主调中，去臭气。九月采，阴干。

［陶隐居云］荏状如苏，高大白色，不甚香。子共研之，杂米作糜，甚肥美，下气，补血。东人呼为蒠，以其似蘇字，但除禾边故也。榨其子作油，日煎之，即今油帛及和漆用者，服食断谷亦用之，名为重油。

［唐本注云］《别录》：荏叶，人常生食，子故不及苏。言为重油入漆及油绢帛，此乃用大麻子油，非用此也。漆及油帛，江左所无，故陶为谬误也。

［今按］陈藏器本草云：荏叶，捣傅虫咬及男子阴肿。江东以荏子为油，北土以大麻为油，此二油俱堪油物。若其和漆，荏者为强尔。

733 越瓜

味甘，寒。利肠胃，止烦渴，不可多食，动气，发诸疮，令人虚弱不能行，不

益小儿，天行病后不可食。又不得与牛乳酪及鲊同飡及空心食，令人心痛。今附

菜　中

734　蓼实

味辛，温，无毒。**主明目，温中，耐风寒，下水气，面目浮肿，痈疡。**叶归舌，除大小肠邪气，利中益志。**马蓼，去肠中蛭虫，轻身。生雷泽川泽。**

［**陶隐居云**］此类又多，人所食有三种：一是紫蓼，相似而紫色；一是香蓼，亦相似而香，并不甚辛，而好食；一是青蓼，人家常有，其叶有圆、有尖，以圆者为胜，所用即是此。干之以酿酒，主疗风冷，大良。马蓼生下湿地，茎斑，叶大有黑点。亦有两三种，其最大者名茏古，即是荭草，已在上卷中品。

［**唐本注云**］《尔雅》云荭，一名茏古，大者名蘬则，最大者，不名茏古，陶误呼之。又有水蓼，叶大似马蓼，而味辛。主被蛇伤，捣敷之；绞汁服，止蛇毒入腹心闷者；又水煮渍脚捋之，消脚气肿。生下湿地水旁。

［**今按**］陈藏器本草云：蓼，主痃癖。每日取一握煮服之。人霍乱转筋，多取煮汤及热捋脚。叶，捣傅狐刺疮，亦主小儿头疮。又云蓼、蕺俱弱阳。人为蜗牛虫所咬毒遍身者，以蓼子浸之立差。不可近阴，令弱也。诸蓼并冬死，惟香蓼宿根重生。人为生菜，最能入腰脚也。

735　葱实

味辛，温，无毒。**主明目，补中不足。其茎**葱白，平，**可作汤，主伤寒，寒热，出汗，中风，面目肿**，伤寒骨肉痛，喉痹不通，安胎，归目，除肝邪气，安中，利五脏，益目精，杀百药毒。葱根，主伤寒头痛。葱汁，平，温，主溺血，解藜芦毒。

［**唐本注云**］葱有数种，山葱曰茖葱，疗病似胡葱，主诸恶载，狐尿刺毒，山溪中沙虱、射工等毒。煮汁浸或捣傅大效，亦兼小蒜、茱萸辈，不独用也。其人间食葱，又有二种：有冻葱，即经冬不死，分茎栽莳而无子；又有汉葱，冬则叶枯。食用入药，冻葱最善，气味亦佳也。

736　薤

味辛、苦，温，无毒。**主金创创败，轻身，不饥，耐老。**归骨，菜芝也。除寒

热，去水气，温中，散结，利病人。诸疮中风寒水肿以涂之。**生鲁山平泽。**

[陶隐居云] 葱、薤异物，而今共条。《本经》即无韭，以其同类故也，今亦取为副品种数。方家多用葱白及叶中涕，名葱苒，无复用实者。葱亦有寒热，其白冷、青热，伤寒汤不得令有青也。能消桂为水，亦化五石，仙术所用。薤又温补，仙方及服食家皆须之，偏入诸膏用，并不可生啖，熏辛为忌耳。

[唐本注云] 薤乃是韭类，叶不似葱，今云同类，不识所以然。薤有赤、白二种：白者补而美；赤者主金创及风，苦而无味，今别显条于此。

[今按] 陈藏器本草云：薤，调中，主久痢不差，腹内常恶者，但多煮食之。赤痢取薤致黄檗煮服之，差。

737 韭

味辛、微酸，温，无毒。归心，安五脏，除胃中热，利病人，可久食。子，主梦泄精，溺白。根，主养发。

[陶隐居云] 韭子入棘刺诸丸，主漏精；用根，入发膏；用叶，人以煮鲫鱼鲊，断卒下痢，多验。但此菜殊辛臭，虽煮食之，便出犹奇熏灼，不如葱、薤则无气，最是养性所忌也。

[今按] 陈藏器本草云：韭，温中下气，补虚，调和脏腑，令人能食，益肠，止泄白脓、腹冷痛，并煮食之。叶及根，生捣汁服，解药毒，疗狂狗咬人欲发者，并杀诸蛇虺蝎恶虫毒。取根捣和酱汁灌马鼻虫颡。又捣根汁多服，主胸痹骨痛不可触者。俗云：韭叶是草钟乳，言其宜人，信然也。

738 白蘘荷

微温。主中蛊及疟。

[陶隐居云] 今人乃呼赤者为蘘荷，白者为覆菹，叶同一种耳。于人食之，赤者为胜。药用白者。中蛊者服其汁，并卧其叶，即呼蛊主姓名。亦主诸溪毒、沙虱辈，多食损药势，又不利脚。人家种白蘘荷，亦云辟蛇。

[唐本注云] 根主诸恶疮，杀蛊毒。根心主稻麦芒入目中不出者，以汁注目中即出也。

739 菾菜

味甘、苦，大寒。主时行壮热，解风热毒。

［**陶隐居云**］即今以杂作鲊蒸者。菾，作甜音，亦作忝。时行热病初得，便捣饮汁皆除，差。

［**唐本注云**］此菾菜似升麻苗，南人蒸炮又作羹食之，亦大香美也。

［**今按**］别本注云：夏月以其菜研作粥解热，又止热毒痢。捣傅炙疮，止痛，易差。又按，陈藏器本草云：菾菜，捣绞汁服之，主冷热痢，又止血生肌。人及禽兽有伤折，傅之立愈。又收取子以醋浸之，揩面，令润泽有光。

740　苏

味辛，温。主下气，除寒中，其子尤良。

［**陶隐居云**］叶下紫色而气甚香。其无紫色不香似荏者，名野苏，不任用。子主下气，与橘皮相宜同疗也。

［**今注**］今俗呼为紫苏。

741　水苏

味辛，微温，无毒。**主下气，杀谷，除饮食，辟口臭，去毒，辟恶气。久服通神明，轻身，耐老。**主吐血、衄血、血崩。一名鸡苏，一名劳祖，一名芥苴，一名瓜苴，一名道华。**生九真池泽**。七月采。

［**陶隐居云**］方药不用，俗中莫识。昔九真辽远，亦无能识访之。

［**唐本注云**］此苏，生下湿水侧，苗似旋覆，两叶相当，大香馥。青、齐、开、河间人名为水苏，江左名为荠苧，吴会谓之鸡苏。主吐血、衄血、下气、消谷大效。而陶更于菜部出鸡苏，误矣。今以鸡苏为水苏之一名，复申吐血、衄血、血崩六字也。

742　假苏

味辛，温，无毒。**主寒热鼠瘘，瘰疬生疮，结聚气破散之，下瘀血，除湿痹。一名鼠蓂**，一名姜芥。**生汉中川泽。**

［**陶隐居云**］方药亦不复用。

［**唐本注云**］此药，即菜中荆芥是也，姜、荆声讹矣。先居草部中，今人食之，录在菜部也。

［**今按**］陈藏器本草云：荆芥，去邪，除劳渴，出汗，除冷风，煮汁服之。捣

和醋，傅丁肿。

743 香薷

味辛，微温。主霍乱腹痛吐下，散水肿。

［陶隐居云］处处有此，惟供生食。十月中取，干之。霍乱煮饮，无不差。作煎，除水肿尤良之也。

744 薄荷

味辛、苦，温，无毒。主贼风伤寒发汗，恶气，心腹胀满，霍乱，宿食不消，下气。煮汁服，亦堪生食。人家种之，饮汁发汗，大解劳乏。

［唐本注云］茎方，叶似荏而尖长，根经冬不死；又有蔓生者，功用相似。唐附

745 秦荻梨

味辛，温，无毒。主心腹冷胀，下气，消食。人所啖者，生下湿地，所在有之。唐附

菜 下

746 **苦瓠**

味苦，寒，有毒。**主大水，面目四肢浮肿，下水，令人吐。生晋地川泽。**

［陶隐居云］瓠与冬瓜，气类同辈，而有上下之殊，当是为其苦者耳。今瓠自忽有苦者如胆，不可食，非别生一种也。又有瓠，亦是瓠类，小者名瓢，食之乃胜瓠。凡此等，皆利水道，所以在夏月食之，大理自不及冬瓜矣。

［唐本注云］瓠与冬瓜、瓠瓤，全非类例，今此论性，都是苦瓠瓤耳。陶谓瓠中苦者，大误矣。瓠中苦者，不入药用。冬瓜自依前说，瓠瓤与瓠，又须辨之。此三物苗叶相似，而实形亦有异。瓠味皆甜，时有苦者，而似越瓜，长者尺余，头尾相似。其瓠瓤形状，大小非一。瓠，夏中便熟，秋末并枯；瓠瓤夏末始实，秋中方熟，取其为器，经霜乃堪。瓠与甜瓠瓤，体性相类，但味甘，冷，通利水道，止渴，消热，无毒，多食令人吐。苦瓠瓤为疗，一如经说；然瓠苦者不堪食，无所主

疗，不入方用。而甜瓠瓤与瓠子，啖之俱胜冬瓜，陶言不及，乃是未悉。此等元种各别，非甘者变而为苦也。其苦瓠瓤，味苦，冷，有毒。主水肿、石淋，吐呀嗽，囊结，疰蛊，痰饮。或服之过分，令人吐利不止者，宜以黍穰灰汁解之。又煮汁渍阴，疗小便不通也。

［**今按**］陈藏器本草云：苦瓠，煎取汁滴鼻中，出黄水，去伤寒鼻塞、黄胆。又取一枚，开口，以水煮，中搅取汁，滴鼻中，主急黄。又取未破者，煮令热，解开，熨小儿闪癖。

747　水蕲

味甘，平，无毒。**主疗女子赤沃，止血，养精，保血脉，益气，令人肥健嗜食。一名水英。生**南海**池泽。**

［**陶隐居云**］论蕲主疗，乃应是上品，未解何意，乃在下。其二月、三月作英时，可作菹及熟爚食之，亦利小便，消水肿。又有渣蕲，可为生菜。此蕲亦可生啖，俗中皆作芹字也。

［**唐本注云**］芹花，味苦。主脉溢。出无用条。

［**今按**］别本注云：即芹菜也。芹有两种：荻芹，取根，白色；赤芹，取茎叶，并堪作菹及生菜，叶甘。《经》云平，其性大寒，无毒。又按，陈藏器本草云：水芹茎叶，捣绞取汁，去小儿暴热，大人酒后热毒，鼻塞身热，利大小肠。茎、叶、根，并寒。子，温，辛。

748　马芹子

味甘、辛，温，无毒。主心腹胀满，下气，消食。调味用之，香似橘皮，而无苦味。

［**唐本注云**］生水泽旁。苗似鬼针、菾菜等；花青白色；子黄黑色，似防风子。　唐附

749　莼

味甘，寒，无毒。主消渴，热痹。

［**陶隐居云**］莼性寒，又云冷，补，下气，杂鲤鱼作羹，亦逐水。而性滑，服食家不可多啖也。

［唐本注云］ 莼，久食大宜人。合鲋鱼为羹，食之，主胃气弱不下食者，至效。又宜老人，此应在上品中。三、四月至七、八月，通名丝莼，味甜，体软；霜降已后至十二月，名环莼，味苦，体涩，取以为羹，犹胜杂菜。

［今按］ 陈藏器本草云：按，此物，温病起，食者多死。为体滑，脾不能磨，常食发气，令关节急，嗜睡，若称上品，主脚气。脚气论中，令人食之，此误极深也。常所居近湖，湖中有莼及藕，年中大疫既饥，人取莼食之，疫病差者亦死。至秋大旱，人多血痢，湖中水竭，掘藕食之，阖境无他莼，藕之功，于斯见矣。

750 落葵

味酸，寒，无毒。主滑中散热。实，主悦泽人面。一名天葵，一名繁露。

［陶隐居云］ 又名承露，人家多种之。叶惟可饪鲊，性冷滑，人食之，为狗所啮作疮者，终身不差。其子紫色，女人以渍粉傅面为假色，不入药用也。

［今注］ 一名藤葵，俗呼为胡燕脂。

751 蘩蒌

味酸，平，无毒。主积年恶疮不愈。五月五日日中采，干，用之当燔。

［陶隐居云］ 此菜人以作羹。五月五日采，曝干，烧作屑，疗杂恶疮，有效。亦杂百草取之，不必止此一种尔。

［唐本注云］ 此草，即是鸡肠也，俱非正经所出，而二处说异。多生湿地坑渠之侧，一名百滋草。流俗通谓鸡肠，雅士总名蘩蒌。《尔雅》物重名者，并云一物两名也。

［今按］ 陈藏器本草云：蘩蒌，主破血，产妇煮食之，及下乳汁。产后腹中有块痛，以酒炒，绞取汁，温服。又取暴干为末，醋煮为丸，空腹服三十丸，下恶血。

752 鸡肠草

主毒肿，止小便利。

［陶隐居云］ 人家园庭亦有此草，小儿取挼汁，以捋蜘蛛网，至粘；可掇蝉，疗蠼螋溺也。

［唐本注云］ 此草，即蘩蒌是也，剩出此条，宜除之。

[今按] 鸡肠草亦在草部下品。唐注以为剩出一条。详此主疗相似，其一物乎？今移附蘩蒌之下。

753 蕺

味辛，微温。主蠼螋溺疮，多食令人气喘。

[陶隐居云] 俗传言食蕺不利人脚，恐由闭气故也。今小儿食之，便觉脚痛。

[唐本注云] 此物，叶似荞麦，肥地亦能蔓生，茎紫赤色，多生湿地、山谷阴处。山南江左人好生食之，关中谓之菹菜也。

754 葫

味辛，温，有毒。主散痈肿、䘌疮，除风邪，杀毒气。独子者，亦佳。归五脏。久食伤人，损目明。五月五日采之。

[陶隐居云] 今人谓葫为大蒜，谓蒜为小蒜，以其气类相似也。性最熏臭，不可食。俗人作齑以啖脍肉，损性伐命，莫此之甚。其物唯生食，不中煮，用以合青鱼鲊食，令人发黄耳。取其条上子，初种之，成独子葫；明年则复其本也。

[唐本注云] 此物煮为羹臛，极俊美，熏气亦微。下气，消谷，除风，破冷，足为馔中之俊。而注云不中煮，自当是未经试尔。

[今按] 陈藏器本草云：大蒜，去水恶瘴气，除风湿，破冷气，烂痃癖，伏邪恶，宣通温补，无以加之。初食不利目，多食却明。久食令人血清，使毛发白，疗疮癣。生食，去蛇虫溪蛊等毒。昔患痃癖者，尝梦人教每日食三颗大蒜，初时依梦，遂致瞑眩，口中吐逆，下部如火。后有人教令取数片合皮，截却两头吞之，名为内灸，依此大效。又鱼骨鲠不出，以蒜内鼻中即出。独颗者杀鬼，去痛，入用最良。

755 蒜

味辛，温，无毒，归脾肾。主霍乱，腹中不安，消谷，理胃，温中，除邪痹毒气。五月五日采。

[陶隐居云] 小蒜生叶时，可煮和食。至五月叶枯，取根名䒜子，正尔啖之，亦甚熏臭。味辛，性热，主中冷，霍乱，煮饮之。亦主溪毒。食之损人，不可长用之。

［唐本注云］此蒜与胡葱相得，主恶蛓毒、山溪中沙虱水毒大效。山人、俚、獠时用之。

756 胡葱

味辛，温中消谷，下气，杀虫。久食，伤神损性，令人多忘，损目明，尤发痼疾。胡臭人不可食，令转甚。其状似大蒜而小，形圆皮赤，稍长而锐。生蜀郡山谷。五月、六月采。 今附

757 堇汁

味甘，寒，无毒。主马毒疮，捣汁洗之，并服之。堇，菜也，出《小品方》。《万毕方》云：除蛇蝎毒及痈肿。

［唐本注云］此菜野生，非人所种。俗谓之堇葵，叶似蕺，花紫色者。 唐附

758 芸薹

味辛，温，无毒。主风游丹肿，乳痈。

［唐本注云］《别录》曰：春食之，能发膝痼疾。此人间所啖菜也。

［今按］别本注云：破癥瘕结血。今俗方病人得吃芸薹，是宜血病也。又按，陈藏器本草云：芸薹破血，产妇煮食之。子，压取油，傅头，令头发长黑。又煮食，主腰脚痹。捣叶傅赤游疹。久食弱阳。 唐附

759 马齿苋

主目盲白翳，利大小便，去寒热，杀诸虫，止渴，破癥结痈疮。服之，长年不白。和梳垢封丁肿。又烧为灰，和多年醋滓，先灸丁肿以封之，即根出。生捣绞汁服，当利下恶物，去白虫。煎为膏，涂白秃。又主三十六肿风结疮，以一釜煮，澄清，内蜡三两，重煎成膏，涂疮上，亦服之。子，明目，《仙经》用之。 今附

760 茄子

味甘，寒。久冷人，不可多食，损人动气，发疮及痼疾。一名落苏。处处有之。根及枯茎叶，主冻脚疮，可煮作汤渍之，良。苦茄，树小，有刺，其子以醋磨，疗痈肿，根亦作浴汤。生岭南。 今附

761 东风菜

味甘，寒，无毒。主风毒壅热，头疼目眩，肝热眼赤，堪入羹臛，煮食甚美。生岭南平泽。茎高三二尺，叶似杏叶而长，极厚软，上有细毛。先春而生，故有东风之号。 今附

米部　卷第十九

米　上

762　胡麻

味甘，平，无毒。**主伤中，虚羸，补五内，益气力，长肌肉，填髓脑，**坚筋骨，疗金疮，止痛，及伤寒温疟，大吐后虚热羸困。**久服轻身，不老，**明耳目，耐饥渴，延年。以作油，微寒，利大肠、胞衣不落，生者摩疮肿，生秃发。**一名巨胜，**一名狗虱，一名方茎，一名鸿藏。**叶名青蘘。生**上党**川泽。**

［陶隐居云］八谷之中，惟此为良。淳黑者名巨胜。巨者，大也，是为大胜。本生大宛，故名胡麻。又茎方名巨胜，茎圆名胡麻。服食家当九蒸、九曝、熬、捣，饵之断谷、长生、充肌。虽易得，俗中学者犹不能恒服，而况余药耶！蒸不熟，令人发落，其性与茯苓相宜。俗方用之甚少，惟时以合汤丸耳。麻油生榨者如此，若蒸炒正可供作食及燃耳，不入药用也。

［唐本注云］此麻以角作八棱者为巨胜，四棱者名胡麻。都以乌者良，白者劣尔。生嚼涂小儿头疮及浸淫恶疮，大效。

763　青蘘

味甘，寒，无毒。**主五脏邪气，风寒湿痹，益气，补脑髓，坚筋骨。久服耳目聪明，不饥，不老，增寿。巨胜苗也。生**中原**川谷。**

［陶隐居云］胡麻叶。甚肥滑，亦可以沐头，但不知云何服之。仙方并无用此法，正当阴干，捣为丸散耳。既服其实，故不复假苗。五符巨胜丸方亦云：叶名青蘘。本生大宛，度来千年耳。

［唐本注云］ 青蘘，《本经》在草部上品中，既堪啖，今从胡麻条下。

764　麻蕡

味辛，平，有毒。**主五劳七伤，利五脏，下血寒气，**破积，止痹，散脓。**多食令人见鬼狂走。久服通神明，轻身。一名麻勃，**此麻花上勃勃者。七月七日采，良。**麻子，味甘，平，**无毒。**主补中益气，肥健不老。**疗中风汗出，逐水，利小便，破积血，复血脉，乳妇产后余疾，长发，可为沐药。久服神仙。九月采。入土中者贼人。**生太山川谷。**　畏牡蛎、白薇，恶茯苓。

［陶隐居云］ 麻蕡即牡麻，牡麻则无实，今人作布及履用之。麻勃，方药亦少用，术家合人参服之，令逆知未来事。其子中仁，合丸药并酿酒大善，而是滑利性。麻根汁及煮饮之，亦主瘀血、石淋。

［唐本注云］ 蕡，即麻实，非花也。《尔雅》云：蕡，枲实。《礼》云：苴，麻之有蕡者。注云：有子之麻为苴。皆谓子耳。陶以一名麻勃，谓勃勃然如花者，即以为花，重出子条，误矣。既以麻蕡为米之上品，今用花为之，花岂堪食乎？根主产难、胞衣不出，破血壅胀，带下，崩中不止者，以水煮服之，效。沤麻汁，主消渴。捣叶水绞取汁，取五合，主蛔虫。捣敷蝎毒，效。

［今按］ 陈藏器本草云：麻子，下气，利小便，去风痹皮顽，炒令香，捣碎，小便浸取汁服。妇人倒产，吞二七枚即正。麻子去风，令人心欢。压为油，可以油物。早春种，为春麻子，小而有毒；晚春种，为秋麻子，入药佳。

765　饴糖

味甘，微温。主补虚乏，止渴，去血。

［陶隐居云］ 方家用饴糖，乃云胶饴，皆是湿糖如厚蜜者，建中汤多用之。其凝强及牵白者，不入药。又胡麻亦可作糖，弥甘补。今酒用曲，糖用蘖，犹同是米、麦，而为中、上之异。糖当以和润为优，酒以熏乱为劣。

米　中

766　大豆黄卷

味甘，平，无毒。**主湿痹，筋挛，膝痛。**五脏胃气结积，益气，止毒，去黑黚，润泽皮毛。**生大豆**，味甘，平。**涂痈肿，煮饮汁，杀鬼毒，止痛。** 逐水胀，除胃中热痹，伤中，淋露，下瘀血，散五脏结积、内寒，杀乌头毒，久服令人身重。熬屑，味甘，主胃中热，去肿，除痹，消谷，止腹胀。**生太山平泽**，九月采。

恶五参、龙胆，得前胡、乌喙、杏仁、牡蛎良。

[唐本注云] 以大豆为芽蘖，生便干之，名为黄卷，用亦服食。

[今按] 陈藏器本草云：大豆炒令黑，烟未断，及热投酒中，主风痹瘫缓，口噤，产后诸风。食罢生服半两，去心胸烦热，热风恍惚，明目镇心，温补。久服，好颜色，变白，去风，不忘。煮食，寒，下热气肿，压丹石烦热。汁，解诸药毒，消肿。大豆炒食极热，煮食之及作豉极冷。黄卷及酱平，牛食温，马食冷。一体之中，用之数变。

767 赤小豆

味甘、酸，平，温，无毒。**主下水，排痈肿脓血。**寒热，热中，消渴，止泄，利小便，吐逆，卒澼，下胀满。

[陶隐居云] 大、小豆共条，犹如葱、薤义也。以大豆为蘖，芽生便干之，名为黄卷，用之亦熬，服食家所须。煮大豆，主温毒、水肿殊效。复有白大豆，不入药。小豆性逐津液，久食令人枯燥矣。

[唐本注云]《别录》云：叶名藿，止小便数，去烦热。

[今按] 陈藏器本草云：赤小豆和桑根白皮煮食之，主温气痹肿。小豆和通草煮食之，当下气无限，名脱气丸。驴食脚轻，人食体重。

768 豉

味苦，寒，无毒。主伤寒头痛寒热，瘴气恶毒，烦躁满闷，虚劳喘吸，两脚疼冷。又杀六畜胎子诸毒。

[陶隐居云] 豉，食中之常用。春夏天气不和，蒸炒以酒渍服之，至佳。暑热烦闷，冷水渍饮二三升。依康伯法，先以醋酒溲蒸曝燥，以麻油和，又蒸曝之，凡三过，乃末椒、干姜屑合和，以进食，胜今作油豉也。患脚人恒将其酒浸以滓敷脚，皆差。好者出襄阳、钱塘，香美而浓，取中心弥善也。

769 大麦

味咸，温、微寒，无毒。主消渴，除热，益气调中。又云：令人多热，为五谷长。食蜜为之使。

[陶隐居云] 即今稞麦，一名辫麦，似穬麦，惟皮薄耳。

[唐本注云] 大麦出关中，即青稞麦是。形似小麦而大，皮厚，故谓大麦，殊不似穬麦也。大麦面，平胃，止渴，消食，疗胀。

770 穬麦

味甘，微寒，无毒。主轻身，除热。久服令人多力健行；以作糵，温，消食和中。

[陶隐居云] 此是今马所食者，性乃言热，而云微寒，恐是作屑与合谷异也。服食家并食大、穬二麦，令人轻身、健。

[唐本注云] 穬麦性寒，陶云性热，非也；复云作屑与合谷异。此皆江东少有，故斟酌言之耳。

771 小麦

味甘，微寒，无毒。主除热，止燥渴，咽干，利小便，养肝气，止漏血、唾血。以作曲，温，消谷，止痢；以作面，温，不能消热止烦。

[陶隐居云] 小麦合汤皆完用之，热家疗也。作面则温，明穬麦亦当如此。今服食家啖面，不及大、穬麦，犹胜于米耳。

[唐本注云] 小麦汤用，不许皮坼，云坼则温，明面不能消热止烦也。小麦曲止痢，平胃，主小儿痫，消食痔。又有女曲、黄蒸。女曲，完小麦为之，一名䴷子；黄蒸，磨小麦为之，一名黄衣。并消食，止泄痢，下胎，破冷血也。

[今按] 陈藏器本草云：小麦秋种夏熟，受四时气足，自然兼有寒温。面热麸冷，宜其然也。河渭已西，白麦面凉，以其春种，缺二时气使之然也。

772 青粱米

味甘，微寒，无毒。主胃痹，热中，消渴，止泄痢，利小便，益气，补中，轻身，长年。

[陶隐居云] 凡云粱米，皆是粟类，惟其牙头色异为分别尔。青粱出北，今江东少有。《氾胜之书》云：粱是秫粟，今俗用则不尔也。

[唐本注云] 青粱壳穗有毛，粒青，米亦微青，而细于黄、白粱也。谷粒似青

穓而少粗。夏月食之，极为清凉，但以味短色恶，不如黄、白粱，故人少种之。此谷早熟而收少也，作饧，清白胜余米。

773 黄粱米

味甘，平，无毒。主益气，和中，止泄。

［陶隐居云］黄粱亦出青、冀州，此间不见有耳。

［唐本注云］黄粱，出蜀、汉，商、浙间亦种之。穗大毛长，谷米俱粗于白粱，而收子少，不耐水旱。食之香美，逾于诸粱，人号为竹根黄。而陶注白粱云：襄阳竹根者是。此乃黄粱，非白粱也。

774 白粱米

味甘，微寒，无毒。主除热，益气。

［陶隐居云］今处处有，襄阳竹根者最佳。所以夏月作粟飧，亦以除热也。

［唐本注云］白粱穗大，多毛且长。诸粱都相似，而白粱谷粗扁长，不似粟圆也。米亦白且大，食之香美，为黄粱之亚矣。陶云竹根，竹根乃黄粱，非白粱也。然粱虽粟类，细论则别，谓作粟飧，殊乖的称也。

775 粟米

味咸，微寒，无毒。主养肾气，去胃脾中热，益气。陈者，味苦，主胃热，消渴，利小便。

［陶隐居云］江东所种及西间皆是，其粒细于粱米，熟舂令白，亦以当白粱，呼为白粱粟。陈者谓经三五年者，或呼为粢米，以作粉，尤解烦闷，服食家亦将食之。

［唐本注云］粟有多种，而并细于诸粱，北土恒食，与粱有别。陶云：当白粱，又云或呼为粢，粢则是稷，稷乃穄之异名也。其米泔汁，主霍乱，卒热，心烦渴，饮数升立差。臭泔，止消渴尤良。米麦粆，味甘、苦，寒，无毒。主寒中，除热渴，解烦，消石气。蒸米麦熬磨作之，一名麨也。

776 丹黍米

味苦，微温，无毒。主咳逆，霍乱，止泄，除热，止烦渴。

［陶隐居云］此则即赤黍也，亦出北间，江东时有种，而非土所宜，多入神药用。又黑黍名秬，供酿酒祭祀用之。

777 糵米

味苦，无毒。主寒中，下气，除热。

［陶隐居云］此是以米为糵尔，非别米名也。末其米脂和傅面，亦使皮肤悦泽，为热不及麦糵也。

［唐本注云］糵者，生不以理之名也，皆当以可生之物为之。陶称以米为糵，其米岂更能生乎？止当取糵中之米耳。按，《食经》称用稻糵，稻即矿谷之名，明非米作也。

778 秫米

味甘，微寒。止寒热，利大肠，疗漆疮。

［陶隐居云］此人以作酒及煮糖者，肥软而易消；方药不正用，惟嚼以涂漆疮，及酿诸药醪。

［唐本注云］此米，功能是稻秫也。今大都呼粟糯为秫，稻秫为糯矣。北土亦多，以粟秫酿酒，而汁少于黍米。粟秫应有别功，但本草不载。凡黍稷、粟秫、秔糯，此三谷之籼秫也。

779 陈廪米

味咸、酸，温，无毒。主下气，除烦渴，调胃，止泄。

［陶隐居云］此今久入仓陈赤者，汤中多用之。人以作酢酒，胜于新粳米。

780 酒

味苦、甘、辛，大热，有毒。主行药势，杀百邪恶毒气。

［陶隐居云］大寒凝海，惟酒不冰，明其热性独冠群物。药家多须，以行其势。人饮之，使体弊神昏，是其有毒故也。昔三人晨行触雾，一人健，一人病，一人死。健者饮酒，病者食粥，死者空腹。此酒势辟恶，胜于食。

［唐本注云］酒，有葡萄、秫、黍、秔、粟，曲、蜜等作酒醴以曲为。而葡萄、蜜等，独不用曲。饮葡萄酒，能消痰破澼。诸酒醇醨不同，惟米酒入药用。

米　下

781　腐婢

味辛，平，无毒。**主痎疟寒热，邪气，泄痢，阴不起。**止消渴，**病酒头痛。**生汉中，即小豆华也。七月采，阴干。

[陶隐居云] 花用异实，故其类不得同品，方家都不用之，今自可依其所主以为疗也。但未解何有腐婢之名？《本经》不云是小豆花，后医显之耳。未知审是否？今海边有小树，状似枝子，茎条多曲，气作腐臭，土人呼为腐婢，用疗疟有效，亦酒渍皮疗心腹痛。恐此多当是真。若尔，此条应在木部下品卷中也。

[唐本注云] 腐婢，山南相承以为葛花。《本经》云小豆花，陶复称海边小树，未知孰是？然葛花消酒，大胜豆花，葛根亦能消酒，小豆全无此效。校量葛、豆二花，葛为真也。

[今按] 别本注云：小豆花亦有腐气。《经》云病酒头痛，即明其疗同矣。葛根条中见其花并小豆花，干末服方寸匕，饮酒不知醉。唐注诸葛花是腐婢，非也。陶云海边有小树，土人呼为腐婢，其如《经》称小豆花是腐婢，二家所说证据并非。

782　扁豆

味甘，微温。主和中，下气。叶主霍乱吐下不止。

[陶隐居云] 人家种之于篱垣，其荚蒸食甚美，无正用其豆者。叶乃单行用之。患寒热病者，不可食之。

[唐本注云] 此北人名鹊豆，以其黑而间白故也。

783　绿豆

味甘，寒，无毒。主丹毒烦热风疹，药石发动，热气奔豚，生研绞汁服。亦煮食，消肿下气。压热解石用之，勿去皮，令人小壅，当是皮寒肉平。圆小绿者佳。又有稙音陟豆，苗子相似，主霍乱吐下，取叶捣绞汁，和少醋温服。子亦下气。

今附

784　舂杵头细糠

主卒噎。

［陶隐居云］食卒噎不下，刮取含之，即去，亦是舂捣义尔。天下事理，多有相影响如此也。

785　黍米

味甘，温，无毒。主益气，补中，多热，令人烦。

［陶隐居云］荆、郢州及江北皆种此。其苗如芦而异于粟，粒亦大。而粟多是秫，今人又呼秫粟为黍，非也。北人作黍饭，方药酿黍米酒，则皆用秫黍也。又有穄米与黍米相似，而粒殊大，食之不宜人，乃言发宿病。

［唐本注云］黍有数种，已备注前条。今此通论黄黑黍米耳，亦全不似芦，虽似粟而非粟也。穄即稷也，具释后条。

786　粳米

味甘、苦，平，无毒。主益气，止烦，止泄。

［陶隐居云］此即今常所食米，但有白、赤、大、小异族四五种，犹同一类也。前陈廪米，亦是此种，以廪军人，故曰廪耳。

［唐本注云］传称食廪为禄。廪，仓也。前陈仓米曰廪，字误作廪，即谓廪军米也。若廪军新米者，亦为陈乎?

787　稻米

味苦。主温中，令人多热，大便坚。

［陶隐居云］道家方药有俱用稻米、粳米，此则是两物矣。云稻米糠白如霜。今江东无此，皆通呼粳米为稻米耳。不知其色类，复云何也。

［唐本注云］稻者，穬谷通名。《尔雅》云：稌，稻也，秔者不粳之称，一曰籼。氾胜之云：秔稻、秫稻，三月种秔稻，四月种秫稻，即并稻也。今陶别为二事，深不可解也。

［今按］李含光《音义》云：按，《字书》解粳字，云稻也。解秔字，云稻属也，不粘。解粢音慈字，云稻饼也，明稻米作粢，盖糯米尔。其细糠白如霜，粒大

小似秫米，但体性粘滞为异。然今通呼秫糯谷为稻，所以惑之。新旧注殆是臆说。今此稻米，即糯米也。又检秫、粳二字同意，盖古人当分别二米为殊尔。

788 稷米

味甘，无毒。主益气，补不足。

［**陶隐居云**］稷米亦不识，书多云黍、稷，稷恐与黍相似。又有稌，亦不知是何米。《诗》云：黍、稷、稻、粱、禾、麻、菽、麦，此即八谷也，俗人莫能证辨，如此谷稼尚弗能明，而况芝英乎？按，氾胜之《种植书》有黍，即如前说。无稷有稻，犹是粳米，粱是秫，禾即是粟。董仲舒云：禾是粟苗名耳，麻是胡麻，枲是大麻，菽是大豆。大豆有两种；小豆一名荅，有三四种。麦有大、小、穬，穬即宿麦，亦谓种麦。如此，诸谷之限也。菰米一名彫胡，可作饼。又汉中有一种名枲粱，粒如粟而皮黑，亦可食；酿为酒，甚消玉。又有乌禾，生野中如稗，荒年代粮而杀虫，煮以沃地，蝼蚓皆死。稗亦可食。凡此之类，复有数种耳。

［**唐本注云**］《吕氏春秋》云：饭之美者，有阳山之穄。高诱曰：关西谓之糜，冀州谓之鋻，《广雅》云：鋻，穄也。《礼记》云：祭宗庙，稷曰明粢。《穆天子传》云：赤乌之人。献穄麦百载。《说文》云：稷，五谷长，田正也，自商已来，周弃主之。此官名，非谷号也。又按，先儒以为粟类，或言粟之上者。《尔雅》云：粢，稷也。《传》云：粢盛，解云黍稷为粢。氾胜之《种植书》又不言稷。陶云八谷者，黍、稷、稻、粱、禾、麻、菽、麦，俗人尚不能辨，况芝英乎？既有稷禾，明非粟也。本草有稷，不载穄，稷即穄也。今楚人谓之稷，关中谓之糜，呼其米为黄米，与黍为秈秫，故其苗与黍同类。陶又引《诗》云稷，恐与黍相似，斯并得之矣。儒家但说其义，不知其实。寻郑玄注《礼》：王瓜云是菝葜，谓楂为梨之不藏者。周官疡人主祝药，云祝当为注，义如附着，此尺有所短耳。

789 罂子粟

味甘，平，无毒。主丹石发动，不下食，和竹沥煮作粥食之，极美。一名象谷，一名米囊，一名御米。花红白色，似髇音哮箭头，中有米，亦名囊子。今附

790 醋

味酸，温，无毒。主消痈肿，散水气，杀邪毒。

[陶隐居云] 醋酒为用，无所不入，逾久逾良，亦谓之醯。以有苦味，俗呼苦酒。丹家又加余物，谓为华池左味，但不可多食之，损人肌藏耳。

[唐本注云] 醋有数种，此言米醋。若蜜醋、麦醋、曲醋、桃醋、葡萄、大枣、蘡等诸杂果醋，及糠、糟等醋，会意者，亦极酸烈，止可啖之，不可入药用也。

791　酱

味咸、酸，冷利。主除热，止烦满，杀百药热汤及火毒。

[陶隐居云] 酱多以豆作，纯麦者少。今此当是豆者，亦以久久者弥好。又有肉酱、鱼酱，皆呼为醢，不入药用也。

[唐本注云] 又有榆人酱，亦辛美，利大小便。芜荑酱大美，杀三虫，虽有少臭气，亦辛好。

有名无用　卷第二十

792 青玉

味甘，平，无毒。主妇人无子，轻身，不老，长年。一名瑴玉。生蓝田。

[陶隐居云] 张华云：合玉浆用瑴玉，正缥白色，不夹石，大者如升，小者如鸡子，取穴中者，非今作器物玉也。出襄乡县旧穴中。黄初中，诏征南将军夏侯尚求之。

793 白玉髓

味甘，平，无毒。主妇人无子，不老延年，生蓝田玉石之间。

794 玉英

味甘。主风瘙皮肤痒。一名石镜，明白可作镜。生山窍，十二月采。

795 璧玉

味甘，无毒。主明目、益气，使人多精生子。

796 合玉石

味甘，无毒。主益气，消渴，轻身，辟谷。生常山中丘，如彘肪。

797 紫石华

味甘，平，无毒。主渴，去小肠热。一名茈石华。生中牛山阴，采无时。

798 白石华

味辛，无毒。主瘅，消渴，膀胱热。生液北乡北邑山，采无时。

799 黑石华

味甘，无毒。主阴萎，消渴，去热，疗月水不利。生弗其劳山阴石间，采无时。

800 黄石华

味甘，无毒。主阴萎，消渴，膈中热，去百毒。生液北山，黄色，采无时。

801 厉石华

味甘，无毒。主益气，养神，止渴，除热，强阴。生江南，如石花，采无时。

802 石肺

味辛，无毒。主疠咳寒，久痿，益气，明目。生水中，状如肺，黑泽有赤文，出水即干。

[陶隐居云] 今浮石亦疗咳，似肺而不黑泽，恐非是也。

803 石肝

味酸，无毒。主身痒，令人色美。生常山，色如肝。

804 石脾

味甘，无毒。主胃寒热，益气，痒瘀。令人有子。一名胃石，一名膏石，一名消石。生隐番山谷石间，黑如大豆，有赤文，色微黄，而轻薄如棋子，采无时。

805 石肾

味咸，无毒。主泄痢。色如白珠。

806 封石

味甘，无毒。主消渴，热中，女子疽蚀。生常山及少室，采无时。

807 陵石

味甘，无毒。主益气，耐寒，轻身，长年。生华山，其形薄泽。

808 碧石青

味甘，无毒。主明目，益精，去白皮癣，延年。

809 遂石

味甘，无毒。主消渴，伤中，益气。生太山阴，采无时。

810 白肌石

味辛，无毒。主强筋骨，止消渴，不饥，阴热不足。一名肌石，一名洞石。生广焦国卷山，青色润泽。

811 龙石膏

无毒。主消渴，益寿。生杜陵，如铁脂，中黄。

812 五羽石

主轻身，延年。一名金黄。生海水中蓬葭山上仓中，黄如金。

813 石流青

味酸，无毒。主疗泄，益肝气，明目，轻身长年。生武都山石间，青白色。

814 石流赤

味苦，无毒。主妇人带下，止血，轻身长年。理如石耆，生山石间。

［**陶隐居云**］芝品中有石流丹，又有石中黄子。

815 石者

味甘，无毒。主咳逆气。生石间，色赤如铁脂，四月采。

816 紫加石

味酸。主痹血气。一名赤英，一名石血，赤无理。生邯郸山，如爵茈。二月采。

［陶隐居云］ 三十六水方呼为紫贺石。

817 终石

味辛，无毒。主阴痿痹，小便难，益精气。生陵阴，采无时。

以上玉石类二十六种

818 玉伯

味酸，温，无毒。主轻身，益气，止渴。一名玉遂。生石上，如松，高五六寸，紫华，用茎叶。

819 文石

味甘。主寒热，心烦。一名黍石。生东郡山泽中水下。五色，有汁润泽。

820 曼诸石

味甘。主益五脏气，轻身长年。一名阴精。六月、七月出石上，青黄色，夜有光。

821 山慈石

味苦，平，有毒。主女子带下。一名爰茈。生山之阳。正月生叶如藜芦，茎有衣。

822 石濡

主明目，益精气，令人不饥渴，轻身长年。一名石芥。

823 石芸

味甘，无毒。主目痛，淋露，寒热，溢血。一名蚤烈，一名顾喙。三月、五月采茎叶，阴干。

824 石剧

味甘，无毒。主渴消。

825 路石

味甘、酸，无毒。主心腹，止汗，生肌，酒痂，益气，耐寒，实骨髓，一名陵石。生草石上，天雨独干，日出独濡。花黄，茎赤黑。三岁一实，实赤如麻子。五月、十月采茎叶，阴干。

826 旷石

味甘，平，无毒。主益气养神，除热，止渴。生江南，如石草。

827 败石

味苦，无毒。主渴、痹。

828 越砥

味甘，无毒。主目盲，止痛阴，除热瘙。

［陶隐居云］ 疑此今细砺石，出临平者。

829 金茎

味苦，平，无毒。主金创、内漏。一名叶金草。生泽中高处。

830 夏台

味甘。主百疾，济绝气。

［陶隐居云］ 此药乃尔神奇，而不复识用，可恨。

831 柒紫

味苦。主少腹痛，利小肠，破积聚，长肌肉。久服轻身，长年。生宛朐，二月、七月采。

832 鬼目

味酸，平，无毒。主明目。一名来甘。实赤如五味，十月采。

［陶隐居云］俗人今呼白草子亦为鬼目，此乃相似。

833 鬼盖

味甘，平，无毒。主小儿寒热痫。一名地盖。生垣墉下，聚生赤，旦生暮死。

［陶隐居云］一名朝生，疑是今鬼伞。

834 马颠

味甘，有毒。疗浮肿，不可多食。

835 马唐

味甘，寒。主调中，明耳目。一名羊麻，一名羊粟。生下湿地，茎有节，节生根。五月采。

836 马逢

味辛，无毒。主癣虫。

837 牛舌实

味咸，温，无毒。主轻身益气。一名彖尸。生水中泽旁，大叶长尺。五月采。

838 羊乳

味甘，温，无毒。主头眩痛，益气，长肌肉。一名地黄。三月采，立夏后母死。

839 羊实

味苦，寒。主头秃，恶疮，疥瘙，痂癣。生蜀郡。

840 犀洛

味甘，无毒。主癃。一名星洛，一名泥洛。

841 鹿良

味咸，臭。主小儿惊痫，贲豚，瘛疭，大人痓。五月采。

842 菟枣

味酸，无毒。主轻身益气。生丹阳陵地，高尺许，实如枣。

843 雀梅

味酸，寒，有毒。主蚀恶疮。一名千雀。生海水石谷间。

［陶隐居云］叶与实，俱如麦李。

844 雀翘

味咸。主益气，明目。一名去母，一名更生。生蓝中，叶细黄，茎赤有刺。四月实，实兑黄中黑。五月采，阴干。

845 鸡涅

味甘，平，无毒。主明目，目中寒风，诸不足，水肿，邪气，补中，止泄痢，女子白沃。一名阴洛。生鸡山，采无时。

846 相乌

味苦。主阴萎。一名乌葵。如兰香，赤茎。生山阳。五月十五日采，阴干。

847 鼠耳

味酸，无毒。主痹寒，寒热，止咳。一名无心。生田中下地，厚叶、肥茎。

848 蛇舌

味酸，平，无毒。主除留血，惊气，蛇痫。生大水之阳。四月采华，八月采根。

849 龙常草

味咸，温，无毒。主轻身，益阴气，疗痹寒湿。生河水旁，如龙刍，冬、夏生。

850 离楼草

味咸，平，无毒。主益气力，多子，轻身长年。生常山，七月、八月采实。

851 神护草

可使独守，叱咄人，寇盗不敢入门。生常山北共，八月采。

[陶隐居云] 此亦奇草，计彼人犹应识用之。

852 黄护草

无毒。主痹，益气，令人嗜食。生陇西。

853 吴唐草

味甘，平，无毒。主轻身，益气，长年。生故稻田中，夜日有光，草中有膏。

854 天雄草

味甘，温，无毒。主益气，阴痿。生山泽中，状如兰，实如大豆，赤色。

855　雀医草

味苦，无毒。主轻身，益气，洗浴烂疮，疗风水。一名白气。春生，秋花白，冬实黑。

856　木甘草

主疗痈肿盛热，煮洗之。生木间，三月生，大叶如蛇床，四四相值，折枝种之便生。五月花白，实核赤。三月三日采。

857　益决草

味辛，温，无毒。主咳逆，肺伤。生山阴，根如细辛。

858　九熟草

味甘，温，无毒。主出汗，止泄，疗闷。一名乌粟，一名雀粟。生人家庭中，叶如枣。一岁九熟，七月七日采。

［陶隐居云］今不见有此之。

859　兑草

味酸，平，无毒。主轻身，益气，长年。生蔓草木上，叶黄有毛，冬生。

860　酸草

主轻身，长年。生名山醴泉上阴居。茎有五叶青泽，根赤黄。可以消玉。一名丑草。

［陶隐居云］李云是今酸箕，布地生者，而今处处有，恐非也。

861　异草

味甘，无毒。主痿痹寒热，去黑子。生篱木上，叶如葵，茎旁有角，汁白。

862　灌草

叶主痈肿。一名鼠肝。叶滑，青白。

863 葩草

味辛，无毒。主伤金创。

864 莘草

味甘，无毒。主盛伤痹肿。生山泽，如蒲黄，叶如芥。

865 勒草

味甘，无毒。主瘀血，止精溢盛气。一名黑草。生山谷，如栝楼。

［**陶隐居云**］疑此犹是薰草，两字皆相似，一误耳，而栝楼为殊也。

866 英草华

味辛，平，无毒。主痹气，强阴，疗面劳疽，解烦，坚筋骨，疗风头。可作沐药。生蔓木上。一名鹿英。九月采，阴干。

867 吴葵华

味咸，无毒。主理心气不足。

868 封华

味甘，有毒。主疥疮，养肌，去恶肉。夏至采。

869 北荇华

味苦，无毒。主脉气溢。一名芹华。

870 䑋华

味甘，无毒。主上气，解烦，坚筋骨。

871 棑华

味苦。主除水气，去赤虫，令人好色。不可久服。春生仍采。

872 节华

味苦，无毒。主伤中，痿痹，溢肿。皮，主脾中客热气。一名山节，一名达节，一名通柒。十月采，曝干。

873 徐李

主益气，轻身，长年。生太山阴。如李小形，实青色，无核，熟采食之。

874 新雉木

味苦，香，温，无毒。主风头眩痛，可作沐药。七月采阴干，实如桃。

875 合新木

味辛，平，无毒。解心烦，止疮痛。生辽东。

876 俳蒲木

味甘，平，无毒。主少气，止烦。生山陵。叶如榛，实赤，三核。

877 遂阳木

味甘，无毒。主益气。生山中。如白杨叶。三月实，十月熟赤，可食。

878 学木核

味甘，寒，无毒。主胁下留饮，胃气不平，除热。如蕤核，五月采，阴干。

879 木核

疗肠澼。花，疗不足。子，疗伤中。根，疗心腹逆气，止渴。十月采。

880 枸核

味苦，疗水身面痈肿。五月采。

881 荻皮

味苦，止消渴，去白虫，益气。生江南。如松叶，有别刺，实赤黄。十月采。

882 桑茎实

味酸，温，无毒。主字乳余疾，轻身，益气。一名草王。叶似荏，方茎大叶。生园中，十月采。

883 满阴实

味酸，平，无毒。主益气，除热，止渴，利小便，轻身，长年。生深山谷及园中。茎如芥，叶小，实如樱桃，七月成。

884 可聚实

味甘，温，无毒。主轻身益气，明目。一名长寿。生山野道中。穗如麦，叶如艾。五月采。

885 让实

味酸。主喉痹，止泄痢。十月采，阴干。

886 蕙实

味辛。主明目，补中。根茎中涕，疗伤寒寒热，出汗，中风，面肿，消渴，热中，逐水。生鲁山平泽。

887 青雌

味苦。主恶疮，秃败疮，火气，杀三虫。一名蛊损，一名血推。生方山山谷。

888 白背

味苦，平，无毒。主寒热，洗浴疥，恶疮。生山陵。根似紫葳，叶如燕虑。采无时。

889 白女肠

味辛，温，无毒。主泄痢肠澼，疗心痛，破疝瘕。生深山谷中，叶如蓝，实赤。赤女肠亦同。

890 白扇根

味苦，寒，无毒。主疟，皮肤寒热，出汗，令人变。

891 白给

味辛，平，无毒。主伏虫、白癣肿痛。生山谷，如藜芦，根白相连，九月采。

892 白并

味苦，无毒。主肺咳上气，行五脏，令百病不起。一名玉箫，一名箭悍。叶如小竹，根黄白皮。生山陵。三、四月采根，曝干。

893 白辛

味辛，有毒。主寒热。一名脱尾，一名羊草。生楚山。三月采根，根白而香。

894 白昌

味甘，无毒。主食诸虫。一名水昌，一名水宿，一名茎蒲。十月采。

895 赤举

味甘，无毒。主腹痛。一名羊饴，一名陵渴。生山阴。二月华兑蔓草上，五月实黑，中有核。三月三日采叶，阴干。

896 赤涅

味甘，无毒。主痓，崩中，止血，益气。生蜀郡山石阴地湿处。采无时。

897 黄秫

味苦，无毒。主止心烦、出汗。生如桐，根黄。

898 徐黄

味辛，平，无毒。主心腹积瘕。茎，主恶疮。生泽中，大茎细叶，香如藁本。

899 黄白支

生山陵。三、四月采根，曝干。

900 紫蓝

味咸，平，无毒。主食肉得毒，能消除之。

901 紫给

味咸。主毒风头泄注。一名野葵。生高陵下地。三月三日采根，根如乌头。

902 天蓼

味辛，有毒。疗恶疮，去痹气。一名石龙。生水中。

903 地联

味苦，平，无毒。主心气，女子阴疝，血结。一名承夜，一久夜光。三月采。

904 地芩

味苦，无毒。主小儿痫，除邪，养胎，风痹，洗浴寒热，目中青翳，女子带下。生腐木积草处，如朝生，天雨生盖，黄白色。四月采。

905 地筋

味甘，平，无毒。主益气，止渴，除热在腹脐，利筋。一名菅根，一名土筋。生泽中，根有毛。三月生，四月实白。三月三日采根。

［陶隐居云］疑此犹是白茅而小异。

906 地耳

味甘，无毒。主明目，益气，令人有子。生丘陵，如碧石青。

907 土齿

味甘，平，无毒。主轻身，益气，长年。生山陵地中，状如马牙。

908 燕齿

主小儿痫，寒热。五月五日采。

909 酸恶

主恶疮，去白虫。生水旁，状如泽泻。

910 酸赭

味酸。主内漏，止血，不足。生昌阳山。采无时。

911 巴棘

味苦，有毒。主恶疥疮，出虫。一名女木。生高地，叶白有刺，根连数十枚。

912 巴朱

味甘，无毒。主寒，止血带下。生雒阳。

913 蜀格

味苦，平，无毒。主寒热，痿痹，女子带下，痈肿。生山阳，如藿菌，有刺。

914 累根

主缓筋，令不痛。

915 苗根

味咸，平，无毒。主痹及热中伤跌折。生山阴谷中蔓草木上。茎有刺，实如椒。

916 参果根

味苦，有毒。主鼠瘘。一名百连，一名乌蓼，一名鼠茎，一名鹿蒲。生百余根，根有衣裹茎。三月三日采根。

917 黄辨

味甘，平，无毒。主心腹疝瘕，口疮，脐伤。一名经辨。

918 良达

主齿痛，止渴，轻身。生山阴，茎蔓延，大如葵，子滑小。

919 对庐

味苦，寒，无毒。主疥，诸久疮不瘳，生死肌，除大热，煮洗之。八月采，似菴蕳。

920 粪蓝

味苦。主身痒疮，白秃，漆疮，洗之。生房陵。

921 委蛇

味甘，平，无毒。主消渴，少气，令人耐寒。生人家园中，大支长须，多叶而两两相值。子如芥子。

922 麻伯

味酸，无毒。主益气，出汗。一名君莒，一名衍草，一名道止，一名自死。生平陵，如兰，叶黑厚白里茎，实赤黑。九月采根。

923 王明

味苦。主身热，邪气；小儿身热，以浴之。生山谷。一名王草。

924 类鼻

味酸，温，无毒。主痿痹。一名类重。生田中高地。叶如天名精、美根。五月采。

925 师系

味甘，无毒。主痈肿、恶疮，煮洗之。一名臣尧，一名臣骨，一名鬼芭。生平泽。八月采。

926 逐折

杀鼠，益气，明目。一名百合。厚实，生木间，茎黄。七月实黑如大豆。

［**陶隐居云**］又杜仲子亦名逐折。

927 并苦

主咳逆上气，益肺气，安五脏。一名蜮薰，一名玉荆。三月采，阴干。

928 领灰

味甘，有毒。主心腹痛，炼中不足。叶如芒草，冬生，烧作灰。

929 父陛根

味辛，有毒。以熨痈肿、肤胀。一名膏鱼，一名梓藻。

930 索干

味苦，无毒。主易耳。一名马耳。

931 荆茎

疗灼烂。八月、十月采，阴干。

932 鬼麗

生石上，挼之。日柔为沐。

933 竹付

味甘，无毒。主止痛，除血。

934 秘恶

味酸，无毒。主疗肝邪气。一名杜逢。

935 唐夷

味苦，无毒。主疗踒折。

936 知杖

味甘，无毒。主疗疝。

937 垄松

味辛，无毒。主疗眩痹。（垄音地）

938 河煎

味酸。主结气，痈在喉头者。生海中。八月、九月采。

939 区余

味辛，无毒。主心腹热瘙。

940 三叶

味辛。疗寒热，蛇蜂螫人。一名起莫，一名三石，一名当田。生田中。叶一茎小黑白，高三尺，根黑。三月采，阴干。

941 五母麻

味苦，有毒。疗痿痹，不便，下痢。一名鹿麻，一名归泽麻，一名天麻，一名若一草。生田野。五月采。

942 疥柏

味辛，温，无毒。主轻身，疗痹。五月采，阴干。

943 常更之生

味苦，平，无毒。主明目。实有刺，大如稻米。

944 救赦人者

味甘，有毒。主疝痹，通气，诸不足。生人家宫室。五月、十月采，曝干。

945 丁公寄

味甘。主金疮痛，延年。一名丁父。生石间，蔓延木上。叶细，大枝，赤茎。母大如磺黄有汁。七月七日采。

946 城里赤柱

味辛，平。疗妇人漏血，白沃，阴蚀，湿痹，邪气，补中益气。生晋平阳。

947 城东腐木

味咸，温。主心腹痛，止泄，便脓血。

948 芥

味苦，寒，无毒。主消渴，止血，妇人疾。除痹。一名梨。叶如大青。

949 载

味酸，无毒。主诸恶气。

950 庆

味苦，有毒。主咳嗽。

951 腂

味甘，无毒。主益气，延年。生山谷中，白顺理。十月采。

以上草木类一百三十四种①②

952 雄黄虫

主明目，辟兵不祥，益气力。状如蠮螉。

953 天社虫

味甘，无毒。主绝孕，益气。状如蜂，大腰，食草木叶。三月采。

954 桑蠹虫

味甘，无毒。主心暴痛，金疮，肉生不足。

---

① 《新修本草》作“一百二十种”。

② 按，《证类本草》卷9“凫葵”引唐本注云：“猪莼堪食，有名无用条中载也。”据此则有名无用类中应有猪莼一药。今“凫葵”条下《嘉祐本草》注云：“今据唐本注云：有名无用条中载也。而寻有名无用条中，却无凫葵、猪莼，盖经《开宝详定》已删去也。”现查日本传抄卷子本《唐本草》卷二十“有名无用”条中，亦无凫葵、猪莼，可见并非《开宝详定》所删，可能是《唐本草》编修时删去的。

955 石蠹虫

主石癃，小便不利。生石中。

956 行夜

疗腹痛，寒热，利血。一名负盘。

[陶隐居云] 今小儿呼为横盘，或曰死频虫。

957 蜗离

味甘，无毒。主烛馆，明目。生江夏。

958 麋鱼

味甘，无毒。主痹，止血。

959 丹戬

味辛。主心腹积血。一名飞龙。生蜀，如鼠负，青股蜚头赤。七月七日采，阴干。

960 扁前

味甘，有毒。主鼠瘘癃，利水道。生山陵，如牛虻翼赤。五月、八月采。

961 蚖类

疗痹内漏。一名蚖，短，土色而文。

962 蜚厉

主妇人寒热。

963 梗鸡

味甘，无毒。疗痹。

964 益符

主疗闭。一名无舌。

965 地防

令人不饥不渴。生黄陵，如濡，居土中。

966 黄虫

味苦。疗寒热，生地上，赤头，长足，有角，群居。七月七日采。

以上虫类十五种

唐本退二十种

六种《神农本经》，十四种《名医别录》

967 薰草

味甘，平，无毒。主明目，止泪，疗泄精，去臭恶气，伤寒头痛，上气，腰痛。一名蕙草。生下湿地。三月采，阴干，脱节者良。

［陶隐居云］俗人呼燕草，状如茅而香者为薰草，人家颇种之。《药录》云：叶如麻，两两相对。《山海经》云：薰草，麻叶而方茎，赤花而黑实，气如蘼芜，可以已疠。今市人皆用燕草，此则非。今诗书家多用蕙语，而竟不知是何草。尚其名而迷其实，皆此类也。

968 姑活

味甘，温，无毒。**主大风邪气，湿痹寒痛。久服轻身，益寿耐老。一名冬葵子。生**河东**川泽。**

［陶隐居云］方药亦无用此者，乃有固活丸，即是野葛一名耳。此又名冬葵子，非葵菜之冬葵子，疗体乖异。

［唐本注云］《别录》一名鸡精也。

969　别羁

味苦，微温，无毒。**主风寒，湿痹，身重，四肢疼酸，寒邪历节痛。**一名别枝，一名别骑，一名鳖羁。**生**蓝田**川谷。**二月、八月采。

［**陶隐居云**］方家时有用处，今俗亦绝耳。

970　牡蒿

味苦，温，无毒。主充肌肤，益气，令人暴肥，血脉满盛，不可久服。生田野。五月、八月采。

［**陶隐居云**］方药不复用。

［**唐本注云**］齐头蒿也，所在有之。叶似防风，细薄无光泽。

971　石下长卿

味咸，平，有毒。**主鬼疰，精物，邪恶气，杀百精，蛊毒，老魅注易，亡走，啼哭，悲伤，恍惚。一名徐长卿。生**陇西**池泽山谷。**

［**陶隐居云**］此又名徐长卿，恐是误尔，方家无用。此处俗中皆不复识别也。

972　麋舌

味辛，微温，无毒。主霍乱，腹痛，吐逆，心烦。生水中。五月采，曝干。

［**陶隐居云**］生小小水中。今人五月五日采，阴干，以疗霍乱，甚良。

973　练石草

味苦，寒，无毒。主五癃，破石淋，膀胱中结气，利水道小便。生南阳川泽。

［**陶隐居云**］一名烂石草，又云即马屎蒿。

974　弋共

味苦，寒，无毒。主惊气，伤寒，腹痛，羸瘦，皮中有邪气，手足寒无色。生益州山谷。　畏玉札、蜚蠊。

975 蕈草

味咸，平，无毒。主养心气，除心温温辛痛，浸淫身热。可作盐花。生淮南平泽。七月采。 矾石为之使。

976 五色符

味苦，微温。主咳逆，五脏邪气，调中，益气，明目，杀虱。青符、白符、赤符、黑符、黄符，各随色补其脏。白符一名女木。生巴郡山谷。

[陶隐居云] 方药皆不复用，今人并无识者。

977 蘘草

味甘、苦，寒，无毒。主温疟寒热，酸嘶邪气，辟不祥。生淮南山谷。

978 **翘根**

味甘，寒、平，有小毒。**主下热气，益阴精，令人面悦好，明目。久服轻身，耐老。**以作蒸饮酒病人。**生嵩高平泽。**二月、八月采。

[陶隐居云] 方药不复用，俗无识者也。

979 鼠姑

味苦，平、寒，无毒。主咳逆上气，寒热，鼠瘘，恶疮，邪气。一名䑕。生丹水。

[陶隐居云] 今人不识此鼠姑，乃牡丹又名鼠姑，罔知熟是。

980 船虹

味酸，无毒。主下气，止烦满。可作浴汤，药色黄。生蜀郡。立秋取。

[陶隐居云] 方药不用，俗人无识者也。

981 **屈草**

味苦，微寒，无毒。**主胸胁下痛，邪气，肠间寒热，阴痹。久服轻身，益气，**

耐老。生汉中**川泽。**五月采。

[**陶隐居云**] 方药不复用，俗无识者也。

982 赤赫

味苦，寒，有毒。主痂疡恶败疮，除三虫，邪气。生益州川谷。二月、八月采。

983 **淮木**

味苦，平，无毒。**主久咳上气，伤中，虚羸，**补中益气，**女子阴蚀，漏下，赤白沃。一名百岁城中木。**生晋阳平泽。

[**陶隐居云**] 方药亦不复用。

984 占斯

味苦，温，无毒。主邪气湿痹，寒热疽疮，除水坚积血癥，月闭无子，小儿躄不能行，诸恶疮痈肿，止腹痛，令女人有子。一名炭皮。生太山山谷。采无时。解狼毒毒。

[**陶隐居云**] 李云是樟树上寄生，树大衔枝在肌肉，今人皆以胡桃皮当之，非是真也。按，《桐君录》云：生上洛，是木皮，状如厚朴，色似桂白，其理一纵一横。今市人皆削乃似厚朴，而无正纵横理，不知此物是何物，莫测真假，何者为是也。

985 婴桃

味辛，平，无毒。主止泄肠澼，除热，调中，益脾气，令人好色美志。一名牛桃，一名英豆。实大如麦，多毛。四月采，阴干。

[**陶隐居云**] 此非今果实樱桃，形乃相似，而实乖异，山间乃时有，方药亦不复用耳。

986 鸩鸟毛

有大毒。入五脏烂杀人。其口，主杀蝮蛇毒。一名鸩日。生南海。

[**陶隐居云**] 此乃是两种：鸩鸟，状如孔雀，五色杂斑，高大，黑颈，赤喙，

出交、广深山中；鸩日鸟，状如黑伧鸡，其共禁大朽树，令反，觅蛇吞之，作声似云同力，故江东人呼为同力鸟，并啖蛇。人误食其肉，亦即死。鸩毛羽，不可近人，而并疗蛇毒。带鸩喙，亦辟蛇。昔时皆用鸩毛为毒酒，故名鸩酒。顷来不复尔。又云有物赤色，状如龙，名海姜，生海中，亦有大毒，甚于鸩羽也。

［**唐本注云**］此鸟，商州以南、江岭间大有，人皆谙识。其肉，腥，有毒，亦不堪啖。云羽画酒杀人，此是浪证。按，《玉篇》引郭璞云：鸩大如雕，长颈赤喙，食蛇。又《说文》《广雅》《淮南子》皆一名运日，鸩、运同也。问交、广人，并云：鸩日，一名鸩，一名同力。鸩日鸟外，更无如孔雀鸟。陶云如孔雀者，交、广人诳也。

今新退一种

987 彼子

味甘，温，有毒。**主腹中邪气，去三虫，蛇螫，蛊毒，鬼疰，伏尸。生**永昌山**谷。**

［**陶隐居云**］方家从来无用此者，古今诸医及药家，了不复识。又一名罴子，不知其形何类也。

［**唐本注云**］此彼字，当木傍作柀。仍音披，木实也，误入虫部。《尔雅》云柀一名杉，叶似杉，木如柏，肌软，子名榧子，陶于木部出之，此条宜在果部中也。

［**今注**］陶隐居不识，唐本注以为榧实。今据木部下品自有榧实一条。而彼子又在虫鱼部中，虽同出永昌，而主疗稍别。古今未辨，两注不明，今移入于此卷末，以俟识者。

药名索引

（括号内数字为药物条目序次）

二画

三画

四画

五画

六画

七画

八画

九画

十画

十一画

十二画

十三画

十四画

十五画

十六画

十七画

十八画

十九画

二十画

二十一画

二十二画

二十三画

二十八画